Y0-BZA-560

LA POUSSIÈRE DES CORONS

DU MÊME AUTEUR
CHEZ POCKET

LA COURÉE *
LOUISE (LA COURÉE **)
BENOÎT (LA COURÉE ***)
LA CENSE AUX ALOUETTES
LA MAÎTRESSE D'ÉCOLE

MARIE-PAUL ARMAND

LA POUSSIÈRE DES CORONS

PRESSES DE LA CITÉ

ISBN 2-266-08883-1

A Paul, mon grand-père, qui fut mineur ; à Marie, ma grand-mère.

A tous les mineurs et à leur femme.

Remerciements

Je remercie tous ceux qui, mineurs ou femmes de mineurs, m'ont raconté leurs souvenirs. Je remercie ceux qui m'ont fourni de la documentation, et notamment M. Charles Toursel, de Bruay-en-Artois, qui n'a pas hésité à me confier tous les documents qu'il possédait. Son ouvrage, *Bruay-en-Artois et sa région de 1870 à nos jours,* m'a été une source importante de renseignements, et sans lui ce roman n'aurait peut-être pas existé.

Je remercie Adeline Baruy, ma toute première lectrice, ainsi que ceux qui m'ont encouragée.

Je voudrais également exprimer ma reconnaissance à M. Jacques Chabannes, pour ses conseils et sa gentillesse.

Enfin, je tiens à adresser un remerciement particulier à M. Maurice Schumann, de l'Académie française, qui a accepté de lire mon manuscrit et m'a apporté une aide précieuse. Qu'il soit assuré de ma gratitude.

M.-P. A.

Charade à ceux qui vont mourir Egypte noire
Sans pharaon qu'on puisse invoquer à genoux
Profils terribles de la guerre Où sommes-nous
Terrils Terrils ô pyramides sans mémoire

Est-ce Hénin-Liétard ou Noyelles-Godault
Courrières les morts Montigny-en-Gohelle
Noms de grisou Puits de fureur Terres cruelles
Qui portent çà et là des veuves sur leur dos

Louis ARAGON
Le Roman inachevé

PREMIÈRE PARTIE

(1900-1914)

LEUR NUIT SANS ÉTOILES

1

JE suis née, en même temps que le vingtième siècle, le 1er janvier 1900, dans un petit village du Pas-de-Calais. Dans le coron où j'ai vu le jour, tous les hommes étaient mineurs, de père en fils. Mon père n'avait pas échappé à cette règle. Je fus son seul enfant. Il en fut heureux, préférant n'avoir qu'une fille à des fils qui, tôt ou tard, auraient dû prendre le chemin de la mine.

Le travail de mineur était un travail dur, aride, et dangereux. Moi, je n'ai connu que le sort des femmes : l'angoisse, l'incertitude, l'incapacité de savoir si, chaque soir, l'être aimé reviendrait au foyer. Je ne peux que rendre hommage au courage, à l'endurance de ces hommes qui sont descendus dans les entrailles de la terre, bien souvent au péril de leur vie. Ils ont formé une chaîne indestructible, où, à chaque maillon, est venu s'accrocher celui de la génération suivante. Je ne sais pas s'il existe une autre corporation d'ouvriers qui, au fil des années, a pu connaître autant de catastrophes. Le destin qui, dès ma naissance, m'a placée dans ce milieu n'a pas été tendre avec moi.

Dès ma petite enfance, je fus familiarisée avec le dur univers du mineur. Toute petite, encore presque un bébé, je ne reconnaissais pas ce grand homme noir qui revenait le soir chez nous et de qui j'avais peur. Il se lavait dans un coin de la cuisine où nous habitions, à l'abri d'un paravent que ma mère installait uniquement en cette circonstance. Le miracle se renouvelait chaque soir, qui faisait réapparaître, après quelques instants, mon père venant vers moi, sagement installée sur une couverture à même le sol. Il me prenait dans ses bras et me levait jusqu'au plafond, riant de mes cris de joie et de peur.

Notre maison était la dernière du coron. Le coron, c'était, autour de la mine, des longues bandes d'habitations noires et tristes, toutes rigoureusement identiques. La nôtre se situait au bout de la rue ; ensuite venaient les champs. Aussi, en sortant de chez nous, le paysage était très différent selon le côté où l'on regardait. A gauche, l'immensité verdoyante, les arbres, la campagne, où, dès le printemps, chantaient les alouettes ; à droite, la rue étroite et rectiligne avec ses deux rangées de maisons et, au bout, comme seul achèvement possible à ce décor, la masse de la fosse, où travaillaient mon père et tous les hommes du coron.

Mon enfance ne fut pas malheureuse. Bien sûr, nous étions pauvres, et, matériellement, je ne fus pas gâtée. Mais j'étais bien moins à plaindre que certains autres enfants. Ma mère était couturière, et cousait pour les autres femmes. Ce qu'elle gagnait s'ajoutait à la quinzaine de mon père, et nous procurait une relative aisance. De plus, j'étais fille unique. A l'époque, c'était pour mes parents réellement appréciable, car le salaire du père restait le même, qu'il y eût un ou dix enfants à nourrir.

Mes parents m'aimaient, je crois, profondément. Avec cette pudeur particulière aux gens du peuple, ils n'extériorisaient pas leur tendresse. Mais une sorte d'instinct me disait que j'étais aimée, et cela contribua à faire de moi une enfant épanouie et équilibrée.

Je garde de mes toutes premières années un souvenir attendri. Une image me vient à l'esprit, toujours la même : je nous revois le soir, dans la cuisine, après le repas. Mon père, souvent, s'installait près du foyer, avec sa pipe qu'il fumait tranquillement, et se reposait de sa dure journée de travail. Il se penchait vers moi en souriant, me tendait les bras :

— Viens, Madeleine, viens avec papa.

Je trottinais jusqu'à lui, ravie, heureuse. Je grimpais sur ses genoux, me blottissais dans ses bras, me roulant en boule comme un chaton. Près de nous, ma mère, à la lueur de la lampe à pétrole, raccommodait le linge, les « loques de fosse » de mon père, toujours déchirées. Lorsque je repense à cette scène, je retrouve le sentiment de bien-être et de sécurité que j'éprouvais tandis que, la tête appuyée sur la poitrine de mon père, je m'endormais doucement en suçant mon pouce.

Je n'ai pas beaucoup de souvenirs de ma petite enfance. Des images, confuses, me viennent pêle-mêle. Je me revois le soir, dans mon lit, seule dans la chambre que j'occupais, près de celle de mes parents. Dans l'obscurité, les meubles familiers prenaient l'aspect effrayant de monstres, et je sais que j'avais peur. Je me recroquevillais, me blottissais sous les couvertures, fermant les yeux et me persuadant que, si je ne les voyais plus, les monstres ne viendraient pas me saisir.

J'étais très peureuse. Je me souviens, entre autres, de la terreur qu'exerçait sur moi le gros poêle en fonte de la cuisine. Tant que je n'étais pas seule, il ne m'effrayait pas. Mais ma mère devait parfois s'absenter, le plus souvent pour aller remplir ses seaux d'eau, à la pompe située au milieu de la rue. Elle m'installait à la table, avec un jouet quelconque.

— Ne bouge pas, Madeleine, me disait-elle, maman revient tout de suite.

J'obéissais sagement. Mais, dès qu'elle était sortie, le poêle semblait doubler de volume, devenait plus noir, se faisait menaçant. Je n'osais pas le regarder, mais je le savais là, et il m'effrayait. J'ai eu là mes premières terreurs enfantines.

Mon premier souvenir vraiment précis, c'est l'anniversaire de mes cinq ans. Ce matin-là, je m'étais réveillée tôt. Dans mon lit, je m'amusais, comme je le faisais souvent, à repousser de mes pieds, le plus loin possible, la brique que ma mère plaçait toute chaude, chaque soir, entre les draps.

Lorsque ma mère vint me chercher, je me levai,

courus jusqu'à la cuisine. Comme c'était aussi le jour de l'an, mon père était là. Nous avons échangé nos vœux de bonne année en nous embrassant tendrement. Je me sentais heureuse. Dans la chaude atmosphère de la cuisine, nous avons pris notre déjeuner tous les trois. La seule présence de mon père faisait de mon anniversaire une vraie fête. Il était si rarement là pour partager notre repas !

Ensuite, ma mère me donna mon cadeau : une poupée en chiffons qu'elle avait confectionnée avec des restes de tissus. Je me rappelle l'émerveillement qui fut le mien lorsqu'elle me l'offrit. Elle devint ma grande amie, nous fûmes inséparables. Elle dormait avec moi la nuit ; avec elle j'avais moins peur dans l'obscurité. Je la possède encore, elle est bien usée, le tissu est déchiré en de nombreux endroits, mais je ne peux me résoudre à la jeter ; elle est le dernier vestige qui me reste de mon enfance, tout le reste a disparu.

Puis, comme tous les 1er janvier, j'allai, avec les autres enfants de la rue, souhaiter une bonne année dans chaque maison. On nous donna des gâteaux, que les plus gourmands mangèrent sur place. Je ramenai les miens chez moi, je les tendis à mon père :

— Tiens, papa, tu les donneras à Tiennou, demain. Tu lui diras que c'est de ma part.

Tiennou était mon ami, un ami que je n'avais jamais vu. Je le connaissais par les récits de mon père. C'était un des chevaux de la mine, et mon père ne partait jamais au travail sans un sucre pour Tiennou.

— Tiennou, disait-il, est un cheval extraordinaire. Il est habitué à tirer son convoi de douze berlines ; si Jules, le meneur, profite de l'obscurité pour ajouter une treizième berline, il refuse de démarrer. Jules a déjà essayé plusieurs fois, et n'a jamais réussi. Tiennou ne consent à tirer que ses douze wagons, pas un de plus !

Il me plaisait qu'il fût si intelligent. Je l'en aimais davantage. Comme j'aurais voulu le connaître ! A défaut, je me l'imaginais, placide, fort, doux et bon. Sans l'avoir jamais caressé, je connaissais la douceur de son museau, la tiédeur de ses naseaux.

Je voulus que lui aussi prît part à mon anniversaire ; le lendemain, mon père partit au fond de la mine avec, en plus de son « briquet » (1) habituel, un paquet de mes gâteaux pour Tiennou.

⁂

Je fus ensuite suffisamment grande pour aider ma mère. J'eus la responsabilité d'un certain nombre de tâches, et j'en éprouvai un sentiment d'importance et de fierté.

Lorsque ma mère avait bien lavé le sol, je puisais, dans la boîte prévue à cet effet, des poignées de sable blanc. J'en saupoudrais toute la surface de la cuisine. Ensuite, je prenais le petit balai que m'avait fabriqué mon père, et je m'amusais à dessiner toutes sortes d'arabesques, plus compliquées les unes que les autres. C'était la coutume, beaucoup de ménagères faisaient de même. Lorsque j'avais fini, je contemplais mon œuvre avec satisfaction. Je restais près de la porte, et je disais à ma mère, qui vidait les seaux d'eau dehors :

— Attends, n'entre pas ! Laisse mes beaux dessins !

Pour me faire plaisir, ma mère attendait un peu. Mais enfin il fallait bien qu'elle rentre. Je suppliais :

— Attends, attends encore un peu !

— Allons, Madeleine, j'ai du travail.

Je regardais mes dessins, et j'aurais voulu toujours les garder intacts. Il m'était une souffrance de savoir qu'ils allaient être piétinés, démolis. En même temps, je me rendais compte que c'était inévitable, et j'étais malheureuse de n'y pouvoir rien changer. Déjà, je découvrais la fragilité des choses éphémères.

J'allais aussi à la pompe, chercher de l'eau dans un broc que je ramenais en marchant à petits pas, attentive à ne pas renverser. J'appris à moudre le café, dans le moulin en bois qu'il fallait tenir bien serré entre les genoux ; je tournais la manivelle, ouvrant de temps en temps le petit tiroir du bas pour y vérifier le café moulu.

(1) Le *briquet* est le casse-croûte du mineur.

Mais les meilleurs moments de mon enfance, c'étaient les jeux. Ce que nous avons pu jouer, nous, les enfants du coron ! Nous n'avions pratiquement pas de jouets ; pourtant, nous n'étions jamais à court d'idées.

A la maison voisine de la nôtre, il y avait quatre enfants. L'aîné, Charles, avait deux ans de plus que moi, et sa sœur Marie avait mon âge. Tous trois, nous étions inséparables. Dès que nous avions fini d'aider à la maison, nous sortions et nous nous attendions mutuellement. Puis nous allions jouer. Dans la rue, dans les sentiers le long des champs, autour des maisons. Mais notre endroit de prédilection était, je crois, le terril. Nous descendions toute la rue, nous passions devant *Chez Tiot Louis,* le cabaret des mineurs, que je considérais avec un mélange de méfiance et de respect : c'était le domaine exclusif des hommes, je n'y étais jamais entrée. Nous contournions la fosse, avec son immense charpente métallique et son chevalement, dont les gigantesques roues m'impressionnaient. Nous arrivions au terril, qui était pour nous une véritable montagne noire. Ce que nous aimions par-dessus tout, c'étaient les glissades. Si nous n'avions pas de planche, nous descendions la pente sur le derrière, ou alors en roulant sur nous-mêmes. C'était très amusant. Ces jours-là, lorsque nous revenions le soir, nous étions aussi noirs que les mineurs qui remontaient du fond !

Marie était mon amie. Lorsque Charles était à l'école, nous jouions toutes les deux, à des jeux de filles. Ma poupée de chiffon excitait sa convoitise, souvent elle me demandait de la lui prêter. Je refusais, je ne voulais pas prêter ce qui représentait pour moi l'équivalent d'un trésor.

Un jour, nous étions assises devant la maison. Je venais encore de refuser, et Marie, qui était vive et emportée, me dit :

— Tiens, la voilà, ta poupée, puisque tu ne veux pas la prêter !

Elle la saisit et la lança au milieu de la rue. Il avait plu ; ma poupée atterrit au beau milieu d'une flaque noire et boueuse. Stupéfaite, je ne bougeai pas tout de suite. Lorsque je compris ce qu'elle avait osé faire, je bondis et courus reprendre ma poupée qui, trempée et couverte de boue, n'avait pas fière allure. Je contemplai avec horreur les dégâts, puis, me tournant vers Marie, je dis, en suffoquant d'indignation :

— Oh !... Regarde !... Regarde ce que tu as fait !...

Et je me mis à pleurer, à gros sanglots. Marie, qui n'était pas méchante, regrettait son geste, et essayait de me consoler :

— Allons, ne pleure pas... ne pleure pas, je ne le ferai plus.

Mais je ne pouvais pas m'arrêter. Voyant que je ne me calmais pas, Marie alla chercher ma mère. Elle lui expliqua ce qui s'était passé. Ma mère prit la poupée et me dit :

— Ce n'est pas grave, je vais la laver. Elle redeviendra aussi belle.

Mais, redevenue propre, la poupée ne fut plus jamais comme avant. Elle resta chiffonnée, les couleurs furent ternies par le lavage. J'en eus de la peine très longtemps. Ce fut mon premier vrai chagrin d'enfant.

Il y avait aussi des moments privilégiés pour jouer ; les soirs d'été étaient de ceux-là. Les soirs d'été de mon enfance m'ont laissé au cœur le souvenir impérissable d'une douceur, d'un charme suranné qui jamais plus ne reviendront. La rue elle-même était transformée. Elle s'animait, devenait gaie, toute bruissante, retentissait de cris et de rires.

C'était, le plus souvent, au moment où la chaleur s'estompait progressivement, où une légère brise amenait une fraîcheur bienfaisante. Le temps semblait s'arrêter. Le crépuscule, qui descendait sur le coron, l'enveloppait de douceur. Le soleil couchant nimbait de ses derniers rayons la masse de la fosse, rosissait les briques et mettait des étoiles d'or pourpre dans les roues du chevalement, réussissant, par sa seule magie, à la doter d'un charme étrange et poignant.

Ces soirs-là, tout le monde se trouvait dehors. Les femmes, sur le pas de la porte, parlaient de leurs enfants, de leurs problèmes, échangeaient des recettes, se donnaient des conseils. Les hommes, accroupis dans une attitude acquise au fond, fumaient silencieusement, profitant, de tout leur corps, des derniers rayons du soleil, de la douceur de l'air, de ce dont ils étaient privés au long de leurs heures de travail. Et nous, les enfants, nous jouions, nous courions, nous faisions le tour des maisons, nous poussions des cris, et notre présence trépidante rendait la rue plus jeune, plus humaine, plus gaie.

La vie ne m'a pas gâtée. Quand je regarde en arrière, je revois bien des moments tristes, et même dramatiques. C'est pourquoi il me suffit de penser à ces jours de mon enfance pour me dire que j'ai au moins quelques souvenirs heureux, pleins de jeux, d'amour et de soleil.

2

L'ANNEE de mes six ans, pour la première fois de ma vie — et ce ne fut, hélas, pas la dernière —, je connus la faim. Je ne compris pas pourquoi, sur le moment. Ce n'est que bien plus tard que je me suis rendu compte que, simplement, j'étais une victime du milieu dans lequel je vivais.

Cela commença un soir du mois de mars. Dans l'après-midi, ainsi qu'elle le faisait chaque jour, ma mère avait fait chauffer de l'eau et préparé le chaudron pour le bain de mon père. Mais l'heure passait, et mon père ne rentrait pas. Ma mère s'inquiétait, devenait nerveuse, tournait dans la pièce, allait à la porte et regardait dehors. Le moindre retard pouvait être lourd de significations. Mon père le reconnaissait lui-même, quand il disait, en parlant de son travail au fond :

— Chaque jour, je sais que je descends, mais je ne sais jamais si je remonterai.

La nervosité de ma mère finit par me gagner. Sans savoir pourquoi, je commençais à me sentir la gorge sèche, les mains moites. A la fin, n'y tenant plus, ma mère me dit :

— Mets ta pèlerine, Madeleine, et va au-devant de papa. Va jusque *Chez Tiot Louis,* regarde s'il est là.

L'angoisse faisait trembler sa voix. Il était rare que mon père fût en retard ; il rentrait tous les jours à la même heure.

Je sortis. Dans le soir qui tombait, je courus dans la rue. Il faisait froid ; le vent me giflait le visage de ses rafales sèches et brutales. Tout était désert. Ce fut en approchant de *Chez Tiot Louis* que j'entendis le bruit des conversations. J'avançai timidement, collai mon nez à la vitre. A cause de la buée, je ne vis pas grand-chose, mais il me sembla que le café était plein. J'entrevis une masse confuse d'hommes noirs qui parlaient, gesticulaient, criaient fort. Il m'était impossible de savoir si mon père était parmi eux.

Je restai là un bon moment, me demandant que faire, grelottant dans le vent froid. Je ne pensais pas à repartir à la maison, je sentais confusément combien ma mère serait déçue de me voir revenir seule.

Je ne bougeai pas de mon poste d'observation. Enfin, après de longs instants, trois hommes sortirent du café. L'un d'eux me vit. Il me connaissait, il habitait notre rue.

— Madeleine ! que fais-tu donc ici ?

— J'attends papa. Dites, est-ce qu'il est là ?

Sans me répondre, il rouvrit la porte. Criant pour dominer le tumulte des conversations, il appela :

— Hé ! Jean ! Viens, ta fille est là !

Avec soulagement, je vis mon père s'avancer vers moi. Il se pencha, me prit dans ses bras :

— Madeleine, pourquoi es-tu ici ?

Rassurée, maintenant, je n'avais plus froid. Mon papa me serrait contre lui, tout était bien.

— C'est maman qui m'a dit de venir. Elle s'inquiète.

— Viens, nous allons rentrer.

Il me porta jusqu'à la maison. Ma mère était sur le seuil, et j'entendis son soupir de soulagement lorsqu'elle nous vit arriver.

Nous entrâmes dans la maison, et mon père me déposa à terre. C'est alors que je vis son expression : grave, inhabituelle. Sans savoir pourquoi, mon cœur se serra. Je sentis qu'il y avait quelque chose, et je me fis toute petite dans un coin. Ma mère parla, et sa voix était rauque d'appréhension :

— Jean, que se passe-t-il ?

Mon père s'assit, lui tendit les mains dans un geste d'impuissance et de consolation :

— Louise, il y a eu une catastrophe, à Courrières, à la fosse 2, un coup de grisou. Ils sont tous restés dedans. Les secours sont en train de s'organiser. Il va falloir que j'aille aux nouvelles.

Ma mère était devenue blanche. Deux de ses frères travaillaient à la fosse 2 de Courrières, tous deux dans le même puits. L'un d'eux, Marcel, le plus jeune, me faisait souvent sauter sur ses genoux ; je l'adorais. Elle demanda, et il y avait au fond de ses yeux une angoisse si insoutenable que mon père détourna la tête :

— Est-ce qu'on sait quelque chose ?

— Non, pas encore. J'irai demain, après le travail.

Ils en parlèrent toute la soirée. Mon père raconta ce qu'il avait appris par d'autres mineurs. Je ne comprenais pas, j'étais encore trop petite, mais instinctivement je sentais que c'était grave. Je n'osais pas bouger. La soirée fut très différente des précédentes. Après le repas, mon père ne me prit pas sur ses genoux comme il le faisait les autres soirs. Ma mère me mit au lit tout de suite, me souhaita bonne nuit, m'embrassa, et s'en alla, me laissant seule.

Je fus longue à m'endormir. Je les entendis, longtemps, qui parlaient, et leurs voix n'étaient pas comme d'habitude, elles étaient sourdes, lourdes d'angoisse et de peur. Je ressentais leur inquiétude, sans bien en comprendre la raison. Recroquevillée sous mes couvertures, je serrais ma poupée dans mes bras, cherchant une consolation qui ne venait pas. Toute la soirée, je me sentis très malheureuse. Je m'endormis le cœur gros de sanglots retenus.

***

Le lendemain et les jours suivants, après son travail, mon père, avec une bicyclette empruntée au chef porion, partit pour Courrières. Il ne revenait que tard dans la soirée, après une attente interminable sur le carreau de la fosse 2. Il rentrait chaque fois profondément las et découragé. En réponse au regard chargé d'angoisse de ma mère, il secouait la tête avec tristesse, avec accablement : il ne savait rien de nouveau, les frères de ma mère étaient encore au fond, beaucoup de mineurs n'avaient pu être remontés ; les équipes de secours étaient inefficaces devant l'ampleur de la catastrophe. Il faudrait faire appel à des sauveteurs allemands. Ma mère soupirait, ne disait rien.

Je la voyais maintenant continuellement triste. Dans la journée, je n'étais plus que rarement seule avec elle. Il y avait toujours l'une ou l'autre de nos voisines qui venait, discutait, essayait de la rassurer. Et, pendant les rares moments où nous n'étions que toutes les deux, elle refusait avec moi toute intimité. Parfois, je m'approchais d'elle. J'aurais voulu la consoler mais je n'osais rien dire. Elle me repoussait, me renvoyait à mes jeux, et son attitude me faisait de la peine.

Elle était sans cesse pâle, crispée, elle ne souriait plus. Je l'entendais souvent soupirer. Je la suivais d'un regard triste, incompréhensif, et, malheureuse de me sentir délaissée, je me croyais moins aimée.

Après plusieurs jours mon père rentra un soir plus tard que de coutume. Il pénétra dans la cuisine d'un pas lourd, le dos courbé sous le poids de la fatigue et du désespoir. Il ne parla pas, mais, à son regard grave, plein d'une tristesse et d'une compassion infinies, ma mère comprit. Je vis sur son visage passer une sorte d'égarement. Elle se jeta dans les bras de mon père et se mit à pleurer. Il la serrait contre lui, impuissant à la consoler :

— Tous les deux, Louise, ils ont été tués, tous les deux...

Elle continua de pleurer, sans pouvoir s'arrêter. Elle se laissa tomber sur une chaise et resta ainsi, la tête dans les mains, le corps secoué de sanglots. Ce fut, pour moi, comme si mon monde basculait. Je me suis précipitée vers ma mère, m'agrippant à sa jupe, et, sans comprendre, effrayée de la voir pleurer, je me suis mise à pleurer avec elle. Elle m'a prise dans ses bras, me serrant contre sa poitrine, et, étroitement enlacées, nous avons mêlé nos larmes.

⁂

Ils allèrent à l'enterrement. Comme j'étais trop jeune pour les accompagner, la mère de Charles vint me chercher et m'emmena chez elle. Là, je retrouvai Marie, ma compagne de jeux.

Il faisait un temps affreux, il tombait une sorte de neige fondue absolument glaciale. Nous étions dans la cuisine, près du feu, nous jouions à la poupée. Nous nous amusions à habiller et à déshabiller à tour de rôle ma poupée de chiffons, avec les habits que ma mère confectionnait au fur et à mesure qu'elle avait des restes de tissu. C'était un jeu qui nous passionnait beaucoup. Il nous amusa tout l'après-midi. Et la faculté d'oubli d'un enfant est si grande que je ne pensais plus à la peine de ma mère, ni à ma tristesse des jours précédents. La mère de Marie nous donna, pour goûter, une tartine avec du sucre, que je mangeai de bon appétit.

Et puis, à la fin de l'après-midi, mes parents vinrent me reprendre. Dès leur entrée, je ressentis de nouveau, en voyant leur tristesse, le même accablement douloureux. Il ne m'échappa point que ma mère avait les yeux rougis, et mon cœur d'enfant se serra.

Pendant que nos parents discutaient, Marie me tira le bras :

— Viens, jouons encore.

Je secouai la tête. Il me semblait impossible de jouer alors que ma mère avait pleuré ; toute envie de m'amuser m'avait quittée.

Cette catastrophe, qui avait fait plus de mille morts, avait profondément marqué toute la corporation minière. Une grève générale s'ensuivit. Si j'eus la joie de voir mon père à la maison, elle fut de courte durée. Je compris vite que sa présence n'était pas la même que celle qui, d'habitude, faisait de chaque dimanche une fête. Il n'y avait plus de jours gais, tout le monde me semblait triste, inquiet. Finies, les journées calmes avec ma mère, tout occupées du ménage et de la maison. Supprimées, aussi, les soirées paisibles où tous les trois nous étions réunis autour de la lampe. Maintenant, tous les soirs on me mettait au lit, et de nombreux camarades de mon père envahissaient la maison. Longtemps, avant de m'endormir, je les écoutais. Les mots « danger », « sécurité », « grève » revenaient souvent. Je les entendais sans en comprendre le sens.

Un soir, je me réveillai subitement ; quelque chose m'avait tirée de mon sommeil. J'ouvris les yeux dans l'obscurité. Sans comprendre pourquoi, je me sentais inquiète et étrangement oppressée. Je restai sans bouger, et, après quelques instants, j'entendis le bruit qui m'avait réveillée, un bruit étrange, étouffé, que je n'arrivai pas à définir.

Je sentis une véritable angoisse me serrer la poitrine. Je me redressai dans mon lit, prête à appeler, lorsque je les vis. La porte était entrouverte, et, à la lueur du foyer, je les apercevais clairement. Ils étaient là tous les deux, mon père assis sur une chaise, la tête courbée dans une attitude d'infinie désespérance, et ma mère penchée sur lui.

Elle lui parlait avec tendresse, avec douceur, de la voix qu'elle utilisait envers moi-même pour me consoler lorsque j'avais un gros chagrin. Mon père releva la tête, et je me rendis compte, avec un coup au cœur, qu'il pleurait, et que le bruit qui m'avait réveillée était celui de ses sanglots. Je fus bouleversée, remuée jusqu'aux entrailles par une vague d'émotion si violente que j'eus envie de gémir, à mon tour, et d'ajouter, aux pleurs de mon père, ma plainte d'enfant qui avait mal et qui ne comprenait pas.

Une pudeur m'empêcha d'appeler. Ils se dirigèrent vers leur chambre et je ne les vis plus. Je restai là, seule, solitaire et profondément malheureuse.

Cette scène me fit prendre conscience que mon père, que je croyais fort et invulnérable, pouvait être aussi faible qu'un petit enfant. Cela éveilla en moi une insécurité, une méfiance vis-à-vis du monde extérieur.

La situation se détériorait de plus en plus. J'avais pris l'habitude de faire les courses, pour aider ma mère, et j'allais au ravitaillement à l'épicerie des mineurs, à l'entrée du coron. De jour en jour, je partais avec un peu moins d'argent et je revenais avec un peu moins de marchandises. Nous étions pauvres, et nous avions si peu d'économies qu'elles fondirent très vite. Alors nous fûmes obligés de nous nourrir à crédit. Je partais au magasin sans argent, et ma mère me disait :

— Dis à Mélanie qu'on paiera après la grève.

Mélanie, l'épicière, qui nous connaissait tous, fut d'accord au début. Mais, plus les jours passaient, plus elle s'impatientait, menaçant de ne plus rien nous donner. Nous n'étions pas ses seuls clients, tout le coron allait se ravitailler chez elle, et elle se refusait à nourrir tout le monde, pour rien, trop longtemps. Alors cela devint de plus en plus difficile, le café, le sucre, le beurre manquèrent. Le pain se fit rare, nous devions l'économiser. Et il y eut bien des moments où j'eus faim. Au début, je disais :

— Maman, j'ai faim.

Ma mère soupirait :

— Il n'y a rien à manger pour le moment, Madeleine. Patiente jusqu'à ce soir.

Après avoir reçu plusieurs fois de suite la même réponse, je ne réclamai plus. Mais je n'en souffris pas moins. Je souffris silencieusement, et ce fut dur pour mes six ans.

Ce fut une époque où tous les moyens étaient bons pour récupérer ce qui pouvait ressembler à de la nourriture. Comme c'était le printemps, nous, les enfants du coron, allions à la cueillette des pissenlits qui poussaient dans les champs, dans les prés, tout autour du village. Nos mères en faisaient des salades qui accompagnaient le pain et qui nous donnaient l'illusion d'un repas.

Charles, Marie et moi, un grand sac à la main, nous

partions dans la campagne, au hasard des sentiers souvent détrempés.

Un après-midi, nous avons dû aller très loin, car les environs immédiats du village avaient été pillés dès le début. Nous avons marché longtemps, nous avons même reçu plusieurs averses. Ma pèlerine était trempée, et, malgré mon capuchon, j'avais les cheveux mouillés. Marie et Charles ne valaient guère mieux. Nos chaussures à tous les trois n'étaient plus qu'une masse informe de boue et d'argile. Mais nous ramenions chacun un sac rempli de pissenlits, et nous en étions heureux.

En approchant du village, nous avons rencontré d'autres enfants qui, eux aussi, cherchaient des pissenlits. Parmi eux, il y avait Albert Darent, qui avait l'âge de Charles. Nous le connaissions et nous le craignions ; brutal et méchant, il profitait de sa force et n'hésitait pas à battre ceux qui ne voulaient pas faire toutes ses volontés. Contrairement aux autres, il n'avait pas de sac, et se contentait d'observer, les mains dans les poches. Son regard se posa sur nos sacs de pissenlits. Il s'approcha, une lueur inquiétante dans ses petits yeux sournois. Je me raidis, sur la défensive. Il passa près de Charles et de moi, se dirigea vers Marie, qui était un peu en arrière. Il lui ordonna durement :

— Donne-moi ça !

Il lui arracha le sac de pissenlits, la repoussant si violemment qu'elle tomba. Il y eut quelques ricanements parmi les autres garçons. L'indignation me souleva. Je vis Charles poser son sac et se diriger vers lui, blanc de fureur.

Ignorant notre réaction, Albert, avec un sourire triomphant, repartait déjà vers le village, sûr de son impunité. Il commit l'erreur de passer devant moi. Au moment où il arrivait à ma hauteur, presque instinctivement, et bien que mon cœur battît de peur, j'avançai mon pied pour le faire trébucher. Il ne s'y attendait pas. Surpris, il perdit l'équilibre et alla s'étaler de tout son long dans la boue du chemin. Cela s'était passé si rapidement que, sur le moment, personne ne comprit.

Un silence plein d'appréhension accueillit sa chute. Comment allait-il réagir ? Nous avions tous peur.

Il se releva, couvert de boue et pâle de colère. Il tourna vers moi un regard où se lisait une telle fureur que j'eus l'impression de me recroqueviller. Il se précipita, le poing levé, dans ma direction, bégayant de rage :

— Att... Attends ! Attends un peu ! Tu v... Tu vas voir !...

Incapable de bouger, tétanisée, je ne pouvais que le regarder. Il s'élança pour me frapper. Charles s'interposa :

— Arrête ! Laisse-la.

Furieux d'être arrêté, il se tourna vers Charles, voulut le repousser ; mais Charles se plaça devant moi, les poings serrés, dans une attitude de défi. Albert se jeta sur lui, et ils se mirent à se battre, se donnant des coups de poing, des coups de pied. Ils perdirent l'équilibre et roulèrent dans la boue.

Marie s'était rapprochée de moi, et, impuissantes, nous assistions à la bataille. Les autres garçons regardaient, silencieux. Ils avaient tellement peur d'Albert qu'ils n'osaient pas encourager Charles, ni l'aider. J'avais envie de pleurer, je criai :

— Arrêtez !

Mais ils ne m'écoutèrent pas. M'entendirent-ils seulement ?

Nous étions tous là, et je sentais un sentiment proche de la détresse m'envahir, lorsqu'une grosse voix nous fit soudain sursauter :

— Eh bien ! Que se passe-t-il, ici ?

Je me retournai. Alphonse, le garde des mines, que nous connaissions bien, était arrivé sans que nous l'eussions entendu.

— Voulez-vous arrêter de vous battre, garnements ? Vous n'avez pas honte ?

Penauds, Charles et Albert se relevèrent. Ils n'étaient pas beaux à voir, avec de la boue et de la terre jusqu'aux cheveux.

— Chenapans ! Vous ne croyez pas que vos parents

ont déjà assez de soucis, avec cette grève, sans encore en ajouter ? Allez, rentrez immédiatement chez vous, et que je ne vous y reprenne plus ! Sinon, gare à vous !...

Obéissant, nous avons ramassé nos sacs de pissenlits, et nous sommes repartis vers le village. Albert partit devant nous, en courant, non sans m'avoir jeté auparavant un regard venimeux, chargé d'une violente rancune. De ce jour, il me voua une haine farouche.

Nous avons repris le chemin de la maison. Charles et Marie, tout boueux, appréhendaient les reproches de leur mère, et j'étais peinée pour eux. Mais il n'y avait dans nos cœurs aucun regret. Il nous avait paru naturel que Charles se battît pour me défendre.

La grève s'éternisait. Le simple fait de vivre devint tout simplement dramatique. Nous avions de moins en moins à manger, et donc de plus en plus faim. Ma mère avait les joues pâles, les traits tirés ; mon père, de caractère pourtant doux et paisible, devenait hargneux et impatient. Les conversations entre mineurs étaient violentes.

Il y eut des manifestations. Je pris l'habitude de les voir, par centaines, sur le carreau de la fosse, soudés en une masse noire et hostile. J'entendais dire que les syndicats et les patrons s'affrontaient, que personne ne voulait céder. La révolte grondait sourdement, la haine s'exacerbait. Les compagnies firent appel à l'armée, et Clemenceau envoya la troupe.

Ce fut mon premier contact avec la violence. Il me marqua profondément, et avec une intensité d'autant plus grande que je n'étais qu'une enfant.

Je me rappellerai toujours ce jour d'avril. Il faisait beau, et nous en avions profité pour aller jouer sur le terril. Nous avons fait des glissades, et puis, comme nous étions suffisamment nombreux, nous avons organisé une partie de cache-cache. Je cherchais un endroit où me cacher, lorsque Charles me prit par la main :

— Viens, allons là-bas.

Il m'entraîna, me fit faire le tour du terril, m'obligeant à grimper de l'autre côté. Nous nous sommes accroupis derrière une berline abandonnée là. D'où nous étions, nous dominions la fosse. Nous voyions, dans la cour et devant les grilles, les mineurs rassemblés une fois de plus. Ils semblaient à bout de patience, et certains d'entre eux discutaient violemment.

Soudain, sans que rien ne pût le laisser prévoir, des chasseurs et des dragons à cheval, arrivant du village, se précipitèrent vers la fosse. Les mineurs reculèrent, en une houle furieuse. Je pouvais sentir leur peur, et leur haine. Emplis d'appréhension, Charles et moi nous faisions tout petits derrière notre chariot.

— C'est la troupe, chuchota Charles.

Je demandai, et ma voix était blanche d'une angoisse vainement réprimée :

— Que veulent-ils ?

— Je ne sais pas. Peut-être que les mineurs reprennent leur travail.

La troupe s'était arrêtée, face à la foule des manifestants. Il semblait y avoir une discussion, qui s'envenimait d'instant en instant. Un grondement parcourut les rangs des mineurs, s'enfla, devint une clameur faite d'innombrables cris de protestation. Je n'ai pas vu d'où elle venait, mais, soudain, une brique fut lancée et frappa l'un des hommes à cheval.

Ce fut comme un signal. Les mineurs, laissant éclater leur rage, se mirent, d'un commun accord, à lancer toutes sortes de projectiles sur la troupe. Je vis un des hommes du premier rang tomber, un cheval reçut une pierre en plein poitrail et se cabra, hennissant de peur et de douleur.

Alors, la troupe chargea. Ce fut une mêlée effroyable. Ils se battirent férocement, le sang gicla, des chevaux tombèrent. Terrorisée, glacée, je découvrais la violence dans toute sa force et sa cruauté. Les yeux écarquillés, je les regardais, et je sentais, irrépressible, monter en moi une longue plainte, un cri de souffrance et d'agonie. Je me suis détournée et, incapable d'en supporter davantage, je me suis enfuie, hoquetant de peur et d'horreur. J'ai dévalé le terril, n'ayant gardé qu'un seul désir conscient : aller le plus loin possible de cette scène de violence et de cauchemar. L'horrible bruit de la bataille, les cris de rage et de douleur, les hennissements des chevaux me poursuivirent longtemps. Ils étaient encore dans mes oreilles alors même que je ne les entendais plus.

J'ai couru interminablement, sans même savoir où j'allais. Une grosse pierre me fit trébucher, et je tombai. Incapable de me relever, je restai là, couchée dans l'herbe. Des spasmes nerveux me secouaient, je tremblais sans pouvoir m'arrêter. Je ne voyais plus rien, je ne pouvais que pleurer, et rien ne pouvait soulager l'intolérable souffrance que j'éprouvais.

A bout de peur et de larmes, je me suis endormie — ou ai-je perdu conscience ? Mon père me trouva là dans la soirée, après m'avoir cherchée partout. Il me ramena à la maison, et ma mère me mit au lit. Je me sentais brûlante, je tremblais convulsivement. Un sentiment d'irréalité me plaçait dans un autre monde, le monde de peur et de haine que je venais de découvrir.

Pendant la nuit, j'eus des cauchemars. Je délirai. Je voyais un immense cheval noir se cabrer, et ses sabots menaçants s'agitaient au-dessus de moi. Je voyais des hommes se battre, tomber, ensanglantés, et je hurlais, je me débattais, je sentais des larmes brûlantes couler de mes yeux grands ouverts, que les mêmes images hantaient sans cesse.

Cela dura toute la nuit. Au matin, j'allais mieux, mais je mis du temps à accepter la réalité de ce que j'avais vu. Cette scène avait détruit ce que mon enfance avait d'insouciant et d'heureux. Elle me laissa pendant longtemps une crainte inavouée de la vie et une gravité inhabituelle pour un enfant de six ans.

Il y avait eu des blessés, parmi les mineurs, ce qui rendit les conditions de vie encore plus difficiles. Il devint impossible de continuer ainsi. La rage au cœur, conscients d'être vaincus, mais poussés par la nécessité de vivre, même mal, et par le besoin impératif de gagner de l'argent, même peu, les mineurs reprirent le chemin du travail. C'était, pour eux, la seule solution. Que pouvaient-ils faire d'autre, ces hommes qui, le ventre vide, voyaient leurs enfants pleurer de faim ?

3

TOUT rentra peu à peu dans l'ordre. La satisfaction de pouvoir manger chassa rapidement le souvenir des jours difficiles. Mes cauchemars finirent par s'espacer, et, s'ils ne disparurent jamais tout à fait, ils se firent néanmoins de plus en plus rares.

L'été apporta ses aubes radieuses, ses journées lumineuses et chaudes, ses soirées douces et tièdes. Petit à petit, chez les mineurs meurtris, le souvenir de la catastrophe se fit moins vif. Sans l'oublier, ils en parlèrent moins souvent.

A l'automne, j'entrai à l'école. Ce me fut à la fois un dérivatif et une découverte.

Je me rappelle surtout le mélange de peur et d'excitation que j'éprouvai le premier matin. Je me sentais à la fois pénétrée de mon importance et remplie d'appréhension. Charles et Marie étaient venus me chercher. Nous sommes partis tous les trois, vêtus de notre tablier de satinette noire que ma mère avait cousu, et qu'elle avait égayé, au col et aux poignets, d'un liséré rose pour Marie et moi. Nos nouvelles chaussures de cuir crissaient à chaque pas. J'osais à peine bouger ma tête ; ma mère avait tellement serré mes tresses que le moindre mouvement m'était douloureux.

Nous avons traversé le coron, puis la moitié du village, et nous sommes arrivés sur la place. Charles nous conduisit jusqu'à la grille, puis il nous quitta pour l'école des garçons située de l'autre côté.

Nous sommes entrées. La cour était plantée de marronniers qui en faisaient un univers fastueux, une féerie de pourpre et d'or. Nous foulions aux pieds un épais tapis de feuilles rousses.

Nous avons vite repéré quelques autres filles de mineurs, que nous connaissions et avec qui nous avions déjà joué dans le coron. Nous nous sommes rassemblées, et nous sommes restées sans bouger, sages et graves, jusqu'au coup de sifflet de la directrice. Nous avons alors été rangées par classes. Marie à mes côtés, nous sommes entrées dans notre salle avec notre institutrice. C'était une dame assez âgée à l'air doux et gentil, qui nous dit s'appeler Mme Blanche.

Toute la matinée fut occupée par la distribution de crayons, de cahiers, de livres. La maîtresse nous interrogea ensuite, une à une, demandant notre nom, posant des questions sur notre famille, nos parents, notre vie à la maison. Nous étions, pour la plupart, des filles de mineurs. Il y avait aussi quelques filles de commerçants et de cultivateurs.

Une petite fille, pourtant, ne nous ressemblait pas. Alors que nous étions toutes vêtues de la même blouse noire, elle était la seule à avoir un tablier de cotonnade colorée, très joli, qui lui valait bien des regards d'envie et d'admiration. Elle avait des cheveux d'un blond très clair, et je la trouvai jolie. En réponse aux questions de Mme Blanche, elle déclara qu'elle s'appelait Juliette Fontaine, et que son père était le directeur de la mine.

Lorsque vint la récréation, nous étions si peu habituées à l'immobilité que nous avions des fourmillements dans les jambes et dans les mains. Avec joie, nous nous sommes retrouvées dans la cour. La timidité du matin nous avait quittées. Heureuses de nous dépenser, nous avons couru, nous avons joué. Nos cris et nos rires faisaient s'enfuir les oiseaux qui pépiaient dans les marronniers.

Je poursuivais Marie en courant lorsque j'aperçus, dans un coin de la cour, triste et solitaire, Juliette. Elle était appuyée contre le mur, mains derrière le dos. Elle regardait la joyeuse effervescence avec une expression d'envie et de déception. Elle ne semblait connaître personne. Elle était si différente de nous que les autres ne s'y étaient pas trompées, et la laissaient à l'écart. Je me suis dirigée vers elle :

— Veux-tu jouer avec nous ?

Elle m'a regardée avec une sorte d'étonnement, puis un joli sourire a illuminé son visage, creusant des fossettes dans ses joues. Je l'ai prise par la main, je l'ai entraînée vers Marie :

— Marie, Juliette va jouer avec nous.

Marie, bonne fille, accepta. Toutes les trois, nous avons couru, ri et joué jusqu'à la fin de la récréation. Je me sentais attirée par Juliette, j'éprouvais le désir de m'en faire une amie.

Pendant la deuxième partie de la matinée, Mme Blanche nous expliqua ce que nous ferions au long de l'année. Je fus littéralement captivée. J'avais cru, en écoutant ce que m'en disait Charles, que l'école serait ennuyeuse, mais je me mettais à découvrir que, bien au contraire, apprendre m'intéresserait.

A midi, nous sommes sorties. Nous avons retrouvé Charles, qui nous attendait à la grille. Juliette, qui était avec nous, se dirigea vers un grand garçon blond qui semblait l'attendre et me dit, avec fierté :

— C'est mon frère, Henri. Il a onze ans.

Elle le prit par la main et s'éloigna avec lui. Avec Charles et Marie, je revins chez moi.

A la maison, je fus intarissable. Mon père n'était pas là, et je noyai ma mère sous un flot de paroles enthousiastes. Je racontai, pêle-mêle, Mme Blanche, les livres, la classe, Juliette. Lorsqu'il fut l'heure de retourner à l'école, je repartis avec joie et impatience, ayant totalement oublié mon appréhension du matin. Tout l'après-midi, je fus passionnée. Mme Blanche, à la fin, nous raconta une histoire, et elle n'eut pas d'auditrice plus attentive que moi.

Sur le chemin du retour, je ne pus m'empêcher de faire part de mon enthousiasme à Charles et à Marie. Ils furent surpris, ils étaient loin d'aimer l'école à ce point-là.

Lorsque je rentrai, mon père était là. Il m'attendait.

— Alors, ma petite fille, comment s'est passée cette journée ?

De nouveau, je racontai. Mon père me prit sur ses genoux et, toute la soirée, nous avons feuilleté, avec une sorte de respect, page par page, les livres donnés par Mme Blanche. Nous regardions les images, mon père me lisait leur légende. Il avait aussi aimé l'école, mais il avait dû la quitter dès l'âge de onze ans pour aller travailler à la mine. Il aimait toujours lire, et autant que moi, mes livres d'école le captivèrent.

Le lendemain et les autres jours, et tout au long des semaines et des mois qui suivirent, l'école fut pour moi à la fois une habitude et un centre d'intérêt. Elle devint mon second foyer, et j'y passais mes journées avec plaisir. Par tous les temps, je faisais quatre fois par jour le chemin de la maison à l'école. Il y eut bien des fois où je rentrai trempée, ou gelée. Mais c'était sans importance en comparaison de tout ce que l'étude m'apportait. Tous les lundis matin, nous commencions la semaine avec une leçon de morale. J'adorais l'histoire qui la précédait. elle illustrait toujours un principe du genre : il ne faut jamais mentir, ou la gourmandise est un vilain défaut, ou encore l'union fait la force. Ces principes nous aidaient à mener une vie droite, et à nous bien conduire.

Bientôt, je sus lire, écrire, compter. J'appris aussi à parler français, car la langue que nous utilisions entre nous, dans le coron, était le patois. Mes moindres moments de liberté furent occupés par la lecture. A la maison, je me plongeais dans l'unique livre que nous possédions, *L'Almanach du pèlerin,* que mes parents achetaient au colporteur chaque année. Je finissais par le savoir par cœur. En ce temps-là, il n'existait pas d'illustrés pour enfants, tout au moins chez nous. Aussi le peu que nous avions prenait valeur de relique.

Par la suite, Mme Blanche s'aperçut de ma passion,

et, pendant mes années d'école, même lorsque je ne fus plus dans sa classe, elle me prêta des livres. Je les dévorais à une vitesse vertigineuse, avec un plaisir ineffable. La lecture m'était devenue un besoin impérieux, une faim qui exigeait sans cesse d'être assouvie.

Les contes de fées éblouirent l'enfant que j'étais. Ils me tirèrent de ma grisaille, m'apportèrent le merveilleux qui manquait à ma vie. Je m'endormis plus d'une fois en rêvant à Cendrillon, à Blanche-Neige, ou au Petit Chaperon rouge.

Les histoires d'animaux me plaisaient beaucoup aussi. Ma préférée était *la Chèvre de M. Seguin*. Je la trouvais profondément émouvante, et si triste... Je l'ai lue et relue, et, à chaque fois, le sort de la malheureuse Blanquette m'arrachait des larmes.

Je n'ai jamais pu supporter la souffrance des animaux. Ils représentaient pour moi des créatures pures et innocentes qui ne méritaient pas de souffrir. Lorsque je voyais des garçons torturer de pauvres bêtes incapables de se défendre, comme les oiseaux et les grenouilles qu'ils capturaient pour s'amuser, j'en étais véritablement malade. C'est ainsi que je n'ai jamais oublié l'épisode de l'ours.

C'était à la sortie de l'école, un soir du mois de juin. Sur la place du village, nous avions pris l'habitude de voir, de temps en temps, des chanteurs des rues, qui chantaient les airs à la mode que tout le monde reprenait en chœur, des joueurs d'orgue, des montreurs d'animaux savants.

Ce soir-là, Charles nous attendait à la sortie, très excité :

— Venez ! Venez vite ! Il y a un ours, un montreur d'ours !

Nous le suivîmes, sans hésiter, attirées par l'alléchante perspective de voir un ours, un véritable ours, que nous n'avions encore jamais vu.

— Vite ! Vite ! Dépêchez-vous ! criait Charles.

Nous courions à sa suite, tout essoufflées, le cœur battant de crainte et d'excitation.

Sur la place du village, un attroupement important

nous empêchait de voir quoi que ce fût. Charles, jouant des coudes, se faufila jusqu'au premier rang, suivi de près par Marie et moi.

Alors je pus le voir. Il était énorme, impressionnant. C'était un grand ours brun, dressé sur ses pattes de derrière, qui se dandinait en poussant des grognements que je trouvai terrifiants. Sur le moment, il me fit peur. Dans son nez était passé un anneau, auquel était attachée une chaîne que tenait son maître. Celui-ci faisait exécuter toutes sortes de tours :

— Dansez !

— Tournez !

— Saluez !

A chaque injonction, il tirait d'un coup sec sur la chaîne, et l'ours obéissait, tournant gauchement sur lui-même, dansant d'une patte sur l'autre, à la grande joie de tous les spectateurs.

Peu à peu, j'eus moins peur, mais je ne pouvais pas, comme les autres, rire et m'amuser. Un malaise me saisissait, que je n'arrivai pas tout d'abord à définir. Et puis je vis le regard de l'ours, et je compris qu'il me faisait pitié. Je remarquai qu'il sursautait chaque fois que son maître tirait sur la chaîne, et j'eus mal pour lui. Je me rendais confusément compte qu'il était malheureux ainsi enchaîné, privé de sa liberté naturelle, obligé d'exécuter des tours pour amuser les gens, contre sa volonté, contre son instinct. Je sentis quelque chose de douloureux, comme une envie de pleurer, me gonfler la poitrine. Je fus incapable de rester là plus longtemps. Je donnai un coup de coude à Marie, je lui dis :

— Je m'en vais.

Sous son regard étonné et incompréhensif, je partis, comme on fuit. Je courus jusque chez moi, et là, la boule qui m'obstruait la gorge céda en gros sanglots désespérés. A ma mère qui s'inquiétait, je racontai la scène que j'avais vue. J'expliquai maladroitement ce que j'avais ressenti. Elle essaya de me consoler, de me faire comprendre qu'il était inutile de me mettre dans un état pareil, que l'ours n'était peut-être pas si malheureux. Mais rien n'y fit. Je continuai à pleurer sur l'ours.

Je me découvris aussi d'une timidité maladive. En classe, j'avais peur de répondre. Bien souvent, alors que je connaissais parfaitement la réponse, je n'osais pas lever le doigt pour la donner. Je voulais le faire, mais, en même temps, un sentiment proche de l'angoisse, que je ne pouvais m'expliquer, me l'interdisait. Je préférais encore passer pour une ignorante.

Lorsque j'entendais la maîtresse me dire : « Madeleine ! Au tableau ! », une peur subite me nouait la gorge, et, pendant quelques instants, je perdais tous mes moyens. Il n'y avait plus que le vide dans mon esprit. Au début, la maîtresse s'impatientait :

— Alors ? Ça vient ?

Et puis, peu à peu, l'une après l'autre, tout au long de ma scolarité, elles se rendirent compte que je ne le faisais pas exprès, que seule la timidité m'empêchait de répondre. Certaines d'entre elles renoncèrent même complètement à m'interroger, se contentant de mon travail écrit qui, lui, ne posait pas de problème.

Comme je n'osais rien dire, certaines de mes compagnes de classe en profitèrent. J'aimais l'étude, et j'apprenais facilement. J'étais une élève sérieuse, je faisais bien mes devoirs et ne partais jamais pour l'école sans savoir mes leçons. Ainsi, j'étais régulièrement la première de la classe, et la maîtresse me prenait souvent comme aide, pour la seconder dans des petits travaux.

Je me rendis compte que deux ou trois élèves, aussi peu intelligentes que paresseuses, en étaient jalouses. Elles se mirent à me persécuter, me bousculaient dans la cour pour me faire tomber, cachaient mes crayons, cherchant à me discréditer dans l'esprit de la maîtresse pour me faire punir.

Je supportais tout, ne disais jamais rien, et elles recommençaient de plus belle, sûres de leur impunité parce que sachant bien que je ne les dénoncerais pas. Leur persécution finissait par me gâcher la vie, et j'appréhendais leur méchanceté.

Un jour, deux d'entre elles avaient réussi à me prendre mon cahier d'écriture, qui devait être noté à la fin de la semaine. Lorsqu'elles me le rendirent et que je l'ouvris, la page sur laquelle je m'étais tant appliquée était couverte de taches d'encre. C'était tellement méchant que je me mis à pleurer. Marie, près de moi, devant l'état de mon cahier, poussa un cri d'horreur :

— Ooooh !...

La maîtresse, assise à son bureau, attirée par le cri de Marie, leva la tête et vit mes larmes. Elle s'inquiéta :

— Eh bien ! Que se passe-t-il ?

— Oh, Madame, s'exclama Marie, et sa voix vibrait, éclatait d'une indignation qu'elle ne cherchait pas à retenir. Regardez ce qu'elles ont fait au cahier de Madeleine !

La maîtresse se leva, vint jusqu'à nous. Lorsqu'elle vit mon cahier, elle eut le même cri d'horreur que Marie.

— Qui a fait ça ? demanda-t-elle, de la voix que nous savions reconnaître lorsqu'elle était en colère.

Je pleurais, et ne sus pas répondre. Je ne sais pas si j'aurais parlé, mais Marie répliqua vivement :

— C'est Clotilde et Lucienne, Madame. Elles ennuient toujours Madeleine.

— Elles t'ennuient, Madeleine ? me demanda la maîtresse.

Pleurant toujours, je ne pus que hocher la tête.

— Pourquoi ne me l'as-tu pas dit ?

Je ne répondis pas. Ce fut Marie, encore, qui dit pour moi :

— Elle ne veut pas le dire, Madame, mais moi je l'ai bien vu. Elles la bousculent dans la cour, elles la poussent dans l'escalier. Et elles lui cachent ses affaires, pour qu'elle soit punie.

— Madeleine, dit la maîtresse sérieusement, j'exige qu'à l'avenir, si elles t'ennuient encore, tu viennes me le dire. Tu as bien compris ?

Je dis oui, sachant pertinemment que je n'en ferais rien.

La maîtresse se tourna alors vers les deux coupables et les sermonna vertement, essayant de leur faire honte, exigeant leur promesse de ne plus recommencer. Elles furent mises au piquet, avec le bonnet de mauvaise conduite. Il était, avec le bonnet d'âne, la pire des punitions. Elles furent très humiliées, mais, au lieu d'admettre qu'elles étaient punies par leur propre faute, ce fut moi qu'elles rendirent responsable de leur disgrâce.

Le soir même, elles se dissimulèrent à la sortie du village, et me guettèrent sur le chemin du retour. Elles se précipitèrent sur moi comme deux furies, m'arrachèrent mon cartable, le vidèrent dans la boue et piétinèrent tout, livres, cahiers, crayons. Elles me poussèrent et me firent tomber.

Incapable de me défendre, je pleurai, horrifiée par tant d'injustice et de méchanceté. Charles et Marie, qui m'accompagnaient, réagirent avec indignation. Je n'avais jamais vu Charles aussi furieux. Il se jeta sur elles, leur lança des violents coups de pied avec ses gros souliers ferrés, qui leur arrachèrent des hurlements, pendant que Marie leur tirait les cheveux sans douceur. Ensuite ils prirent leurs cartables, et en vidèrent le contenu dans le fossé rempli d'eau.

— Oh ! Je le dirai ! Je le dirai ! hurlait Clotilde, tandis que Lucienne pleurait en frottant ses tibias douloureux.

— Tu peux le dire, répliqua Charles sèchement, nous dirons que c'est toi qui as commencé. Et nous t'avons fait ce que tu as fait à Madeleine. Et si tu recommences, nous recommencerons aussi !

Matées, elles jetèrent à Charles un regard empli de crainte et de haine, et s'enfuirent vers le village. Charles et Marie m'aidèrent à ramasser mes affaires dans la boue. Pleurant toujours, je rentrai chez moi. Mes parents passèrent la soirée à nettoyer du mieux qu'ils purent mes livres et mes cahiers, et ma mère dut laver tous mes vêtements. Mon père se mit en colère :

— Demain, j'irai voir ta maîtresse !

Il tint parole. Le lendemain, à la sortie de l'école, il était là. Il expliqua à l'institutrice ce qui s'était passé. Celle-ci, outrée d'apprendre ce que Clotilde et Lucienne avaient encore fait malgré sa défense, promit de s'en occuper personnellement.

Le lendemain matin, en classe, elle les appela :

— Clotilde ! Lucienne ! Venez ici !

Inquiètes, elles obéirent.

— Savez-vous pourquoi je vous appelle ?

Elles se regardèrent sans répondre.

— Eh bien ! Répondez !

Elles baissèrent la tête et restèrent muettes.

— Je vois que vous n'êtes pas fières de vous ! Je vais donc parler pour vous, et expliquer à vos compagnes ce que vous avez fait.

Elle raconta à toute la classe la scène de l'avant-veille. Ce fut, dans la salle, un murmure horrifié. Tout le monde me regarda avec pitié et sympathie.

— Et maintenant, dit la maîtresse, allez au bureau de la directrice, elle vous attend.

Clotilde et Lucienne devinrent très pâles, et je vis clairement leur peur. Je ne pus m'empêcher d'avoir pitié d'elles. Aller au bureau de la directrice était ce qui pouvait arriver de pire. On n'y allait que si on avait fait quelque chose de grave, et rien que d'y penser suffisait à nous terroriser. Elles sortirent la tête basse, et furent absentes un bon moment. Lorsqu'elles revinrent, nous vîmes toutes qu'elles avaient pleuré. Elles restèrent étonnamment silencieuses tout le reste du jour. A partir de ce moment-là, elles m'ignorèrent complètement. Je fus débarrassée de leur persécution. Je pus vivre sans la crainte perpétuelle de leurs mauvais coups, et le soulagement que j'en ressentis suffit à lui seul à me rendre la vie bien plus agréable. Je partageai de nouveau mes jours entre l'école, la maison, les jeux, l'amitié de Charles et de Marie, la tendresse de mes parents, tout ce qui faisait ma vie.

La mine ne se laissait pas oublier. Elle faisait partie de mon existence, y était étroitement mêlée. J'avais huit ans lorsque je découvris qu'elle pouvait être cruelle et impitoyable.

C'était pendant la semaine qui précédait la Sainte-Barbe, patronne des mineurs, unanimement fêtée le 4 décembre. Mon père, comme beaucoup de mineurs, travaillait plus longtemps pendant la quinzaine précédente. C'était la période des « longues coupes », des heures supplémentaires que tous faisaient pour augmenter leur salaire, afin de pouvoir améliorer l'ordinaire et fêter Sainte-Barbe sans restriction. Nous, les enfants, nous adorions cette fête ; outre les pâtisseries et les bonbons que nous pouvions manger exceptionnellement, il y avait des courses à sac, des mâts de cocagne, et surtout des manèges et des balançoires.

Ce soir-là, en revenant de l'école, je vis le cabriolet du docteur arrêté devant notre porte. Tout de suite, j'eus peur. Je quittai brusquement Marie et Charles et me précipitai dans la maison. Le docteur était penché sur mon père, assis sur une chaise. Ma mère se tenait près de lui, une cuvette et un linge dans les mains.

Je m'approchai. J'eus l'impression de recevoir un coup dans la poitrine. Tout le haut du bras et l'épaule de mon père n'étaient qu'une masse sanglante. La peau était déchirée, le sang coulait. L'horreur me fit pousser un cri :

— Papa ! Oh, papa !

Mon père releva la tête, me vit. Dans son visage encore noir de charbon, la sueur avait creusé des rigoles plus claires. La souffrance que je lus dans ses yeux me fit mal. Ma mère posa la cuvette, vint vers moi, me poussa doucement dehors :

— Va chez Jeanne, va jouer avec Marie. Je viendrai te chercher tout à l'heure.

Jeanne, la mère de Charles, m'accueillit gentiment, essaya de me rassurer. Voir mon père dans cet état m'avait tellement impressionnée que je tremblais.

— Allons, dit Jeanne, ne t'inquiète pas, ce ne sera pas grave.

Pierre, son mari, assis près du feu, m'observait en silence, avec une compréhension mêlée de pitié. Ce fut à lui que je demandai, d'une voix mal assurée :

— Pierre ! Que s'est-il passé ? Qu'a donc fait papa ?

Il secoua la tête, en un geste d'impuissance et d'accablement :

— C'est un accident. Lucas, le nouveau galibot chargé de pousser les wagons, n'est pas encore bien adroit. Il en a fait dérailler un. Il n'a pas su le retenir, et ton père n'a eu que le temps de se jeter sur le côté. Le wagon l'a quand même attrapé à l'épaule et au bras...

— Oh, Pierre ! Toute sa peau est déchirée, et ça saigne !...

— Dame ! Un wagon chargé comme celui-là, ça va chercher dans les cinq cents kilos !

— Tu étais là, Pierre ? Tu l'as vu ?

— Hé oui, on n'a rien pu faire, ça s'est passé si vite ! Mais ne t'en fais pas, petite, ajouta-t-il avec bonté, en voyant mon inquiétude. Dans quelques jours il n'y paraîtra plus. Ce n'est pas si grave, après tout. Quand on pense qu'il aurait pu être écrasé...

C'était la philosophie propre aux mineurs. Ils réagissaient devant les accidents avec une résignation, un fatalisme que je n'ai jamais pu comprendre. Peut-être était-ce la seule réaction possible pour pouvoir continuer à faire ce métier où le danger était présent à chaque instant. Ils le côtoyaient, ils avaient appris à vivre avec lui. Et lorsqu'un accident arrivait, tout en le déplorant, ils n'en étaient pas surpris. C'était tellement dans l'ordre des choses, le contraire eût été surprenant...

A l'époque, je n'étais qu'une enfant, et tout ce que je compris ce jour-là, ce fut que mon père était blessé, qu'il avait mal. Lorsque ma mère vint me reprendre et que je vis, à la maison, mon père couché, les yeux fermés, le bras et l'épaule entourés d'un énorme pansement, je me sentis désorientée. J'allai vers lui. J'aurais voulu le consoler, j'aurais voulu être là, à sa place. Il me semblait anormal que lui fût au lit et blessé alors que moi je n'avais rien. La tristesse et l'incompréhension m'arrachaient des larmes amères.

— Viens, me dit ma mère, laissons-le reposer.

Toute la soirée, dans la cuisine, nous avons parlé à voix basse, et cela accentuait l'irréalité de la situation. Cette nuit-là, je dormis très peu. Je me réveillai souvent, inquiète. Je me rendais compte que je ne pouvais rien faire, et le sentiment de mon impuissance m'était une véritable souffrance.

Le docteur revint chaque jour faire le pansement. Mon père dut arrêter le travail pendant deux semaines. L'assurance ouvrière ne versait dans ce cas que la moitié du salaire, et ma mère dut coudre davantage pour gagner l'argent qui manquait. Entre les soins à donner à mon père, ses travaux de couture, le ménage, les courses, les repas, la vaisselle, elle ne s'en sortait plus. Je dus manquer l'école pendant plusieurs jours pour pouvoir l'aider. Je faisais les courses, j'allais chercher l'eau à la pompe, j'allais remplir le seau de charbon pour le feu, j'épluchais les légumes, je faisais le café, la vaisselle, je n'arrêtais pas. Mais c'était, pour ma mère, du temps gagné, pendant lequel elle s'installait à sa machine et cousait les vêtements qu'ensuite j'allais livrer.

J'étais fière de me rendre utile mais triste de manquer l'école. Mon père, peu habitué à ne rien faire, tournait en rond et s'impatientait. A la fin de la seconde semaine, bien qu'incomplètement guéri, il n'y tint plus et reprit le chemin de la mine, malgré les recommandations de prudence de ma mère. Mais il ne pouvait plus rester là, assis, à la regarder travailler comme une bête de somme. C'était son rôle, à lui, de gagner l'argent de la famille. Rien n'aurait pu l'empêcher de reprendre le travail dès qu'il s'en sentit capable.

De mon côté, je retournai à l'école. Je rattrapai rapidement le retard accumulé pendant mes jours d'absence. Je retrouvai avec plaisir mon goût pour l'étude, mes jeux avec Juliette et Marie aux récréations. Ma vie reprenait son cours normal.

4

Au mois de février, cette année-là, Juliette fut malade. Elle était très enrhumée depuis plusieurs jours. Un matin, elle ne vint pas à l'école. La maîtresse, qui avait reçu une lettre d'excuses, nous apprit qu'elle avait une bronchite :

— Elle manquera sans doute longtemps. Ses parents demandent que les devoirs et les leçons lui soient portés régulièrement. Madeleine, tu t'en chargeras.

Je copiais donc tous les soirs les leçons à apprendre et les devoirs à faire. A la grille de l'école, Henri, son frère, m'attendait, et je lui remettais fidèlement la feuille pour Juliette. J'en profitais pour demander comment elle allait. Lorsqu'il me disait : « Elle ne va pas encore très bien, elle tousse encore beaucoup », j'étais triste, et quand vint le jour où il m'annonça : « Elle va beaucoup mieux, elle s'est levée hier », je fus heureuse. Elle m'était devenue chère, Juliette, elle était, avec Marie, ma meilleure amie.

Lorsqu'elle revint en classe, je la trouvai pâle et amaigrie. Elle avait perdu sa vivacité, elle restait la plupart du temps sans bouger, amorphe, toujours fatiguée. Je m'ingéniais à la distraire. Je voulais voir revenir sa joie de vivre, par tous les moyens je cherchais à ramener le sourire sur son visage.

Et puis, un matin :

— Tu sais, Madeleine, mes parents m'ont permis de

t'inviter à la maison. Je leur parle tellement de toi ! Et, toute seule, je m'ennuie, rien ne m'intéresse. Alors je voudrais que tu viennes jouer avec moi, le jeudi. Mes parents sont d'accord. Tu veux bien, dis ?

Je fus surprise, sur le moment. Juliette habitait une belle et grande maison, située à l'écart du coron, et ses parents ne la laissaient jamais jouer avec nous. Ils devaient juger que nous n'étions pas, nous les enfants des mineurs, des compagnons de jeux rêvés pour leur fille. Il avait fallu que la santé de Juliette leur donnât bien du souci pour qu'ils acceptassent de faire une exception en ma faveur.

Comme je ne répondais pas, Juliette insistait :

— Tu veux ? Tu veux bien venir chez moi ? Dis oui !

J'acceptai, pour lui faire plaisir. Mais j'étais mal à l'aise. Ma timidité naturelle reprenait le dessus, et la seule idée d'aller dans cette grande maison que je n'avais vue que de loin me paralysait.

Lorsque j'en parlai à ma mère, elle ne refusa pas. Mon père fut plus réticent :

— Qu'est-ce que cela signifie ? grogna-t-il. J'espère que ce n'est pas un moyen trouvé par le directeur pour avoir des renseignements sur nos faits et gestes. Si on t'interroge, ne dis rien, Madeleine, tu entends ? Dis que tu ne sais rien.

Il était, comme tous les mineurs, extrêmement méfiant en ce qui concernait la direction de la mine. Il n'avait pas tout à fait tort. La compagnie avait à sa solde des rapporteurs, des « espions » qui venaient lui répéter fidèlement les moindres réflexions entendues sur le lieu de travail, dans les cabarets. C'est pourquoi, s'il était mécontent, un mineur n'osait pas se plaindre ouvertement, car les renvois étaient arbitraires. La compagnie était toute-puissante. La hantise de chacun d'eux, c'était qu'on lui rende son livret, en lui disant :

— Si tu n'es pas content ici, va ailleurs !

Car ne plus avoir de travail, c'était être à la rue, puisqu'il fallait rendre le logement ; c'était, à plus ou moins brève échéance, la famine, la misère et la mort.

Aussi, ce ne fut qu'après avoir promis à mon père que

je ne dirais pas un mot sur le sujet de la mine et des mineurs que je partis, le jeudi suivant, vers la maison de Juliette.

L'après-midi était ensoleillé. Je traversai le coron parmi les rires et les cris des enfants qui se poursuivaient. J'aurais aimé jouer avec eux comme je le faisais habituellement, mais je ne m'arrêtai pas. J'étais crispée, mal à l'aise dans ma robe et mes chaussures du dimanche que ma mère m'avait fait mettre. Je sortis du coron, pris le chemin qui conduisait chez Juliette. Là, c'était la campagne. Les oiseaux chantaient, l'air était doux, et, dans le soleil, la grande maison me parut moins imposante, plus agréable, plus engageante.

Juliette m'attendait à la grille. Elle m'accueillit avec exubérance, me prit la main, m'entraîna, heureuse, impatiente :

— Viens ! Viens vite !

Je la suivis dans le grand parc. Juliette courait, alors que je marchais avec respect, presque avec crainte, dans les allées soigneusement ratissées. Elle s'impatientait, se retournait :

— Alors, dépêche-toi ! Que fais-tu donc ?

Et je pris conscience, pour la première fois, du fait que nous étions différentes. Je n'aurais pas su l'expliquer clairement, mais je savais que rien ne serait plus pareil. Je venais de découvrir que Juliette était riche, alors que j'étais pauvre. Je compris que, si je me sentais mal à l'aise dans ce parc où elle évoluait avec tant d'aisance, c'est qu'elle y était dans son milieu, et que ce milieu n'était pas le mien.

Ce fut bien pis encore à l'intérieur. Le hall immense m'impressionna. Il était, à lui seul, presque aussi grand que toute notre maison. Il me glaça. Trop vaste, trop luxueux, il accentua davantage encore ma petitesse, mon insignifiance, mon humilité.

La mère de Juliette apparut. Elle semblait douce, gentille. Sous son regard souriant, l'étau qui m'emprisonnait la poitrine se desserra un peu.

— Ainsi, voilà Madeleine ! Bienvenue chez nous, mon enfant. Nous te remercions d'avoir aidé Juliette pendant sa maladie. Il paraît que tu es une très bonne élève ?

Je ne pus répondre que par un hochement de tête et un sourire. Ma gorge était tellement serrée qu'elle semblait ne pouvoir laisser passer aucune parole.

Voyant que j'étais intimidée, la mère de Juliette n'insista pas.

— Bien, allez jouer ! Tout à l'heure je vous appellerai pour goûter.

Juliette me prit la main, m'entraîna :

— Viens, allons dans ma chambre.

Nous avons grimpé l'imposant escalier, et Juliette m'ouvrit la porte de sa chambre. Ce me fut un émerveillement. Je n'imaginais pas autrement la chambre d'une princesse, d'une fée. Pas de parquet nu, comme chez nous, mais des tapis épais et moelleux. Des rideaux roses, ravissants, un lit recouvert d'un couvre-lit rose assorti, brodé de petites fleurs. Des meubles charmants, coquets, une armoire, un petit bureau, rien de comparable à l'ameublement lourd et sommaire de ma propre chambre. Des murs tapissés d'un joli papier à fleurs, et non peints à la chaux, comme chez nous. Et les jouets ! Juliette en avait tout un coffre. Elle l'ouvrit, m'invita à approcher :

— Viens, jouons !

Elle les sortit, un à un. Il y en avait quelques-uns que je possédais aussi, comme une balle, une corde à sauter. Mais d'autres me laissèrent muette de respect, notamment un service à café miniature, avec des tasses, des soucoupes, une cafetière, un sucrier, un pot à lait, le tout en vraie porcelaine, décorée et magnifique. Il y avait des livres à colorier et une splendide boîte de couleurs. Et surtout une superbe poupée, avec une véritable tête de porcelaine, des yeux bleus, devant laquelle je restai sans voix, éperdue d'admiration. Comme ma poupée de chiffons semblait misérable, en comparaison !

Juliette me prêta tout. J'osai à peine prendre la poupée, je la tenais avec respect, comme si le fait de toucher une telle merveille était un sacrilège. Nous avons joué à prendre le café, nous avons colorié les livres d'images. Peu à peu, je m'habituai, mais je n'arrivais pas à me débarrasser complètement d'une gêne qui m'empêchait d'être tout à fait à l'aise.

Ensuite la mère de Juliette nous appela :

— Madeleine ! Juliette ! Venez goûter !

Nous avons mangé du gâteau, puis une sorte de crème au chocolat que je trouvai délicieuse et que je n'avais jamais mangée auparavant. Comme cela était différent de mon goûter habituel, une simple tartine !

— Nous avons bien joué, maman, dit Juliette, je voudrais que Madeleine vienne tous les jeudis.

Ses joues étaient roses d'animation, ses yeux brillants. Il y avait longtemps que je ne l'avais vue ainsi. Sa mère dut certainement faire la même remarque. Elle se tourna vers moi en souriant et me dit d'une voix douce :

— Eh bien, c'est d'accord, n'est-ce pas, Madeleine ? Tu viendras tous les jeudis jouer avec Juliette ?

Je dis oui. Je n'aurais pas osé refuser, et je n'avais aucune raison de le faire. C'est ainsi que, tous les jeudis après-midi, je pris l'habitude d'aller chez Juliette. Marie en était un peu jalouse, surtout depuis que je lui avais décrit les jouets. Elle aurait bien voulu être à ma place.

— Quelle chance tu as ! me disait-elle souvent.

Et pourtant je me sentais plus libre, plus heureuse, lorsque je jouais chez moi, ou dans le coron avec les autres enfants.

Petit à petit je réussis à aller chez Juliette sans l'appréhension du début. Je finis même par y aller avec plaisir, et, curieusement, je ne fus jamais envieuse. J'avais découvert, pour la première fois dans ma vie, un autre monde que le mien, apparemment fait de richesse et de facilité. Mais je savais rester à ma place, et je crois même que je préférais ma vie à celle de Juliette. Je me rendais compte que, malgré sa richesse, et peut-être à cause d'elle, elle était isolée. Moi, j'étais fille unique mais je n'étais jamais seule. Juliette, en revanche, n'avait pas d'amis, moi exceptée. Ses parents ne lui permettaient pas de se mêler aux enfants du coron. Il y a eu bien des moments où, les soirs d'été, lorsque je m'amusais avec les autres, je pensais à elle, triste et solitaire dans sa grande maison, au milieu de ses jouets sans vie, et je la plaignais.

Je pris l'habitude de voir son frère, aussi, tous les jeudis. Jamais il ne participa à nos jeux. Il était plus âgé que nous de cinq ans, et nous considérait avec une condescendance amusée et supérieure, vaguement méprisante. Je l'admirais de loin, en silence. Je me sentais, en face de lui, d'une telle insignifiance que je trouvais normale son attitude.

Quant à son père, je le vis très peu. Les rares fois où je le rencontrai, il me salua simplement d'un bonjour pressé. Il ne chercha jamais à me questionner, comme l'avait craint mon père. Je n'avais été invitée que pour tenir compagnie à Juliette.

Ces jeudis après-midi eurent des conséquences auxquelles je ne m'attendais pas. Nous étions, nous les habitants du coron, une grande famille, et ce qui arrivait aux uns concernait les autres. Ainsi, tout le monde fut vite au courant de mes visites chez Juliette, que d'ailleurs je ne cherchais pas à cacher.

Seulement, ce que, dans ma naïveté, je n'avais pas prévu, c'est qu'il y eut des jaloux. J'entendis mes parents en parler, un soir :

— Tu sais, Jean, disait ma mère, certains disent de nous que l'on veut viser haut, que nous cherchons à sortir de notre condition en envoyant Madeleine chez Juliette.

Mon père donna un coup de poing sur la table :

— Et alors ? Ils sont simplement jaloux, grogna-t-il, furieux. Nous ne faisons rien de mal. Je n'en retire aucun bienfait, il est facile de le voir.

— Peut-être devrait-on cesser d'envoyer Madeleine ?

— Rien à faire, dit mon père, qui n'aimait pas décider de sa conduite d'après les réflexions des autres. Si quelqu'un a quelque chose à dire, qu'il vienne me trouver !

Bien entendu, il ne reçut aucune réflexion directement. Mais certains ne se privaient pas pour critiquer derrière son dos. Je pus m'en rendre compte par moi-même. Albert Darent, qui, depuis l'épisode du sac de pissenlits, me lançait des regards meurtriers s'il m'arrivait de le croiser, se mit à me poursuivre de remarques désagréables. Dès qu'il me voyait, il se mettait à crier : « Lèche-cul ! Vendue !... » et autres insultes du même genre. Je n'osais pas répondre. Je passais ma route le plus rapidement possible, en essayant de l'ignorer. Cette attitude, qui n'était due qu'à la timidité et à la peur, pouvait sembler être un aveu de culpabilité. Albert Darent en profitait :

— Regardez ! criait-il aux autres. Elle est moins fière ici que chez les Fontaine !

Ses ricanements m'étaient odieux. Tous les jours, sur le chemin de l'école, j'étais sûre de le rencontrer, et j'appréhendais ses insultes. Il devenait de plus en plus méchant, à la fois enhardi et exaspéré par mon manque de réaction. Il m'invectivait de loin, et quand Charles, bouillant de rage et d'indignation, se précipitait vers lui, il s'empressait de disparaître. Sa méchanceté, sa malveillance auxquelles je me heurtais jour après jour finirent par m'empoisonner l'existence.

Un soir du mois de mars, la maîtresse me retint, après la classe, pour l'aider dans des rangements. Elle m'avait fait prévenir mes parents la veille, afin qu'ils ne s'inquiètent pas de mon retard. De temps en temps, elle me demandait ainsi mon aide, et j'étais à la fois heureuse et fière de la seconder.

Il était très tard lorsque nous eûmes terminé. Je sortis à la nuit tombée. Je me pressai, seule dans les rues faiblement éclairées. Privée de la compagnie de Charles et de Marie rentrés depuis longtemps, je sentais se réveiller en moi mes terreurs enfantines du noir et de l'obscurité. Je courus en traversant le village. A la sortie, je me trouvai privée de toute lumière, car le chemin qui conduisait au coron était sans éclairage.

Je m'avançai bravement, mais j'avais peur. Mon cœur cognait tellement que je sentais ses battements dans ma gorge, dans ma tête, dans mes oreilles. Je fixais, là-bas devant moi, le premier lampadaire, à l'entrée du coron, qui perçait l'obscurité d'une faible lueur jaune, et je m'efforçais de ne pas prêter attention à la panique irraisonnée qui m'envahissait. Je me rapprochais de la lumière et je commençais à me rassurer lorsque je sentis que l'on me saisissait par-derrière.

Je ne hurlai pas, je ne me débattis pas. Je restai immobile, incapable de bouger, pétrifiée de terreur. Alors j'entendis sa voix, qui disait :

— Attends un peu, maintenant que je te tiens, tu vas voir ce que tu vas prendre !...

Avec un mélange confus de soulagement et d'une crainte nouvelle, je reconnus la voix d'Albert Darent. M'avait-il attendue ? Sinon, que faisait-il là, à cette heure, dans ce chemin désert ?

Sûr de lui, puisque Charles n'était pas là pour me défendre, il ricanait méchamment. J'essayai de le raisonner. Je dis, et l'angoisse que je ressentais rendait ma voix tellement rauque que je ne la reconnus pas :

— Laisse-moi, Albert, je ne t'ai rien fait, laisse-moi partir.

Il ne prit même pas la peine de me répondre. Toujours derrière moi, il emprisonna mes deux bras derrière mon dos avec une telle violence que mes os craquèrent. Puis il se mit à me bourrer de coups de pied, en grognant des mots pleins d'une haine qui m'atteignait et que je ne comprenais pas :

— Tiens !... Attrape ! Attends ! Tiens... et tiens !...

Sa prise me serrait tellement que je ne pouvais bouger. Ses coups de pied me firent si mal que je me mis à pleurer, impuissante et terrifiée. Nous étions seuls, autour de nous c'était l'obscurité, et je me demandai, avec un sentiment de désespoir, ce qu'il allait advenir de moi. Les coups étaient si violents et ma peur devenait si grande que mes jambes furent prises d'un tremblement incoercible, et je tombai. Il se mit alors à me bourrer de coups de pied n'importe où, et sous l'effet de la douleur j'étais bien près de perdre conscience. Ce fut alors que j'entendis le bruit d'un vélo et vis une faible lueur perçant les ténèbres. C'était le miracle auquel je n'osais croire : quelqu'un arrivait, qui allait me sauver. Au même moment, un coup plus douloureux que les autres me fit pousser un cri.

— Que se passe-t-il ?

Je reconnus, à travers une brume de souffrance, la voix d'Henri, le frère de Juliette. Albert Darent, occupé à me battre, ne l'avait pas entendu approcher. Le découvrant subitement près de nous, il voulut s'enfuir. Henri, sautant de son vélo, le rattrapa juste à temps :

— Viens ici, toi, je vais te faire passer le goût de battre des filles sans défense !

Et il se mit à lui donner une raclée à côté de laquelle ce que j'avais reçu n'était qu'enfantillage. Je me relevai avec difficulté, et, en boitant, m'approchai d'eux. La violence avec laquelle Henri battait Albert, sans se soucier des cris d'orfraie qu'il poussait, me fit peur. Je suppliai :

— Laisse-le, Henri ! Arrête, tu vas le blesser !

Il se tourna vers moi, et j'eus l'impression qu'il me reconnaissait seulement à cet instant. Il était venu à mon secours sans savoir que c'était moi ; paradoxalement, l'admiration et la gratitude que je ressentais pour lui n'en furent que plus grandes.

Il saisit Albert par la peau du cou, l'approcha de lui. Dans un murmure encore plus menaçant que des cris, il lui dit :

— Ecoute-moi bien, Darent. J'en ai assez de tes violences. Si tu recommences une seule fois à ennuyer Madeleine, ou quelqu'un d'autre, tu auras affaire à moi. Tu as compris ?

Aussi lâche que brutal, Albert s'empressa d'acquiescer. Son nez saignait, son œil gauche était tuméfié. Lui aussi avait reconnu Henri, le fils du directeur, et il savait ce que son attitude pouvait entraîner de conséquences, pour lui et pour sa famille. Il partit dès qu'Henri le lâcha. Je respirai plus librement.

— Merci, dis-je à Henri, oh merci !

Il s'approcha de moi :

— As-tu mal, Madeleine ? Quelle brute ! Peux-tu marcher ?

J'essayai de faire quelques pas, en boitillant et en grimaçant de douleur.

— Attends, je vais te mettre sur mon vélo et te reconduire chez toi.

— Oh non, ce n'est pas la peine. Ça ira très bien.

— Allons, ne te fais pas prier. Viens. De toute façon, je rentre, moi aussi.

— Alors, simplement jusqu'à ma rue. Ensuite tu continueras ton chemin.

Je grimpai sur le porte-bagages de son vélo, et nous avons fait le reste du chemin ainsi. Je fixais son dos, sa nuque, et une étrange sensation m'envahissait. Je ne sentais presque plus ma douleur. Dans mon cœur se mêlaient la fierté d'avoir été secourue par Henri, la confusion de me trouver assise sur son vélo, et la reconnaissance infinie que j'éprouvais envers lui qui m'avait défendue et sauvée.

Il me déposa à l'entrée de ma rue.

— Tu es sûre que ça va aller, maintenant, Madeleine ?

— Oui, ce n'est plus bien loin. Et, Henri... encore merci !

— Ce n'est rien, bougonna-t-il. Ce sale garnement, si je l'y reprends... Je crois que ça lui servira de leçon !

Il me regarda et me sourit, d'un sourire tellement charmeur que j'eus l'impression de sentir mon cœur bondir vers lui. Il enfourcha sa bicyclette et partit, après un dernier signe de la main. Je restai là, debout, à le regarder s'éloigner dans l'obscurité. Je crois que c'est à cet instant que, sans en prendre clairement conscience, je lui vouai une adoration éperdue.

Lorsque je rentrai chez moi, mes parents furent horrifiés de me voir dans un tel état. Je fus bien obligée de tout leur raconter. Pendant que ma mère soignait mes écorchures et mes bosses, mon père fulminait :

— Cet Albert Darent est un véritable poison. Je connais Jules, son père. Il ne sait plus que faire pour venir à bout de son chenapan de fils. Pourtant, ce n'est pas faute de lui donner des raclées ! Il y a longtemps qu'il t'embête, Madeleine ?

— Oui, et pas seulement moi ! Il cherche toujours à ennuyer quelqu'un.

— Heureusement qu'Henri Fontaine est arrivé ! Maintenant j'espère qu'Albert n'osera plus s'attaquer à toi. De toute façon, il va bientôt venir travailler à la fosse ; cela lui apprendra à vivre !

Lorsque je fus couchée, bien que le moindre mouvement me fût douloureux, j'éprouvais secrètement une étrange exaltation. Cette aventure avait au moins un côté positif : elle avait permis que je fusse remarquée par Henri et, sans pouvoir me l'expliquer, j'en étais heureuse.

Le lendemain, la trace des coups que j'avais reçus arracha à Charles et à Marie de véritables cris d'horreur. Je leur racontai ce qui m'était arrivé. Sans le vouloir, je m'étendis avec enthousiasme sur le rôle d'Henri. Marie m'écoutait, les yeux brillants ; Henri, en tant que fils du directeur de la mine, jouissait d'un certain prestige auprès de nous, les enfants des mineurs.

— Je voudrais bien qu'une telle chose m'arrive, à moi aussi ! Etre défendue par Henri Fontaine ! disait Marie.

Au bout de quelques instants, je remarquai que Charles ne disait rien. Il ne partageait pas notre admiration, il semblait bouder. Je m'étonnai :

— Qu'y a-t-il, Charles ?

Il haussa les épaules, avec une sorte de violence :

— Il n'y a rien. Je ne vois pas ce qu'il y a d'extraordinaire dans le comportement d'Henri. Ce qu'il a fait est normal. Si j'avais été là, j'en aurais fait autant.

Un tel éclat ressemblait si peu à Charles que je le regardai avec surprise. Son attitude me fit de la peine sans que je puisse m'expliquer pourquoi.

A partir de ce moment, chaque jeudi, en allant chez Juliette, je rencontrai Henri qui me souriait, me lançait un désinvolte : « Bonjour, Madeleine ! Ça va ? » auquel je répondais avec une timidité nouvelle. Dès que je le voyais, je sentais mon cœur bondir. Albert Darent me laissa en paix. Il eut bientôt l'âge de quitter l'école pour prendre le chemin de la mine ; je le vis beaucoup moins souvent. Néanmoins, je n'arrivai jamais à me départir totalement de ma méfiance. Le regard torve qu'il me lançait lorsque je le rencontrais n'augurait, à mon sens, rien de bon.

Peu après, ce fut au tour de Charles de se faire embaucher. Dès qu'il eut douze ans, après son certificat d'études, il entra au criblage. Il était l'aîné de quatre enfants, et son salaire serait le bienvenu. Il en était très fier, il me disait :

— Bientôt, Madeleine, je travaillerai, moi aussi, je gagnerai de l'argent !

Je sentais que mon compagnon de jeux m'échappait. Je protestais :

— Mais, Charles, je ne te verrai plus !

Je ne pouvais pas admettre que sa fierté d'aller travailler pût être plus grande que ma tristesse de ne plus l'avoir près de moi. Sans m'en rendre compte, j'étais jalouse de la mine, qui accaparait son attention et la détournait de moi qui étais, jusque-là, son seul univers.

Je dus prendre l'habitude de faire le chemin de l'école avec la seule compagnie de Marie. Au début, l'absence de Charles créa un grand vide. Les premiers jours, il me manqua tellement que le jeudi je demandai à ma mère la permission d'aller l'attendre à la grille de la fosse. Elle me l'accorda bien volontiers. Je partis, heureuse d'aller voir mon ami et curieuse de savoir ce qu'il pensait de son travail.

La veille, j'avais demandé à mon père s'il voyait Charles en allant à la mine.

— Il est au triage ; il n'est pas encore au fond.

— Qu'est-ce que c'est, le triage ?

— Tout le monde commence par là. Moi aussi, je l'ai fait. Imagine un tapis roulant sur lequel défile tout le charbon qui remonte du fond. Parmi le charbon, il y a des cailloux, qu'il faut enlever. C'est ce que fait Charles, et tous ceux qui sont, comme lui, au triage.

— C'est difficile ?

— C'est dur, surtout au début. C'est juste à côté de l'endroit de sortie des wagons, il faut travailler dans la poussière et dans le bruit, qui est infernal. De plus l'hiver il y fait très froid. Et puis, il faut aller très vite, lancer les pierres dans des grands paniers. Le surveillant inscrit, sur un tableau noir, à côté de chaque nom, le nombre de paniers remplis, pour le salaire.

Je repensais à cette conversation en allant au-devant de Charles. Je savais à peu près en quoi consistait son travail, mais je n'étais absolument pas préparée à le voir tel qu'il m'apparut ce jour-là. Tout d'abord, je ne le reconnus pas. Il était noir de poussière de charbon, et tellement différent du garçon que je connaissais que je restai un instant interdite. Ce fut lui qui m'appela : « Madeleine ! », et il vint vers moi, heureux de me voir.

De près, je le trouvai encore plus changé. La poussière qui maculait son visage le faisait paraître plus vieux, plus dur, et avait tellement irrité ses yeux qu'ils étaient tout rouges. Il remarqua mon expression, voulut parler, mais une quinte de toux l'en empêcha. Je restai là, impuissante, à le regarder, complètement désorientée. Il se racla la gorge :

— Excuse-moi, c'est cette poussière de charbon. Elle entre partout, et je n'y suis pas encore habitué.

Je ne pus que murmurer :

— Oh, Charles ! C'est dur, comme travail ?

— Ce n'est pas facile, mais il faut que je m'habitue. Les autres le font bien, il y a même des filles. Alors, pourquoi n'y arriverais-je pas ?

Nous nous étions mis en marche ; je le regardai de profil, et je sentais en moi monter une admiration pour son courage et son abnégation.

— C'est le début, je ne vais pas encore très vite, et le surveillant est toujours après moi. Mais je vais apprendre, et d'ici peu je ferai mieux que les autres, tu verras !

Il fit un mouvement, et je vis ses mains. Irrépressible, mon cri jaillit, horrifié :

— Oh, Charles ! Tes mains !

Il essaya de les dissimuler derrière son dos, mais je ne le laissai pas faire. Je les saisis dans les miennes, les regardai, emplie de pitié. Meurtries, écorchées, couvertes de griffes et de coupures, elles étaient à la fois noires de charbon et rouges de sang. La peau en était arrachée, un des ongles était cassé en deux. Charles, gêné, voulut les reprendre :

— Allons, Madeleine, laisse-moi. Ce n'est rien, ça va passer. C'est comme ça pour tout le monde, au début.

Je levai les yeux vers lui, le cœur chaviré. Je découvrais avec brutalité combien le travail de mineur est dur, impitoyable, et cela dès les premiers temps. Charles m'était si proche que sa douleur devenait mienne. Je n'étais pas loin de trouver son attitude stoïque. Moi, je ne savais pas être aussi courageuse.

Il m'assura que ce n'était rien, que ça ne faisait pas mal, que dans quelques jours il n'y paraîtrait plus. Il me dit que j'étais sotte de me mettre dans des états pareils pour si peu !

Il avait raison, d'ailleurs. Par la suite, ses mains se cicatrisèrent. Elles se couvrirent de callosités et de durillons qui firent, de ses mains d'enfant, des mains de travailleur, et, avant l'âge, des mains d'homme.

5

SANS heurts, la vie continuait : l'école, que j'aimais toujours autant, les jeudis chez Juliette, les jeux dans le coron, et le travail à la maison pour aider ma mère.

Je ne voyais plus Charles que de loin en loin, il ne participait plus à nos jeux, la vie s'était chargée de lui ravir son enfance. Je me résignai, obligée d'accepter ce qui était, dans notre milieu de mineurs, inévitable. Mais il me manqua, et les jeux, sans lui, n'eurent plus le même intérêt. Jusqu'alors, il avait toujours été là pour me défendre ardemment dès qu'éclatait une dispute. Privée de sa présence, je ne me sentais plus protégée.

Lorsque, quelques mois plus tard, il descendit au fond, il s'intégra définitivement à la corporation des mineurs. Il était devenu l'un des leurs, il était, à son tour, une « gueule noire ». Les premiers temps, lorsque je le rencontrais, il ne me parlait que de son travail. Il était galibot ; pour commencer, il aidait, comme tous les débutants, un mineur en fin de carrière à reboiser les chantiers affaissés en remplaçant les bois abîmés. Il me disait, avec une fierté naïve et encore bien enfantine :

— Je sais ce que c'est, maintenant, que de travailler au fond. Je suis avec Victor, tu sais, le vieux Victor ? Il m'apprend mon métier. Il est trop vieux pour grimper, alors il me passe les bois et c'est moi qui fais le travail. Et ce n'est pas facile, car je dois en plus faire attention à ma lampe, accrochée à l'épaule, et ne pas perdre mes outils. Il y a aussi les wagonnets qu'il faut savoir éviter en se jetant rapidement sur le côté, sans glisser sur le sol boueux. On ne les entend arriver qu'au bruit, on ne les voit pas, dans le noir ! Mais le plus embêtant, pour moi, ce sont les échardes de bois, elles déchirent mes vêtements et me rentrent dans la peau. Regarde !

Il me montrait les écorchures qui marquaient ses mains, ses poignets, ses avant-bras. Le plus souvent, la poussière de charbon entrait dans les coupures avant qu'elles eussent le temps de se cicatriser et s'incrustait sous la peau. Les plaies finissaient par se refermer, mais le charbon qui restait dedans laissait une trace indélébile, qui à la longue devenait bleue. La mine avait ainsi son tatouage à elle, avec lequel elle marquait ses ouvriers du fond, afin de mieux les assujettir, de leur prouver que, partout où ils allaient, ils ne pouvaient cacher qu'ils lui appartenaient.

— C'est le métier qui rentre, disait Charles, fataliste, répétant une phrase souvent entendue.

Je ne pouvais pas répondre. Pour la première fois depuis que je le connaissais, nous n'étions plus unis par les mêmes préoccupations. Avant, tout ce qui me concernait le touchait, il faisait siens mes propres problèmes. Maintenant, un nouveau centre d'intérêt nous séparait, qui occupait uniquement Charles, et auquel j'étais totalement étrangère. Je voyais Charles devenir plus grave, plus mûr, plus dur aussi. Il utilisait des expressions d'homme, qui lui venaient de ses camarades de travail. Le compagnon de mon enfance changeait, et je n'y pouvais rien. Il ne s'intéressait plus autant à moi ; j'en souffrais. Et l'amitié qui nous liait ne fut plus assez forte pour me retenir sur le chemin qui me menait vers Henri.

Henri était toujours mon héros secret. Lui, il était beau, toujours bien habillé, jamais noirci de charbon. Inconsciemment, j'y étais sensible. Lorsque, en allant chez Juliette, je le rencontrais et qu'il me souriait, le soleil entrait dans mon cœur. Je ne cherchais pas à voir plus loin, ni à m'interroger sur ce que je ressentais pour lui. Je n'étais qu'une enfant, tout était simple. Je l'admirais, et je savais que je lui aurais offert ma vie, sans condition. Le fait qu'il fût avec moi simplement gentil me suffisait, et j'en étais heureuse.

⁂

L'année de mes douze ans marqua un tournant dans ma vie. Ce fut, tout d'abord, l'année où je fis ma communion. J'avais suivi les cours de catéchisme, avec le curé de la paroisse. Ils m'avaient beaucoup plu, car M. le Curé avait le don de raconter l'histoire sainte. J'avais aimé David et Goliath, Salomon et sa justice, et l'arche de Noé. Il avait raconté Jésus aussi, sa naissance, sa vie, ses miracles, et son agonie sur la croix. Il m'avait prêté un livre d'histoire sainte que j'avais lu et relu avec beaucoup de plaisir.

Le jour de ma communion, habillée de ma robe blanche et de mon voile, j'étais émue, grave et impressionnée. Je suis allée à l'église avec Marie, et nos parents suivaient, avec leurs beaux habits du dimanche. Il flottait, dans les rues, un air de fête, en même temps que des effluves de cuisine ; je suis bien obligée de l'avouer, la communion, c'était aussi l'alléchante perspective du repas qui suivrait la messe, et les réjouissances qui en découleraient. Chacun chanterait sa chanson, que tout le monde reprendrait en chœur. Les mineurs étaient ainsi, ils aimaient beaucoup s'amuser, faire la fête. C'était pour eux un moyen d'évasion nécessaire, qui leur permettait d'oublier, pendant quelques instants, la dure réalité de leur vie. Il leur fallait de telles étapes au cours de l'existence de tous les jours qui, sans ces quelques réjouissances, serait vite devenue difficilement supportable.

Je passai aussi, cette année-là, mon certificat d'études. J'y allai avec une appréhension qui me mettait une boule dans l'estomac, mais les épreuves me parurent faciles et je me détendis rapidement. Nous eûmes les résultats le soir même. Lorsque je rentrai à la maison, à la question de mes parents : « Alors ?... », je pus répondre, dans une explosion de joie :

— Je suis reçue !

Car, dans notre milieu, le certificat d'études avait son importance. Ceux qui l'obtenaient en concevaient une fierté toute légitime.

L'institutrice convoqua mes parents, et leur expliqua que je pouvais, si je le voulais, m'inscrire au concours d'entrée à l'Ecole normale. Ils me demandèrent si cela me tentait. Cela m'aurait plu d'étudier encore, et d'être, plus tard, institutrice. Mais, d'un autre côté, j'étais effrayée, comme si je sentais confusément que cela n'était pas pour moi, que je ne pouvais pas sortir ainsi de ma condition. Il n'était pas bien vu, parmi les mineurs, que les parents offrent à leurs enfants une instruction très poussée. Et j'étais trop jeune pour réaliser la chance qui m'était offerte. Si j'avais vraiment insisté, mes parents, dans leur incertitude, auraient probablement cédé. Mais je n'ai rien dit, et ma mère a emporté ma décision, en déclarant :

— J'ai besoin d'elle, à la maison. Elle m'aidera. Si elle veut exercer un métier, elle sera couturière, comme moi.

J'acceptai cet avis sans révolte. Il fut aussitôt en accord avec quelque chose, en moi, qui me disait que c'était très bien ainsi, que mon devoir était de rester auprès de mes parents, de les aider, et non de chercher à m'élever au-dessus d'eux. Ou alors il m'aurait fallu une volonté, un courage que je ne possédais pas. Et puis j'étais imprégnée par le milieu dans lequel je vivais, et inconsciemment j'en subissais l'influence. Chez nous, les filles restaient à la maison et aidaient au ménage, tandis que les garçons, comme le père, prenaient le chemin de la mine. C'était dans l'ordre immuable des choses. Je ne faisais que le suivre en acceptant la décision de ma mère.

Ainsi, à douze ans, j'appris à laver la maison, à laver le linge. J'ai, de cette façon, découvert très tôt la difficulté de rendre propres des vêtements incrustés de poussière de charbon. Les « loques de fosse » de mon père, le pantalon, la chemise, la blouse avec lesquels il travaillait, transformaient instantanément l'eau dans laquelle on les plongeait en une sorte d'encre d'un noir intense. Il fallait les laisser tremper, puis changer l'eau plusieurs fois avant de passer au lavage proprement dit. Et il fallait, pour cela, aller à la pompe, au milieu de la rue, et c'étaient des va-et-vient pénibles, courbée sous le poids des seaux d'eau. En hiver, quand il faisait très froid, bien que le robinet fût emmailloté de paille, l'eau gelait parfois. Alors nous devions faire couler de l'eau bouillante sur la pompe, jusqu'à ce que la chaleur permît le dégel. Cela nous faisait perdre du temps, sans compter que nous n'étions pas seules, ma mère et moi, à vouloir de l'eau. Les samedis, jours de nettoyage, toutes les femmes de la rue étaient dans le même cas que nous. Il y avait, devant la pompe, une file plus ou moins longue, et c'était une attente supportable l'été mais pénible l'hiver lorsque le froid pinçait. Les conversations allaient bon train, on échangeait des nouvelles, chacune parlait de ses problèmes. Cela aidait à patienter.

J'ai appris à savonner, à rendre le linge propre à force de frotter au savon de Marseille et à la brosse. J'ai fait la connaissance de la « batteuse », ancêtre de nos machines à laver actuelles. Cette batteuse était une grande cuve en bois, dans laquelle trois bâtons, que l'on actionnait à l'aide d'un tourniquet à deux manches, remuait le linge tantôt dans un sens tantôt dans l'autre.

Après avoir porté une lessiveuse d'eau à ébullition, ma mère et moi, en prenant garde de ne pas nous brûler, nous en versions l'eau dans la batteuse. Prenant chacune un manche du tourniquet, nous poussions à tour de rôle, ma mère dans un sens et moi dans l'autre. J'étais rapidement fatiguée, mais j'essayais d'ignorer les muscles de plus en plus douloureux du dos, du cou et des bras, pour continuer à battre sans arrêter pendant un quart d'heure, cela plusieurs fois de suite. Car, après le linge de mon père, c'était le tour du linge de couleur, puis du linge blanc, draps ou serviettes, puis des lainages. Et il fallait à chaque fois vider l'eau, et recommencer avec une eau propre.

Ensuite, nous devions reprendre les vêtements un par un, vérifier si c'était bien lavé, puis encore frotter au savon et à la brosse dans le cas où ce n'était pas suffisamment propre. J'ai eu, bien souvent, la peau des doigts à vif, à l'endroit, toujours le même, où je frictionnais. C'était si douloureux, à la longue, que j'aurais bien bâclé le travail. Mais ma mère était intransigeante, et peu à peu j'ai appris, à son contact, à devenir comme elle, d'une propreté méticuleuse.

Enfin, il fallait rincer tout le linge, le tordre, et le suspendre pour le faire sécher. L'été, quand il faisait beau, il séchait dehors, sur des fils de fer que mon père avait installés au fond du jardin. Mais, l'hiver, ou quand le temps était pluvieux, nous étions obligées de tendre des cordes dans la cuisine, au-dessus du poêle. Et cela faisait des gouttes d'eau, qui tombaient sur le poêle en grésillant, et une buée qui nous obligeait à évoluer dans une atmosphère humide jusqu'à ce que le linge fût complètement sec.

Cette corvée avait lieu toutes les semaines ; c'est dire si elle revenait vite. J'avais l'impression de sortir d'une lessive pour en retrouver une autre. Je préférais encore le repassage, ou même le nettoyage de la maison. Pourtant, repasser le linge était long et pénible. J'appris à repasser sans un pli, et à juger de la chaleur des lourds fers en fonte en les approchant de ma joue, comme le faisait ma mère. Je restais debout tout l'après-midi ; là encore, les muscles de mon dos, de mon cou, de mon bras droit devenaient rapidement douloureux.

Je découvris ainsi que le travail d'une femme, dans une maison, pouvait être dur et fatigant. Et, comme Charles, je devenais plus grave, je perdais mon insouciance. Moi aussi, je faisais l'apprentissage de la vie.

Les après-midi, alors qu'avant je jouais, j'apprenais maintenant à coudre. Ma mère m'installait à sa machine, et m'en expliquait le fonctionnement. Ce ne fut pas facile, non plus. Il fallait actionner la machine par une pédale, au pied, en appuyant d'avant en arrière, sans jamais arrêter, tout en guidant le tissu sous l'aiguille, sans dévier, et sans se faire pincer les doigts.

Ce que j'ai pu souffrir, au début ! Toujours quelque chose n'allait pas : ma couture n'était pas droite, ou bien je tirais trop fort sur mon tissu et il fronçait, ou bien encore mon fil se cassait. J'ai bien souvent retenu mes larmes. Mais, comme je ne voulais pas montrer à ma mère mon découragement, je serrais les dents, et patiemment m'obligeais à recommencer.

Peu à peu, j'appris et je m'habituai. Je devins même relativement habile. A mon tour, je sus coudre sans m'interrompre. La douleur qui irradiait le long de mon dos toujours courbé et de ma jambe droite, celle qui actionnait la pédale, me devint familière.

Je ne me plaignais pas, pourtant. J'étais chez moi, avec ma mère. Il y avait de bons moments. Parfois, l'une de nos voisines venait nous voir. Pour quelques instants, nous arrêtions notre travail, et nous nous faisions une tasse de café. Cela nous permettait de nous détendre. En bavardant, nous savourions notre café, qui nous donnait un nouveau courage pour nous remettre à l'ouvrage.

Et puis, quand mon père rentrait, je l'accueillais avec ma mère. Elle l'aidait à se laver, et je le servais. C'était bon d'être ensemble, tous les trois, et moi, j'éprouvais, là, entre eux, une sorte de plénitude heureuse. Malgré ma fatigue, le soir, j'étais contente d'avoir, par mon travail, aidé ma mère. Elle me disait souvent :

— Comme j'apprécie de t'avoir, Madeleine ! Ton aide me rend la vie beaucoup plus facile.

Ces paroles chassaient ma fatigue, me faisaient oublier la douleur de mon dos, de mes bras. Je me sentais payée, dans ces moments-là, de toute ma peine.

Il y avait pis. Je le vis par mon amie Marie. Elle aussi occupait ses journées à aider sa mère, jusqu'à ce que son père fût blessé.

Ce jour-là, je la vis arriver, complètement affolée. Elle pleurait :

— Madeleine ! On vient de ramener mon père sur un brancard. Il est tombé, il est blessé.

Nous avons couru, ma mère et moi, aux nouvelles. D'autres voisines nous avaient précédées. Devant la porte, c'était tout un attroupement. La solidarité, dans le coron, n'était pas un vain mot.

Le docteur de la compagnie était là. D'après ce que je compris, l'accident avait été causé par une explosion. Pierre, le père de Charles et de Marie, était bowetteur. C'était, parmi le travail au fond, le mieux payé, mais aussi le plus dangereux. Il consistait à creuser dans la roche, au pic et à l'explosif, afin d'atteindre le charbon. Pierre, après avoir placé sa charge d'explosif, avait voulu se reculer et avait glissé sur le sol boueux. L'étroitesse de la voie avait fait qu'il était mal tombé, et il s'était cassé la cheville. Marie et sa mère étaient catastrophées, et, en même temps, étrangement résignées :

— Je le savais, ça devait finir par arriver ! gémissait Jeanne, les larmes aux yeux.

Personne ne la contredisait. Tout le monde savait bien qu'un bowetteur devait avoir une chance extraordinaire pour échapper longtemps au danger. Sans compter qu'un autre danger, plus insidieux mais tout aussi grave, menaçait tous les bowetteurs. En frappant dans la pierre, ils travaillaient dans une poussière continuelle, la silice, qui, analogue à la poudre de ciment, se collait aux poumons et, à la longue, causait des dégâts irrémédiables. Le mineur atteint maigrissait, toussait, crachait, et avait de plus en plus de peine à respirer. « Il a attrapé le coup de bowette », disait-on alors.

Cette maladie, qui fut, par la suite, appelée silicose, était impitoyable. Tout au long de ma vie, j'ai vu mourir des vieux mineurs de ce mal qui les minait à petit feu et finissait par en faire des invalides. La silice qui, au fil des ans, s'était accumulée dans leurs poumons, petit à petit, rendait la respiration si pénible et si difficile qu'elle finissait par devenir une véritable souffrance. Certains, vers la fin, n'arrivaient même plus à parler. Ils tendaient leurs dernières forces dans ce seul but : respirer. Et, une fois que l'on avait entendu le bruit rauque et déchirant de leur respiration, on ne l'oubliait jamais plus.

Pierre, lui non plus, ne devait pas y échapper, plus tard. Quant à l'accident de ce jour-là, il ne toucha pas que lui. Il eut aussi des conséquences directes sur la vie de Marie.

Immobilisé, un mineur n'avait plus que la moitié de son salaire. Pour compenser le manque d'argent, Marie demanda à entrer au triage. Elle en était fière. Elle aussi me disait :

— Je vais travailler, je vais être « cafus (1) ». Grâce à moi, l'argent ne manquera pas.

Pauvre Marie, elle déchanta bien vite ! Le travail était dur pour ses treize ans. Comme Charles, elle eut vite les mains meurtries. Elle dut apprendre à travailler dans la poussière, le bruit et les courants d'air. Je pris l'habitude de la voir quand elle revenait de la mine, le visage noir de charbon, vêtue d'un grand sarrau, la tête emprisonnée dans un grand carré de tissu bleu et blanc qui lui recouvrait les épaules, pour empêcher le charbon de pénétrer dans son cou. En plus, c'était l'hiver. Les cailloux qu'elle devait ramasser étaient froids, mouillés, gelés, et ses mains se couvrirent de crevasses qui éclataient, dans lesquelles entrait la poussière de charbon, et qui ne se refermaient pas. Sa mère les soignait de son mieux, elle y mettait de l'huile, de la graisse. Marie devait aller travailler, malgré tout, et moi je n'étais pas loin de la considérer comme une véritable martyre.

Plus d'une fois, je l'ai vue pleurer, mon amie Marie, sur la douleur insupportable de ses mains gercées. Je la serrais contre moi, j'étais incapable de trouver des mots qui auraient pu la consoler. En existait-il, d'ailleurs ?

C'est pourquoi, en comparaison, je ne me plaignais pas. Je travaillais dur, moi aussi, mais j'étais à la maison. Si j'avais froid, je pouvais me chauffer. Je n'étais pas, huit heures par jour, dans un hangar glacial, avec un surveillant qui hurlait si le travail n'allait pas assez vite à son goût.

(1) *Cafus :* on nommait ainsi les fillettes et jeunes filles employées au criblage.

Marie perdit là son sourire ; ses joues, qui avaient gardé la rondeur et la douceur de l'enfance, se creusèrent et lui donnèrent, bien trop tôt, un visage d'adulte.

Son martyre, heureusement, ne dura que quelques semaines. Dès que son père recommença à travailler, elle reprit sa place chez elle.

Le travail m'absorbait. Je ne voyais plus Juliette que de loin en loin. Parfois, lorsque nous n'avions pas trop de couture à faire, nous pouvions libérer un après-midi. Ma mère me disait alors :

— Tu peux aller voir Juliette, si tu veux.

Je m'échappais avec plaisir, et Juliette, elle, m'accueillait avec joie. Je pouvais avec elle retrouver ma jeunesse, mon insouciance, mes jeux. Elle était mon amie, et je l'aimais toujours autant. Mais plus je grandissais et plus je m'apercevais combien notre vie était différente. Juliette ne connaissait pas les travaux qui étaient les miens, et elle n'avait aucun mal à conserver une insouciance d'oiseau.

Cela me faisait du bien d'être avec elle ; à son contact je perdais un peu de ma gravité. Mais je savais que cela ne pouvait durer. J'avais appris assez tôt que ma vie était de travailler, et non pas de m'amuser et de rire.

Je ne voyais plus beaucoup Henri, qui était pensionnaire dans une école de Lens.

— Il fait des études, m'avait dit Juliette. Il veut être directeur, comme papa.

J'avais enfermé soigneusement son image dans mon cœur, et je la gardais là, jalousement. Je n'en parlais à personne, c'était mon secret.

Charles, lui, était maintenant galibot rouleur. Il poussait les berlines remplies de charbon jusqu'à l'endroit où les chevaux venaient les chercher et repartait avec sa berline vide, pour la remplir.

— Tu fais ça toute la journée ? lui avais-je demandé.

— Oui, bien sûr. Et il faut aller vite, sinon le chef porion crie, et on n'est pas payé ! Il faut faire attention à ne pas faire dérailler le wagon, il faut éviter les obstacles ; ça n'est pas facile, dans le noir ! Heureusement, à la longue, on connaît le terrain par cœur, le moindre creux, la moindre bosse, et on sait les éviter.

Je me rendais compte que, quel que fût le poste occupé, le travail était toujours difficile. Je découvrais, d'après les récits des autres, que l'important était non seulement de bien travailler, mais de travailler vite. Pour la compagnie, le rendement seul importait. Et je sentais monter en moi, pour tous ces mineurs dont je découvrais le dur labeur, une grande, une immense admiration. J'admirais leur courage, leur endurance, leur acceptation d'un sort qui me paraissait bien peu enviable.

Ils commençaient, cependant, à ne plus tout accepter les yeux fermés. Ainsi, au mois de novembre, cette année-là, à l'époque des « longues coupes », des heures supplémentaires pendant la période du 16 au 30 novembre, qui précédait la Sainte-Barbe, une grève éclata. Les syndicats demandaient la suppression des longues coupes, que les compagnies encourageaient, toujours pour la même raison : cela augmentait le rendement.

Je me souviens de cette grève, j'avais treize ans. Je lisais les tracts que les meneurs distribuaient, sur lesquels il était écrit des phrases du genre : « Plus de longues coupes, huit heures par jour au fond, ça suffit ! » Ou encore : « Camarades, notre sort est-il pire que celui des bagnards ? Même les bagnards ont le droit de travailler au soleil. Mais nous, notre lot est l'obscurité, le manque d'air, la poussière. Luttez pour la suppression des longues coupes, qui nous privent de notre ration quotidienne de lumière ! »

Je ne comprenais que trop bien leur révolte. Pendant toute une quinzaine, les longues coupes maintenaient les ouvriers plus de douze heures au fond chaque jour. Ainsi, ils descendaient alors que la nuit n'était pas encore terminée, et remontaient quand il faisait déjà noir. Cette époque de l'année était pour eux une obscurité perpétuelle. Ils quittaient la nuit pour en retrouver une autre, et ils ne voyaient pas la lumière du jour pendant quatorze jours d'affilée. Ils ne savaient plus ce qu'était le soleil.

Je les approuvais de faire grève. A leur place, cette longue privation de clarté m'aurait été difficile à supporter.

Et ils eurent raison. Cette grève ne dura pas suffisamment longtemps pour devenir dramatique ; commencée le 17 novembre, elle fut terminée le 24. Et le conflit fut réglé à la satisfaction des syndicats : les longues coupes furent supprimées.

Mon père, le premier, en fut soulagé. Il était exténué par le surcroît de travail, et puis il gardait le souvenir de son accident, pendant une période de longues coupes, l'année de mes huit ans.

— Cet accident, expliquait-il souvent, ne se serait pas produit en temps normal. Mais j'étais trop fatigué, et je n'ai pas eu le réflexe de me jeter sur le côté.

Parmi les mineurs, beaucoup, à l'image de mon père, furent heureux de cette décision. Néanmoins, il y en eut quelques-uns pour regretter le double salaire de cette quinzaine-là. Mais les autres eurent tôt fait de les raisonner :

— Oui, un double salaire, mais à quel prix !

Finalement tout le monde fut d'accord. Ce fut, pour eux, une victoire, un autre des progrès grâce auxquels, petit à petit, les mineurs arrivaient à améliorer leur condition.

Une évolution se faisait, pas seulement chez nous. Insensiblement, le monde se mettait à changer. Ainsi, nous prenions l'habitude de voir passer dans le ciel les premiers aéroplanes, de croiser, dans les rues du village, les rares voitures qui le traversaient dans un tourbillon de poussière et un vacarme infernal qui terrorisaient les chevaux.

Moi aussi, je changeais. Je devenais moins primesautière, plus grave. Ce fut grâce à un livre de contes que je pris conscience du changement qui se faisait en moi, à mon insu. Ce livre était un cadeau de Mme Blanche, et, depuis que je le possédais, je l'avais toujours lu avec le même plaisir. Cette année-là, après l'avoir laissé de côté pendant plusieurs mois, je le repris un jour, savourant à l'avance le plaisir que je savais devoir ressentir à sa lecture.

Mais, à mon grand étonnement, ces contes qui m'avaient toujours passionnée me parurent sans intérêt, et même puérils. Avec un mélange de surprise et de déception, j'ai refermé le livre. Et j'ai compris alors, de façon définitive, que mon enfance m'avait quittée.

DEUXIÈME PARTIE

(1914-1926)

LA MORT, L'AMOUR, LA VIE

1

J'AVAIS quatorze ans lorsque la guerre fut déclarée. C'était le premier dimanche d'août. Nous étions occupées, ma mère et moi, à préparer le repas, et mon père était dans le jardin, lorsqu'un roulement de tambour nous a attirés dehors. Le maire du village, Gaston Douhet, un cousin éloigné de mon père, était au milieu de la rue. Tout le monde était sorti des maisons. Pressentant instinctivement une catastrophe, nous nous sommes approchés avec appréhension.

Gaston prit dans sa poche un papier, le déplia. Dans un silence de mort, de sa voix forte, il se mit à lire :

— Ordre de mobilisation générale. Par décret du président de la République...

Je ne me souviens plus du reste, je n'ai plus entendu la suite. Mes oreilles se sont mises à bourdonner, et j'ai eu peur. J'avais, ces derniers temps, si souvent entendu mon père et ses compagnons de travail parler de la guerre, de la mobilisation, que je savais ce que cela voulait dire. J'ai levé les yeux vers ma mère, et je l'ai vue tendue, immobile, atterrée. L'angoisse sculptait son visage et en faisait un masque de suppliciée. C'est quand j'ai vu les autres remuer que j'ai compris que c'était terminé.

— Viens, Madeleine, me dit ma mère.

Nous avons rejoint mon père, qui était resté appuyé à la barrière du jardin. Lui aussi avait un visage grave, tendu, crispé.

— Jean, cria ma mère, au bord des sanglots, tu as entendu ?

— Oui, j'ai entendu. Je m'en doutais, ça devait finir par arriver. Depuis qu'ils ont tué l'archiduc François-Ferdinand...

Il secoua la tête, avec impuissance et accablement. Il regarda ma mère, et ils échangèrent un regard torturé.

— De toute façon, soupira mon père, que pouvons-nous faire ?

Le lendemain 3 août, l'Allemagne déclara la guerre à la France. Trois jours plus tard, mon père et tous ceux qui, comme lui, était mobilisés partirent. Nous avions tenu, ma mère et moi, à l'accompagner à la gare. Contrairement à ce que j'avais cru, le départ se faisait dans l'enthousiasme et la bonne humeur. Les soldats criaient, riaient, se bousculaient. Avec de grands gestes et un optimisme contagieux, ils consolaient les femmes qui pleuraient, et disaient :

— Dans deux mois, on sera revenus ! Ça ne va pas durer longtemps !

— On va vite les écraser, les Allemands !

— Pas plus de deux mois ! Vous allez voir !

Ils étaient si sûrs d'eux que nous avons fini par les croire. Pourquoi pas, après tout ? Ils devaient certainement savoir de quoi ils parlaient.

A l'instant du départ, mon père se pencha vers nous, nous prit toutes les deux dans ses bras, nous serra très fort contre lui.

— A bientôt, mes chéries, dit-il d'une voix basse et émue. Je ne serai pas longtemps parti, je reviendrai bientôt. Sois bien sage, hein, Madeleine ?

J'avais la gorge serrée par une terrible envie de pleurer, et je n'ai pas pu répondre. Je n'ai pu que hocher la tête. Il me caressa la joue avec une tendresse infinie, et monta dans le train, avec les autres.

Ils sont partis, le sourire aux lèvres, en chantant. La vue brouillée par les larmes, j'ai regardé le train s'éloigner, longtemps, jusqu'à ce qu'il ne fût plus qu'un minuscule point noir à l'horizon. Lorsqu'il eut complètement disparu, ma mère et moi, serrées l'une contre l'autre, nous sommes rentrées à la maison.

⁂

Nous avons dû apprendre à vivre à deux. Au début, l'absence de mon père fut cruelle, difficile à supporter. Nous essayions de nous raisonner, nous nous disions :

— Deux mois, ils ont dit deux mois. Prenons patience, ce sera vite passé.

Mais les mois passèrent, la guerre s'éternisait, et mon père ne revenait pas. Dans le coron, toutes les femmes se trouvaient dans le même cas, chacune d'elles avait un père, un frère ou un mari au front. Rares étaient ceux qui étaient restés. Le père de Charles, pourtant, était de ceux-là. Il boitait depuis qu'il s'était cassé la cheville, et ne fut pas mobilisé.

— C'est une chance, disait ma mère à Jeanne, et je crois qu'elle l'enviait un peu.

Bien souvent, elle me confiait, en parlant de mon père :

— Je souhaiterais qu'il ait été handicapé aussi, quand il a été blessé au bras. Au moins, il ne serait pas parti !

Mais, hélas ! c'était ainsi, et nous n'y pouvions rien.

Nous avons dû apprendre aussi à vivre dans la guerre. Tout fut réquisitionné, à commencer par les chevaux et les voitures. Au début du mois d'octobre, nous avons compris que, contrairement à nos illusions, ça devenait sérieux. Les Allemands occupèrent la région, et prirent possession de la mine. Avec Charles et Marie, je montais en haut du terril. De là, nous les regardions passer, dans des chars à bancs tirés par des chevaux. Ils chantaient, eux aussi, en allant au front, et nous ne les trouvions pas si différents de nos soldats, après tout.

Nous avons vu, du haut de ce terril, des défilés entiers de réfugiés de Belgique, du Nord, du Pas-de-Calais, qui fuyaient, avec ce qu'ils avaient pu emmener. C'était triste à contempler, toutes ces femmes accablées, ces enfants qui pleuraient, et qui allaient vers l'inconnu.

Nous, au moins, nous étions chez nous. Et si mon père nous manquait de plus en plus, malgré tout, peu à peu nous arrivions à nous organiser. Pour les gros travaux, comme bêcher le jardin, ou rentrer le charbon que le livreur déversait dans la rue, devant notre porte, c'était Charles, ou Pierre, qui remplaçait mon père. Ils travaillaient toujours à la mine, mais contre leur volonté maintenant, car c'était pour les Allemands, qui manquaient de charbon pour poursuivre la guerre. Mais que faire d'autre ? Là aussi, nous avons appris à subir.

La guerre fit, peu à peu, partie intégrante de notre vie. Nous voyions des Allemands partout, les écoles se transformaient en hôpitaux, des colonnes d'infanterie, d'artillerie, de ravitaillement traversaient le village, le jour comme la nuit. Et surtout, nous devions supporter les bombardements.

Presque tout de suite, ils commencèrent, et durèrent jusqu'à la fin de la guerre. Ils firent beaucoup de morts, eux aussi. Nous étions toujours en proie à la peur. Pierre et Charles, souvent, nous disaient :

— Avec ces sacrés bombardements, on ne sait jamais, quand on remonte du fond, ce qu'on va retrouver !

Tout le monde fut invité à consolider sa cave. Charles et son père vinrent mettre des soutènements en bois, et protégèrent le soupirail par des sacs de sable. Ils percèrent le mur mitoyen séparant notre cave de la leur ; en cas d'alerte, nous nous y retrouvions tous. Enroulés dans une couverture, à la lueur d'une maigre bougie, nous y avons autant souffert de l'inconfort et du froid que de l'angoisse qui nous taraudait. Ce furent là pour moi les plus durs moments de la guerre.

Un jour, un taube survola le village. Tout le monde se précipita, une fois de plus, dans la cave. Marie et moi, serrées l'une contre l'autre, ne pouvions nous empêcher de trembler. Ma mère était très pâle. Jeanne tenait dans ses bras ses deux plus jeunes enfants, Julien et Georges, qui pleuraient. Nous écoutions, la peur au ventre. Nous entendîmes l'avion revenir, repartir, revenir encore. Enfin, il s'éloigna. Ce fut alors que retentit une formidable déflagration, qui nous fit tous sursauter. Le sol trembla.

— Mon Dieu, murmura ma mère, un obus est tombé…

Les deux garçons, terrorisés, se mirent à sangloter bruyamment.

— Allons, allons, calmez-vous, dit Jeanne d'une voix mal assurée.

Nous guettions les bruits, extrêmement tendus. Mais nous n'entendîmes plus rien. Le taube était parti.

— On dirait que c'est fini, chuchota ma mère.

Avec un mélange de soulagement et d'appréhension, nous remontâmes à l'air libre, sortîmes dans la rue. Les autres faisaient comme nous, et les exclamations fusaient de toutes parts :

— Un obus est tombé tout près !

— C'est à l'autre bout du village !

— Il paraît que c'est derrière la forge…

— Viens, Madeleine, me dit Marie, allons voir.

Nous avons suivi les autres, traversé le village. Et, près de la forge, le spectacle que nous découvrîmes nous figea sur place. Deux maisons s'étaient complètement écroulées, ensevelissant leurs habitants. Dans l'une d'elles vivait Amélie, une couturière. Son mari était au front, et elle était restée seule avec ses trois jeunes enfants. Nous la connaissions bien, ma mère et moi. Nous échangions souvent avec elle des patrons, des modèles de robes. Elle avait été surprise alors qu'elle descendait l'escalier de sa cave avec ses enfants. L'obus, en tombant sur sa maison, l'avait tuée, ainsi que ses deux filles. Son petit garçon, âgé de deux ans, était blessé et hurlait, le bras gauche déchiqueté.

Je restai là, pétrifiée d'horreur, serrant sans m'en rendre compte le bras de Marie. Les sauveteurs s'activaient, déblayaient, et heureusement ne découvrirent pas d'autres victimes. La maison voisine était vide au moment du bombardement. Le médecin, venu lui aussi, pansait le bras de l'enfant, avant de l'emmener à l'hôpital.

Moi, je regardais cette jeune femme et les deux petites filles allongées parmi les débris, et je sentais les larmes couler sur mes joues. Longtemps, j'ai gardé cette vision de cauchemar devant les yeux. J'ai ainsi découvert, à quinze ans, les horreurs et les réalités de la guerre, et cela me fut un véritable traumatisme.

Nous apprîmes par la suite qu'il avait fallu couper le bras de l'enfant. La guerre n'avait pas épargné sa jeune vie, tuant sa mère et ses sœurs, le condamnant à passer le reste de son existence avec un seul bras.

Les Allemands occupaient une grande partie du Nord et du Pas-de-Calais. Sur le front, les combats étaient meurtriers. Dans le secteur de Lorette, ils commencèrent dès février 1915 et durèrent jusqu'en octobre. Souvent, le bruit sourd du canon nous parvenait. Ma mère et moi nous nous regardions, angoissées. Finalement, après plusieurs mois de batailles acharnées, les Alliés réussirent à libérer le plateau, mais ce fut au prix d'énormes pertes.

Nous étions toujours en pays occupé. Les Allemands, qui avaient de plus en plus besoin de charbon, se mirent à libérer des prisonniers de guerre afin qu'ils reviennent travailler dans les mines. Pour la plupart d'entre eux, ce fut contre leur volonté.

Dans les régions non minières, ceux qui n'étaient pas mobilisés furent arrêtés et envoyés dans des camps de travail. Un cousin de Pierre, qui était agriculteur dans l'Avesnois, dut accepter un tel sort pour son fils de seize ans. Le pauvre garçon fut emmené, avec vingt autres, quelque part derrière le front allemand. Là, sous les coups et les injures, dans la boue et dans le froid, il devait transporter le ravitaillement des troupes, enterrer les soldats tués, creuser des tranchées pour l'ennemi, bétonner des abris exposés au feu de l'artillerie alliée. Il ne revint pas. Pierre, un jour, reçut une lettre de son cousin annonçant que son fils venait d'être tué « au service de l'ennemi ».

— C'est une honte, nous dit-il avec révolte, presque en pleurant. Ce n'était qu'un enfant ! Ils osent s'attaquer à des enfants ! Et nous ne saurons jamais comment il est mort. Est-ce de faim, de privations ?

A-t-il été tué par un Allemand ? Ou bien par un obus français, pourquoi pas ?

Nous partagions sa révolte, nous aussi. Ainsi, même ceux qui étaient trop jeunes pour être mobilisés devaient participer à la guerre, en travaillant pour l'ennemi, et parfois y laisser leur vie... Comment admettre une telle chose ?

⁂

Tout l'été, le canon tonna du côté de Lorette. Les bombardements étaient fréquents, nous obligeant à nous terrer dans la cave. Et toujours, à l'angoisse que nous ressentions pour nous-mêmes, se mêlait une autre angoisse, tout aussi douloureuse : celle que nous éprouvions pour mon père, bien plus exposé que nous.

Nous commencions à manquer de sucre, de beurre, de pain qui, de plus en plus, ressemblait à du pain de campagne. En deux ans, les prix avaient doublé. Les hivers étaient les plus durs moments ; celui de 1916 fut très rigoureux. Le charbon manquait, et nous en avions très peu. Souvent, Marie et moi, nous prenions chacune un sac de toile et nous allions grappiller sur le terril, essayer de trouver des morceaux de charbon encore combustibles. Juliette, parfois, venait avec nous. Depuis que les Allemands occupaient la mine et qu'ils prenaient tout le charbon pour eux, elle était aussi défavorisée que nous. Beaucoup d'autres faisaient de même, et le terril n'était jamais désert. Nous réussissions à ramasser un peu de charbon, qui nous permettait d'avoir chaud un peu plus longtemps. Mais, malgré cela, nous avons plus d'une fois souffert du froid. Et puis, en hiver, la faim se faisait davantage sentir, car il n'y avait plus rien dans les jardins. Aussi, dès les beaux jours, nous semions des légumes, le plus possible de légumes, et la moindre parcelle de terre était précieuse. Ainsi les autres saisons étaient un peu plus faciles à supporter, car nous avions moins froid et moins faim.

Des mesures furent prises pour l'extinction des feux. Dès huit heures le soir, il n'y avait plus d'éclairage dans les rues. On nous fournit des masques contre les gaz toxiques. Il fallut en apprendre le fonctionnement. Nous devions toujours avoir ce masque à portée de la main, aussi bien chez nous que dans la rue, et savoir le mettre rapidement en cas d'alerte. C'était une contrainte de plus.

Mais, pour nous, tout cela était secondaire. Le tourment incessant que nous éprouvions pour mon père nous était un supplice bien plus grand.

Nous étions en 1917. Dans le coron, un des camarades de mon père, parti en même temps que lui, revint. Il avait été blessé et avait dû être amputé du pied gauche. Après avoir été soigné à l'hôpital des mines, il était rentré chez lui. Ma mère et moi, comme beaucoup de gens du coron, nous sommes allées lui rendre visite, lui apporter le réconfort de notre amitié.

Emilienne, sa femme, nous fit entrer dans la chambre. Il était assis dans le lit, encore pâle et bien maigre. Je fus frappée par son regard éteint, douloureux, sans vie, le regard de quelqu'un qui revient de loin et n'arrive pas à oublier. A Emilienne qui nous offrait des chaises, ma mère dit, d'une voix sourde :

— Je crois bien que je préférerais voir Jean revenir tout de suite dans un état semblable, plutôt que de continuer à trembler pour sa vie, jour après jour...

Emilienne hocha la tête, sans un mot. Elle comprenait une telle réaction, elle avait dû éprouver la même. Son mari, qui avait entendu, dit :

— C'est affreux à avouer, mais même moi, j'ai été soulagé. J'ai accepté d'avoir un pied en moins, d'être handicapé pour le reste de ma vie, parce que cela m'a évité de retourner au front...

Il se tut, soupira, reprit :

— Et je n'ai même pas honte de le dire... Mais il faut avoir vécu dans de telles conditions pour comprendre... C'est inimaginable...

— Et savez-vous, coupa Emilienne, que ce n'est pas à cause d'une blessure qu'on a dû lui couper le pied ? Raconte, François...

Alors il raconta. Et, en parlant, il s'animait, ses yeux perdaient leur regard éteint, brillaient d'indignation, de larmes contenues. Il raconta le calvaire de tous ces soldats, terrés dans des tranchées, alors que le thermomètre marquait moins vingt degrés. Ils devaient fractionner le pain à la hache ou à la scie, ils « buvaient » du vin glacé qu'il fallait couper au couteau dans un seau de toile. Les fusils, les mitrailleuses gelaient, et il devenait impossible de s'en servir.

— Nous sommes restés des jours et des jours dans des tranchées remplies de glace. Mes pieds ont gelé. Je ne les sentais plus, j'avais l'impression qu'ils n'étaient plus là. Dans notre compagnie, il y avait un Sénégalais. Les Noirs ne supportent pas le froid, c'est bien connu. On l'a retrouvé un matin, recroquevillé, tout gris. Il était mort pendant la nuit.

— Mon Dieu, c'est affreux, murmura ma mère. Et... dans quelle région vous trouviez-vous exactement ? demanda-t-elle, pensant à mon père qui se trouvait dans l'Est.

— Dans un endroit appelé le Chemin des Dames, quelque part dans l'Aisne. C'était sinistre. Tout était déchiqueté, les arbres avaient été arrachés, la terre n'était faite que de bosses et de trous. Quand est venu le dégel, ça a été pire encore. Nous pataugions dans une boue humide qui détrempait nos souliers. Un jour, il a plu, nous avons eu de l'eau jusqu'aux genoux. Et pas question de sortir du trou, avec les obus qui nous harcelaient sans arrêt !

Il se tut un moment, remua, bougea ses jambes avec une grimace.

— Au bout de plusieurs jours, mes pieds, qui étaient jusqu'alors gelés et insensibles, me firent subitement très mal. Je voulus me déchausser, mais il me fut impossible d'enlever mes chaussures ; je dus les couper. Lorsque je vis mes pieds, j'eus peur : ils étaient violacés, énormes, si gonflés que je ne les reconnus pas. Je souffrais de plus en plus, et fus bientôt incapable de les poser par terre. Je ne pouvais que rester assis, dans la boue. A la fin, c'était tellement insupportable que j'ai cru devenir fou. Le commandant de compagnie me conseilla d'essayer de rejoindre l'infirmerie qui était à environ un kilomètre en arrière. Des camarades m'ont aidé à sortir du trou, et, en rampant sur les genoux, j'avançai dans la boue, lentement, pendant un temps qui me parut interminable, tandis que des obus tombaient partout autour de moi.

Ma mère et moi, silencieuses, atterrées, nous écoutions. Quelles paroles étaient capables de calmer une si grande souffrance, d'effacer de tels souvenirs ? Emilienne, à nos côtés, pleurait, reniflait, se mouchait. Et François continuait :

— A l'infirmerie, ils m'ont évacué sur l'hôpital. Là, ils ont soigné mes pieds ; après quelques jours le pied droit a désenflé, s'est cicatrisé. Mais le gauche est devenu tout noir. Il me faisait si mal que la nuit je me réveillais en hurlant. Un matin, le médecin-major me dit : « Il faut le couper, il n'y a pas d'autre solution, la gangrène s'y met. » Je n'ai pensé, à ce moment-là, qu'à une seule chose : je ne retournerais pas au front !... Maintenant, quand même, je vois mieux les conséquences de cette amputation : comment vais-je vivre, ainsi diminué ?

Emilienne tendit une main vers lui, la posa sur son bras :

— Nous nous débrouillerons, François, dit-elle. L'important, c'est que tu sois revenu...

— Oui, acquiesça ma mère. C'est vrai, François, c'est ça le plus important.

Il hocha la tête et ne répondit pas. Je comprenais ses doutes et son inquiétude : il avait échappé à l'enfer, mais c'était désormais pour une vie amoindrie, brisée. Et une grande pitié me vint pour lui.

Depuis le départ de mon père, nos seules joies avaient été ses lettres. Aux dernières nouvelles, il était toujours dans l'Est, du côté de Verdun. Il souffrait de l'inconfort, du froid, de la faim car le ravitaillement se faisait mal. Il ne se plaignait pas, pourtant, mais disait que seuls notre image et l'espoir farouche de nous retrouver un jour l'aidaient à résister. A notre tour, nous lui écrivions, lui donnant des nouvelles du coron, et lui envoyant tout l'amour que nous avions pour lui.

Ce jour-là, nous venions de relire sa dernière lettre reçue la veille, dans laquelle il disait ne pas pouvoir se débarrasser de la vermine qui infestait les tranchées.

— Mon pauvre Jean, avait gémi ma mère, lui qui se lavait tous les jours...

Nous avons rangé la lettre avec les autres, dans le tiroir du buffet, et nous avons vaqué à nos habituelles occupations. Peu avant midi, ma mère me dit :

— Je vais au jardin, chercher des poireaux pour la soupe. Pendant ce temps, fais chauffer de l'eau.

J'emplis la marmite d'eau, et je venais de la poser sur le feu lorsqu'on frappa à la porte d'entrée. Je criai :

— Oui, entrez !

Mais rien ne bougea. Cela était si peu habituel que je m'inquiétai. Si c'était l'une de nos voisines, elle serait entrée aussitôt. C'était peut-être un Allemand, ou bien... Je n'osai pas penser plus loin. Avec un petit pincement d'appréhension, j'allai ouvrir. Alors je me figeai. Debout, devant moi, tortillant entre ses doigts son chapeau d'un air gêné, se tenait Gaston Douhet, le maire. Je savais ce que cela signifiait, quand il allait rendre visite à quelqu'un, en cette époque cruelle. Nous en avions eu quelques exemples, dans le coron. A chaque fois, nous frémissions de crainte en pensant que cela pouvait nous arriver, à nous aussi.

C'est pourquoi, dès que j'ai vu son expression, j'ai compris. J'ai senti le sang se retirer de mon visage, me tirant douloureusement la peau, en bas des joues. Je dus devenir très pâle. Je croisai son regard empli d'une infinie pitié, et il dut lire dans le mien une telle appréhension, une telle peur d'apprendre, qu'il ne put le supporter et baissa la tête. Alors, avec la sensation d'être écrasée par une fatalité cruelle et impitoyable, je reculai, et il entra. Il me regarda d'un air profondément malheureux, eut un geste fait à la fois d'impuissance et de rage :

— Madeleine... Ta mère est là ?

J'étais, momentanément, hors d'état de répondre. Je perdais pied, je me sentais partir à la dérive. Dans une brume d'irréalité, j'entendis le pas de ma mère, qui revenait du jardin et ouvrait la porte de l'arrière-cuisine. Sa voix, intriguée mais pas encore inquiète, m'arriva :

— Qu'est-ce que c'est, Madeleine ?

A elle non plus, je n'ai pas pu répondre. Ma voix, mes gestes ne m'obéissaient plus. Elle entra dans la cuisine, et en voyant Gaston, elle aussi comprit. Elle s'arrêta, se pétrifia. Comme moi, elle devint pâle. L'horreur et la souffrance qui montèrent dans son regard me firent mal. Elle porta les mains à son visage, et une plainte lui échappa :

— Non... Oh non, pas ça ! Pas ça, NON, PAS ÇA !

Elle regarda Gaston, et il y avait dans ses yeux un égarement, une douleur immense, incommensurable. Elle demanda, d'une voix assourdie :

— C'est Jean, n'est-ce pas ?

Gaston refit le même geste d'impuissance :

— Oui... J'ai reçu la lettre ce matin...

Il tendit un papier qu'il tenait à la main et que je n'avais pas encore remarqué. Ni ma mère ni moi n'étions capables de le prendre. Alors, embarrassé, il le déposa sur la table. Il fit un pas vers nous, dit, et sa voix était maintenant tout enrouée :

— J'ai de la peine, moi aussi... Nous étions parents, et je l'aimais bien...

Il nous regarda, malheureux, désireux de nous aider et en même temps conscient qu'il ne pouvait rien faire. Nous voyant immobiles, figées, il n'insista pas. Ma mère avait fermé les yeux, comme pour mieux résister aux vagues de souffrance qui l'assaillaient. Il se détourna ; je crus entendre qu'il bougonnait, entre ses dents :

— Quel métier !... Que des corvées, oui !...

Il sortit, laissant sur la table le papier blanc, messager de mort et de désespoir. Alors, brutalement, mon chagrin éclata, mes pleurs coulèrent. Je me suis retrouvée dans les bras de ma mère, étroitement serrée contre sa poitrine, et nous avons sangloté longuement, vaincues par la peine intolérable qui nous déchirait le cœur.

Les autres habitants de la rue avaient compris, en voyant le maire venir chez nous. Une à une, nos voisines vinrent nous voir, pour essayer de nous réconforter, nous dire qu'elles prenaient part à notre peine, ou simplement pour ne rien dire du tout mais pour montrer qu'elles étaient là, que nous pouvions compter sur elles. La solidarité du coron jouait, une fois encore. Du reste, mon père, avec son naturel bon et aimable, était apprécié, et beaucoup pleurèrent en nous rendant visite. Celles qui, comme nous, avaient perdu un être cher pleuraient à la fois sur elles et sur nous.

Ma mère et moi, nous étions abruties de douleur. Nous faisions notre travail, comme chaque jour, mais c'était d'une façon mécanique, repliées sur notre souffrance intérieure. Mon cœur hurlait de désespoir, et je voyais dans les yeux de ma mère le reflet de ma propre agonie. Je savais qu'à un chagrin d'une si grande intensité il n'était pas de consolation possible.

Le plus dur était pour moi le soir, quand je me retrouvais dans mon lit. Jusqu'alors, mon père avait été absent, mais il était vivant, quelque part. Et tous les soirs, avant de m'endormir, je m'imaginais ce que ce serait quand il reviendrait. Rien qu'en y pensant, je ressentais déjà un peu de la joie qui éclaterait dans mon cœur à son retour. Cela m'avait aidée à mieux supporter la séparation. Mais, maintenant, je n'avais plus cet espoir pour me soutenir, maintenant je savais qu'il ne reviendrait plus. Une profonde détresse me faisait verser des larmes brûlantes, et des sanglots irrépressibles me déchiraient la gorge, que j'étouffais dans mon oreiller. L'impuissance où j'étais de n'y pouvoir rien changer augmentait mon désespoir. Je comprenais, avec une obscure révolte, que, là aussi, je devais admettre et subir. Mais je ne pouvais plus, c'était bien trop dur. Comment accepter l'inacceptable ?

Le monde était devenu tout gris. La mort, en prenant mon père, m'avait meurtrie impitoyablement. C'était ma première grande douleur. Elle était si dure à supporter, pour mes dix-sept ans, que je pensais bien ne jamais souffrir davantage.

2

LA guerre continuait, les combats faisaient rage. Il y eut des batailles meurtrières, entre Allemands et Canadiens, sur la crête de Vimy. Cela nous toucha à peine, ma mère et moi. Notre détresse nous isolait du monde extérieur. La guerre nous avait pris ce que nous avions de plus cher. Comment aurait-elle pu encore nous atteindre ?

Peu de temps après, Charles m'annonça qu'il partait, lui aussi. Il s'était engagé.

— Tu comprends, me dit-il, j'en ai assez de travailler pour les Allemands, d'extraire du charbon qu'ils utiliseront contre notre pays. J'ai bientôt dix-neuf ans, je veux me rendre utile, je vais me battre aux côtés des Français, là où est ma place.

Je ne vis qu'une chose : il partait, et la guerre se chargerait de le tuer, comme elle le faisait pour tous les autres. J'ai tendu les mains vers lui, en un geste de supplication :

— Oh, Charles ! Ne fais pas ça ! Tu n'es pas obligé de partir, ne t'en va pas...

Il me regarda, avec un mélange d'étonnement et de reproche :

— Voyons, Madeleine, essaie de comprendre. Je veux faire mon devoir. Tu admettrais que je continue à travailler pour les Allemands, au lieu de me battre pour la France ?

— C'est... c'est moins dangereux...

Il haussa les épaules, d'un air méprisant :

— Ne dis pas des choses pareilles... De toute façon, ma décision est prise. Je me suis engagé, je pars.

— Et tes parents, que disent-ils ?

— Ma mère est comme toi, elle voudrait me garder, au risque de faire de moi un lâche. Mon père, lui, me comprend et m'approuve. Il est assez malheureux de ne pouvoir aller se battre, et de rester ici. Tu ne sais pas ce que c'est, Madeleine, que de travailler pour « eux ».

Non, je ne savais pas ce que c'était. Et je ne pouvais pas comprendre, non plus, cet acharnement à vouloir partir pour se faire tuer. Je l'ai regardé, muette soudain, consciente du fait que nous ne voyions pas les choses sous le même angle, et obligée, encore une fois — une fois de plus —, d'accepter, de subir.

Il partit, quelques jours plus tard. Il vint nous dire au revoir, à ma mère et à moi — ou était-ce adieu ? Il portait la tenue de soldat, ce qui lui donnait un air viril. Il m'embrassa comme un frère, me serrant contre lui. Je sentis sa joue contre la mienne, dure, rugueuse, et je compris qu'il était devenu un homme. Les larmes aux yeux, je l'ai regardé partir, en luttant contre la pensée qui me disait que je ne le reverrais plus, que, comme mon père, lui non plus ne reviendrait pas.

***

Charles parti, il ne restait que Pierre, son père, pour nous aider dans les gros travaux. A la maison, je faisais pratiquement tout moi-même, maintenant. Ma mère se traînait lamentablement, on eût dit une pitoyable marionnette brisée. La mort de mon père l'avait gravement atteinte. Moi aussi, j'avais une peine immense, qui me donnait parfois envie de hurler, tellement c'était insupportable. Mais je comprenais que, pour ma mère, c'était autre chose. Elle jusqu'alors si active, si dynamique, ne faisait plus rien. Elle avait un regard lointain, qui regardait sans voir, et qui semblait tourné vers l'intérieur, uniquement occupé de sa propre douleur.

Je me confiais à Marie, je lui disais le souci que me causait ma mère. Jeanne, bien souvent, soupirait, et disait :

— Tu ne peux rien faire, ma pauvre Madeleine. Il faut attendre, avoir de la patience. Avec le temps, sa peine sera moins vive.

Juliette, que je voyais plus rarement depuis la guerre, avait compris, elle aussi, mon problème.

— Entoure-la le plus possible de tendresse, me dit-elle. Maintenant, elle n'a plus que toi. C'est toi qui dois la ramener vers la vie.

Mais cela me semblait bien dur. J'étais trop jeune pour une telle épreuve, et moi aussi, j'avais de la peine, moi aussi, j'aurais eu besoin d'être consolée.

Le jour de mes dix-huit ans, je pleurai. Ma mère mêla ses larmes aux miennes :

— Jamais plus, Madeleine, il ne sera là pour te souhaiter ton anniversaire...

Notre souffrance commune nous a rapprochées. A partir de ce jour, nous avons pu parler de mon père, et nos conversations le faisaient revivre. Sur le buffet de la cuisine, ma mère installa sa photo, devant laquelle elle mit un bouquet de fleurs.

Et sur tout cela, il y avait la guerre qui continuait. Cette année-là, les bombardements furent encore plus nombreux et plus violents. Nous avions fini par installer des matelas dans la cave, car nous y passions, de plus en plus souvent, des nuits entières. C'était le plus pénible, je l'ai déjà dit. Julien et Georges, les deux plus jeunes frères de Marie, qui n'étaient encore que des enfants, pleuraient de peur. Quant à nous, ce n'était pas non plus uniquement l'obscurité et le froid qui nous faisaient frissonner.

Ces bombardements durèrent tout le printemps, puis, au début de l'été, diminuèrent d'intensité. Au mois d'août, les Allemands commencèrent à reculer, les villes occupées jusque-là furent libérées. Nous osions à peine espérer. Qu'allait-il se passer ?...

Au mois de septembre, il y eut encore quelques bombardements. Mais ce furent les derniers. A l'époque, nous ne le savions pas et nous étions, une fois de plus, terrés dans la cave, la peur au ventre. Le petit Georges, à la suite de ces nuits passées dans l'humidité, avait attrapé un refroidissement et toussait. Le lendemain, il avait une forte fièvre et était couché.

J'allai le voir. Il était très rouge, et ne semblait pas nous reconnaître. Marie, qui l'aimait beaucoup, ne quittait pas son chevet :

— Oh, Madeleine, me dit-elle, je suis inquiète. Si ça continue, nous allons appeler le médecin.

Le lendemain, ma mère, à son tour, se plaignit de maux de tête, de frissons, de vertiges. A la fin de l'après-midi, elle avait le teint gris et ne tenait plus debout. Je la forçai à se coucher. Elle me parut avoir beaucoup de fièvre. Toute la nuit, elle toussa, et le matin elle fut incapable de se lever.

Je courus chez Marie.

— Marie, si tu fais venir le docteur pour ton frère, envoie-le chez moi. Ma mère est malade aussi.

Rentrée chez moi, je ne savais que faire. Je fis boire à ma mère un peu d'eau. Avec terreur, je me rendis compte qu'elle ne me reconnaissait plus. Elle délirait, elle appelait mon père :

— Jean ! Où es-tu ? Viens !

Elle me repoussait quand je m'approchais d'elle. Elle me disait :

— Qui es-tu, toi ? Ce n'est pas toi que je veux, c'est Jean. Pourquoi ne vient-il pas ?

Lorsque le docteur arriva, je n'en pouvais plus. Il ausculta ma mère, prit sa température — elle avait quarante et un degrés — et regarda dans sa gorge.

— Oui, c'est encore un cas de cette maudite épidémie qui vient de se déclarer ; beaucoup sont déjà atteints.

Il se tourna vers moi :

— Tu es seule pour la soigner ?

— Oui. S'il le faut, j'irai chercher Jeanne, ou Marie.

Il nous connaissait bien, et ne fit pas d'objection. Il me donna une potion, à administrer toutes les deux heures.

— Surtout, me dit-il, il faut essayer de faire tomber la

fièvre. Tu lui mettras des linges humides sur le front, à changer dès qu'ils ne seront plus froids.

Je le remerciai. Il partit, appelé ailleurs par d'autres malades, et je restai seule.

Je fis tremper des mouchoirs dans de l'eau fraîche, je les tordis et en fis des compresses, que je posai sur le front de ma mère. Elle avait les yeux fermés et était maintenant très rouge. La fièvre ne baissait pas. J'étais très inquiète. C'était la première fois que je la voyais malade, et je me sentais impuissante et démunie. Toute la nuit, je la veillai, assise dans le fauteuil près du lit. Je somnolais par moments, et j'étais réveillée par un gémissement ou une quinte de toux. Je lui donnai régulièrement sa potion, changeai les compresses qui, après quelques minutes de contact avec son front, devenaient sèches et brûlantes. Que pouvais-je faire d'autre ?

Le lendemain, Jeanne vint me voir. Elle m'aida à renouveler le lit et à changer ma mère, car elle avait tellement transpiré que sa chemise, l'oreiller et le drap étaient trempés.

— C'est bon signe, dit Jeanne, elle élimine le mal.

— Et Georges, comment va-t-il ?

Elle eut une moue inquiète :

— Pas beaucoup mieux. Il avait déjà, depuis plusieurs jours, un gros rhume. Il a encore beaucoup de fièvre.

Elle m'aida à mettre un peu d'ordre dans la maison, mais ne s'attarda pas. Son enfant avait besoin d'elle.

— Ça ira, Madeleine, tu te débrouilleras ?

— Oui, merci, ne vous inquiétez pas.

— Si tu as besoin de quoi que ce soit, viens nous chercher, ou frappe au mur, nous viendrons.

A midi, je mangeai un morceau de pain, puis je m'installai dans le fauteuil. Ma mère reposait, plus calme semblait-il. La fatigue eut raison de moi, et je m'endormis.

Lorsque je m'éveillai, j'eus la joie de voir que ma mère avait les yeux ouverts. Sa fièvre semblait avoir baissé. Je sautai sur mes pieds :

— Maman, comment vas-tu ? As-tu mal ?

— J'ai encore un peu mal à la tête, et à la gorge...

— C'est l'heure de ta potion.

Je la lui donnai, heureuse de voir qu'elle me reconnaissait, qu'elle allait mieux. Le docteur arriva à ce moment-là, trouva, lui aussi, une amélioration, et dit de continuer la potion jusqu'à sa prochaine visite.

Mais, dans la nuit, la fièvre revint. Ma mère se remit à délirer, appelant mon père de nouveau, et moi-même. Elle criait :

— Madeleine ! Madeleine ! Où es-tu ? Pourquoi ne réponds-tu pas ?

Je m'approchai du lit, inquiète :

— Je suis là, maman, je suis là.

— Qui es-tu ? C'est Madeleine que je veux.

— Mais c'est moi, maman, je suis Madeleine.

De nouveau, elle me repoussait :

— Tu n'es pas Madeleine. Où est Madeleine ? Va la chercher, je veux la voir.

Si j'insistais, elle se débattait. Elle me faisait peur, j'étais dépassée par cette maladie qui changeait ma mère en une étrangère qui ne me reconnaissait pas. J'ai pleuré, cette nuit-là, au chevet de ma mère, de solitude et d'impuissance. C'était trop, je n'en pouvais plus. N'avait-il pas suffi que mon père fût mort, déjà ?

A l'aube, elle reposait plus calmement. Epuisée, je dormis quelques heures. Dans la matinée, Antoinette, l'une de nos voisines, qui avait appris par Jeanne la maladie de ma mère, vint nous voir. Elle m'aida à faire le ménage, puis à laver ma mère quand celle-ci fut réveillée. J'étais allée vider la cuvette d'eau sale et je revenais dans la cuisine lorsque j'entendis ma mère qui disait :

— Si je pouvais mourir, je le rejoindrais, tu comprends...

Volontairement bourrue, Antoinette la rabroua :

— Louise, tu n'as pas le droit de dire une chose pareille ! Pense à ta fille, tu dois vivre pour elle. Que deviendrait-elle, la pauvrette ?

Je reçus un coup au cœur. D'apprendre, d'abord, que

ma mère souhaitait mourir, de réaliser, ensuite, que sans elle je n'aurais plus rien. Alors j'eus peur.

Antoinette partit, puis, vers midi, Jeanne m'apporta à manger, mais je n'avais pas faim. Elle m'apprit que Marie ne quittait pas le chevet de Georges, qui n'allait toujours pas mieux.

Ma mère passa l'après-midi à dormir, et, le soir, lorsque le docteur revint, il la trouva mieux. Elle n'avait plus de fièvre, mais se sentait extrêmement faible.

— C'est normal, lui dit-il. Il faut maintenant reprendre des forces.

Il donna un sirop de vitamines, à cet effet, et me dit, alors que je le reconduisais à la porte :

— Elle est sauvée, je pense. Tant mieux, j'en suis heureux pour toi, Madeleine. Cette maladie est mortelle, elle fait beaucoup de victimes.

Cette nuit-là, ma mère dormit calmement. Pour la première fois depuis sa maladie, je pus prendre une nuit de vrai repos.

Les jours suivants, elle se leva, mais resta complètement anéantie, sans réaction.

— C'est normal, disait le médecin, à qui je faisais part de mon inquiétude. Il y a une asthénie intense qui se prolonge après la guérison.

Mais moi, j'avais peur. Je voyais bien que ma mère ne reprenait pas goût à la vie, et je me souvenais des paroles qu'elle avait dites à Antoinette. Au bout de quelques jours, la voyant toujours pareille, pâle et donnant l'impression de se laisser couler, je ne pus retenir mes larmes. Elle était assise, près du feu, et restait là, des journées entières, les mains croisées sur les genoux, les yeux vagues, regardant droit devant elle, dans le vide.

Je m'approchai, m'agenouillai près d'elle. J'appelai, doucement :

— Maman...

Elle tourna son regard vers moi, avec une sorte de surprise douloureuse :

— Madeleine ! Tu pleures ?

Alors j'ai sangloté, longuement, éperdument. Et,

entre mes sanglots, j'essayai de lui parler, de lui expliquer que j'avais besoin d'elle, qu'elle ne devait pas me laisser, qu'elle devait revenir avec moi, parce que c'était déjà assez dur pour moi de n'avoir plus mon père. Je ne sais plus tout ce que j'ai dit, mais mon cri était désespéré :

— Ne pars pas ! Reste avec moi, j'ai tant besoin de toi !

Quand j'ai levé les yeux vers elle, j'ai vu qu'elle pleurait. Les larmes coulaient sur son visage, et semblaient purifier son regard. Il me parut plus clair, il n'était plus tourné vers sa propre souffrance, il semblait délivré d'une obsession. Elle me caressa les cheveux, et murmura, comme pour elle-même :

— Pauvre, pauvre enfant ! Enfermée dans ma détresse, je ne me rendais pas compte. Oui, tu as raison, je ne peux pas te laisser. Jean m'attendra un peu plus longtemps, il comprendra.

Elle me prit contre elle, je la serrai dans mes bras. Et les larmes que nous avons versées ont emmené avec elles tout un monde de destruction et de douleur pour ne laisser que notre amour intact, nous liant l'une à l'autre plus étroitement que jamais.

A partir de ce jour, elle réagit beaucoup mieux, elle se remit à vivre. J'avais eu si peur de la perdre que chacun de mes gestes envers elle ressemblait à une action de grâces. Je veillais à lui éviter toute fatigue, et nous avons puisé dans notre amour mutuel la force de vivre avec l'absence définitive de mon père.

Georges avait été longtemps malade. Je lui rendis visite. Il allait mieux, mais, comme ma mère, semblait très faible. Marie, qui s'était épuisée à le soigner, me dit :

— Je le sauverai, je ne le laisserai pas mourir. Je lui donnerai mes forces, s'il le faut. Sais-tu, Madeleine, que, quand il avait beaucoup de fièvre, je me suis couchée contre lui pour lui prendre son mal ?

Je ne savais que répondre, devant tant d'abnégation. Marie avait un don de sacrifice que je ne possédais pas. Je la regardai et lui trouvai le teint plombé, les yeux cernés, les traits tirés de fatigue et d'épuisement.

Le lendemain, j'appris sans surprise qu'à son tour elle était malade. Je croisai le médecin alors qu'il sortait de chez elle. Je l'interrogeai. Il baissa la tête, embarrassé :

— Elle est très atteinte... Elle ne semble plus avoir de forces à opposer à la maladie, elle les a usées à soigner son frère.

— Elle va guérir, quand même ?

— Je ne peux rien dire. C'est en ce moment que la maladie est la plus violente.

Je savais que c'était vrai. Des gens mouraient chaque jour, et ces derniers jours il y avait eu encore plus de victimes. C'était une épidémie d'une ampleur qu'on n'avait jamais vue. Elle était d'autant plus virulente qu'elle s'attaquait à des personnes dont l'organisme était affaibli par les rigueurs de la guerre. J'ai su, par la suite, que cette maladie, qui fut appelée grippe espagnole, fit plus de victimes civiles en quelques mois que la guerre en quatre ans. Si bien que rares furent les foyers qui n'eurent pas à déplorer un décès, causé soit par la guerre, soit par la maladie.

Dans les jours qui suivirent, cependant, l'épidémie, après avoir été plus meurtrière que jamais, sembla régresser. Il n'y eut plus de nouveaux malades. Et, parmi ceux qui étaient atteints, il y eut moins de décès.

J'allai voir Marie. La fièvre l'avait minée. Elle avait un petit visage, translucide, amenuisé. Elle était si faible qu'elle pouvait à peine parler. Elle me tendit une main tremblante :

— Madeleine...

Voir Marie, habituellement vive comme un oiseau, réduite à un tel état de faiblesse était plus que je n'en pouvais supporter.

— Guéris vite, Marie...

Elle dit, dans un souffle :

— Je n'en aurai pas la force. Mais ne sois pas triste,

Madeleine. Je donne ma vie sans regrets pourvu que vive Georges.

A ce moment, je me suis rappelé la phrase que nous disait souvent M. le Curé : « Il n'y a pas de plus grande preuve d'amour que de donner sa vie pour ceux qu'on aime. » Alors je n'ai pas pu résister. Je me suis penchée vers Marie, je l'ai embrassée, et, ma joue contre la sienne, j'ai pleuré, sans pouvoir m'arrêter.

Marie fut la dernière victime de l'épidémie. Après elle, il n'y eut plus de décès. Elle mourut, mon amie Marie, pour avoir voulu sauver son petit frère. Sa mort m'a causé un chagrin immense. C'était, avec elle, toute une partie de mon enfance qui s'en allait. Je revoyais, pêle-mêle, nos jeux, sa présence près de moi, à l'école, je me rappelais son amitié, sa loyauté, sa gentillesse. Elle aussi, elle m'était ravie, et la blessure de mon cœur qui saignait depuis la mort de mon père se rouvrit et saigna davantage.

Lorsque, le 11 novembre, l'armistice fut signé, la nouvelle ne nous causa pas la joie tant attendue. Les sirènes se mirent à retentir, et ce n'était pas, cette fois, dans l'annonce d'un bombardement ou d'une alerte. Les cloches de l'église sonnèrent joyeusement, et des drapeaux fleurirent un peu partout.

Mais nous, nous ne pouvions pas nous réjouir. Marie venait de mourir. Mon père ne reviendrait jamais à la maison. Ma mère et moi, debout sur le seuil, nous avons écouté le message de paix des sirènes, nous avons regardé les gens s'embrasser et chanter *La Marseillaise*, et nous sommes restées là, serrées l'une contre l'autre, à la fois soulagées et meurtries, le cœur lourd, les larmes aux yeux.

3

LA guerre était terminée, mais elle ne laissait autour d'elle que désastre, ruine et désolation. Pour ceux qui restaient, comme nous, il fallait apprendre à recoller, le mieux possible, les morceaux de notre vie brisée.

Nous n'étions pas les seules à pleurer la mort d'un être cher. Bien peu revinrent de la guerre. Et, parmi eux, nombreux étaient les blessés. Dans notre rue, le fils du vieux Victor, celui qui avait aidé Charles dans ses débuts au fond de la mine, était rentré chez lui bien mal en point. Il avait eu les poumons brûlés par une explosion de gaz toxique, et dépérissait peu à peu. Au bout de quelques mois, il mourut, après d'atroces souffrances. Le désespoir du vieux Victor, qui avait déjà perdu sa femme, et qui se retrouvait seul au monde, fit peine à voir. A lui aussi, la guerre avait détruit sa vie.

Jeanne et Pierre ne se consolaient pas de la mort de Marie. Pierre, de nature plutôt renfermée, ne disait rien, et souffrait à sa manière silencieuse. Il suffisait de voir son regard pour comprendre la blessure qu'il portait en lui. Jeanne, elle, en parlait plus facilement. Elle se plaignait doucement :

— Ma seule fille, disait-elle, je n'en avais qu'une, et elle m'a été enlevée.

Souvent, elle venait chez nous, quand Pierre était au travail. J'aurais voulu la consoler, mais j'étais impuissante devant une telle douleur. Je l'entendis une fois dire à ma mère :

— Je sais, Louise, toi, tu as perdu ton mari, d'accord, c'est dur. Mais perdre un enfant et continuer à vivre alors qu'il n'est plus, c'est l'enfer.

Je ne l'ai plus jamais vue sourire, la mort de Marie avait éteint la lumière dans ses yeux. Elle ne se consola jamais. Une part d'elle-même était morte en même temps que son enfant bien-aimée.

Charles revint de la guerre. Je le trouvai changé, vieilli. Son regard portait la trace des atrocités auxquelles il avait assisté. Il s'y lisait une hantise, une souffrance qui faisaient mal. Il n'en parlait jamais. La seule chose qu'il me dit, ce fut, un jour, cette unique phrase :

— Tu sais, Madeleine, j'ai vu mourir mon ami, le ventre déchiré par l'éclatement d'un obus. C'était affreux.

Au souvenir des souffrances endurées s'ajoutait l'insupportable peine causée par la mort de sa sœur. Il ne l'avait su qu'en rentrant chez lui. Il adorait Marie, et je comprenais facilement le choc qu'il avait pu ressentir en apprenant qu'elle n'était plus. Là aussi, j'étais impuissante à le consoler. Nous ne pouvions que parler d'elle, unis par une même douleur.

L'hiver qui suivit l'armistice fut très dur. Le charbon manquait ; les Allemands, avant de partir, avaient inondé les galeries de la mine afin de les rendre inutilisables. Les mineurs passaient leur temps à réparer et à reconstruire. Mais, en attendant, l'extraction était impossible. Une fois de plus, nous eûmes froid.

Je dormis avec ma mère, et nous nous blottissions l'une contre l'autre pour essayer de nous réchauffer. Mais notre froid était intérieur, aussi. L'absence de mon père, que nous savions irrémédiable, nous glaçait le cœur.

Cet hiver nous sembla interminable. Lorsque le printemps, timidement, pointa le bout de son nez, je n'osai pas y croire. J'avais tellement été meurtrie que j'avais pris l'habitude d'évoluer dans un monde gris et sans joie. Et puis, lorsque les arbres se remirent à reverdir, que les premières jonquilles fleurirent, j'eus l'impression, moi aussi, de sortir d'un long engourdissement. Avec surprise, je me sentis revivre. Je redécouvrais des choses jusque-là oubliées, ou ignorées : la chaleur du soleil sur ma main, le parfum des fleurs, le chant des oiseaux. Je sentais le sang circuler plus vite dans mes veines, et il me prenait parfois l'envie de courir à perdre haleine dans le vent.

Je me trouvais coupable, ensuite. J'avais honte de me sentir si pleine d'énergie alors que mon père, que Marie n'étaient plus. Je ne comprenais pas que, simplement, ma jeunesse reprenait le dessus et se vengeait d'avoir été trop longtemps étouffée.

L'amitié de Marie me manquait, et je me rapprochai de Juliette. Sa nature insouciante me fit du bien, et contribua à me rendre ma gaieté. Elle était l'une des rares privilégiées à n'avoir pas été touchée par la guerre. Son père, son frère étaient revenus sains et saufs. Elle me donna des nouvelles d'Henri, dont je gardais toujours l'image enfouie au plus profond de mon cœur.

— Maintenant, il termine ses études. Il va travailler avec notre père, et puis il envisage de le remplacer.

Son père avait fait l'acquisition d'une automobile, un de ces engins bruyants que nous commencions à voir de plus en plus souvent. Je la vis, en allant chez Juliette, dans le parc. Immobile et silencieuse, elle me parut moins terrifiante. Je n'osai pas m'en approcher, mais Juliette, qui riait de mes craintes, me dit :

— Allons, viens ! Nous allons jouer à voyager !

J'acceptai de monter après qu'elle m'eut assuré ne rien connaître au fonctionnement et promis de ne pas rouler.

— Voyons, me dit Juliette, ne prends pas cet air inquiet !

Elle rit de moi, se mit à faire des pitreries, tourna le volant, actionna la trompe. Peu à peu, je me rassurai. Je trouvai même très agréable le contact du siège en cuir sur lequel je m'appuyais. Une fois de plus, je découvrais le luxe, que, plus âgée, j'étais mieux capable d'apprécier.

Le 1er mai, Charles m'offrit un brin de muguet. Il me le donna avec une gaucherie due à une timidité nouvelle. Je fus ravie. Je dis :

— Oh, merci, Charles ! Comme c'est gentil !

En le regardant, je pris conscience de sa rougeur et de son air gêné. Je ne les compris pas, sur le moment, pas plus que je ne compris le regard avec lequel il me contemplait. Charles, c'était pour moi un ami d'enfance, c'était comme le frère que je n'avais pas eu ; il ne me venait pas à l'idée qu'il pourrait être autre chose pour moi.

Je rentrai chez moi, montrai le brin de muguet à ma mère :

— Regarde, maman, ce que Charles vient de m'offrir.

Ma mère sourit, et ne dit rien. Et le sourire entendu de ma mère, lui non plus, je ne le compris pas.

Elle avait repris pied dans la vie, ma mère, mais elle n'était plus la même qu'avant. Elle donnait l'impression d'accepter de vivre tout en attendant le moment d'aller rejoindre son mari bien-aimé. Elle semblait avoir surmonté la dure épreuve qui l'avait meurtrie, mais elle était marquée, de façon indélébile. Son regard restait triste, elle avait vieilli, d'autant plus qu'elle s'habillait tout en noir, maintenant. Elle avait perdu beaucoup de son dynamisme, aussi, et se fatiguait vite. C'était moi qui me chargeais de beaucoup de travaux, à la maison. Elle avait quand même repris sa couture, et je l'aidais bien souvent.

Mais elle m'entourait de tant de tendresse que je ne me sentais plus esseulée ; elle reportait sur moi tout l'amour qu'elle ne pouvait plus donner à mon père.

Le dimanche qui suivit, j'allai, comme je le faisais souvent, porter des fleurs sur la tombe de mon amie Marie. Le cimetière côtoyait les champs, et était baigné de soleil. Tout près, une alouette chantait. Plus loin, d'autres oiseaux pépiaient ; dans le village, les cloches de l'église sonnaient. J'ai déposé les fleurs et, pour la première fois depuis la mort de Marie, je n'ai pas ressenti l'amertume, la douloureuse révolte qui me prenaient chaque fois que je pensais à elle. Au contraire, une grande douceur m'est venue, et j'ai eu, avec certitude, l'intuition que Marie était heureuse, là où elle était. Je me suis sentie rassérénée ; c'est en paix avec moi-même que j'ai pris le chemin du retour.

A la grille du cimetière, je m'arrêtai un instant, indécise sur le chemin à prendre pour rentrer chez moi. Il y avait le sentier à travers champs, plus direct, ou alors la route normale. J'ai hésité, mais il faisait si beau que j'optai pour le chemin le plus long.

Je traversai le village. Sur la place régnait une joyeuse effervescence. La messe se terminait, des gens sortaient de l'église, endimanchés. A la terrasse du café, des hommes buvaient en bavardant joyeusement. Et la lumière blonde du soleil donnait à tout cela un air de fête.

Je pris la route qui conduisait à la sortie du village. Les maisons étaient fleuries, les fenêtres ouvertes laissaient échapper des odeurs de cuisine alléchantes. Un cheval, attelé à une charrette, attendait patiemment, le long du trottoir, que son maître vînt le rejoindre. Je m'approchai et lui caressai le museau. J'aimais bien les chevaux, leur placidité, leurs yeux doux et graves derrière les œillères en cuir. Je lui murmurai quelques paroles, en regrettant de n'avoir pas de morceau de sucre à lui donner.

A ce moment, une automobile surgit, dans un bruit d'enfer. Elle passa tout près du cheval, qui eut peur. Il roula des yeux affolés, et, avec un hennissement terrorisé, se cabra. Je n'eus pas le temps de m'écarter. Le sabot d'une de ses pattes antérieures me heurta violemment l'épaule, et je tombai.

Je restai un moment sur le sol, étourdie. Des femmes sortirent des maisons. L'une d'elles s'exclama :

— Encore une de ces maudites automobiles ! Ce sont de véritables dangers !

Elle vint vers moi, m'aida à me relever, tandis que le propriétaire du cheval s'efforçait de le calmer. La douleur de mon épaule me fit grimacer. J'enregistrai machinalement, sans y faire attention, que le conducteur de l'automobile s'était arrêté plus loin. Ce ne fut que lorsqu'il s'approcha de nous que je le reconnus. Mon cœur me sauta à la gorge. C'était Henri.

— Je suis désolé, dit-il, ma voiture a effrayé votre cheval...

De surprise, il s'arrêta en m'apercevant :

— Mais c'est Madeleine ! Comme tu as grandi ! Il y a bien longtemps que je ne t'ai vue. Tu es blessée ?

L'inquiétude fonçait ses yeux. Je le trouvai très beau. Je gardais de lui le souvenir d'un adolescent, et c'était un homme que je retrouvais. Un grand trouble m'envahit et je ne répondis pas.

Il se tourna vers les femmes présentes, qui nous regardaient avec curiosité :

— Si vous n'y voyez pas d'inconvénient, je l'emmène. Je la reconduirai chez elle.

Aucune ne fit d'objection. Qu'auraient-elles pu dire ? Elles avaient reconnu Henri, le fils du directeur de la mine. Elles n'osèrent pas critiquer ouvertement le fait qu'il eût effrayé le cheval, mais leur regard en disait long. Les automobiles, à cause du bruit et de la poussière qu'elles faisaient, étaient mal acceptées. Certains les traitaient d'« engins du diable », et des incidents comme celui que je venais de subir n'étaient pas rares.

— Comme tu es pâle, Madeleine ! Viens.

Il me prit le bras et m'entraîna, avec douceur et sollicitude. Il me fit monter, et je me laissai tomber sur le siège. Une faiblesse me saisissait, et le coup de sabot du cheval n'en était pas la seule cause.

Il monta à son tour, me regarda avec inquiétude :

— Ça va, Madeleine ?

Dans un état second, je le vis déboucher un flacon, verser quelque chose dans un gobelet qu'il me tendit.

— Tiens, bois. C'est le choc, tu as eu peur. Ça ira mieux ensuite.

D'une main qui tremblait, je pris le gobelet et je bus une gorgée. L'alcool me fit tousser, mais m'aida à reprendre pied dans la réalité. Je me sentis mieux.

— Ah, tu vas mieux, dit Henri, d'une voix soulagée. Les couleurs reviennent à tes joues. Comme tu étais pâle !

Il ajouta, plus bas :

— Tu m'as fait peur...

Je croisai son regard, dont l'intensité me fit baisser les yeux. Je remarquai qu'il était vêtu d'un costume clair, à côté duquel ma robe noire paraissait bien triste et bien terne.

— On peut y aller, Madeleine ? Je roulerai lentement. N'aie pas peur.

Je hochai la tête, mais je n'étais pas rassurée. Lorsque la voiture démarra, je fus surprise par les vibrations. Le bruit était tel qu'il aurait fallu crier pour s'entendre. Au bout de quelques instants, pourtant, je m'appuyai au siège et me détendis. L'alcool faisait son effet ; le tremblement nerveux que je sentais en moi s'atténua, puis disparut. Je regardai, autour de moi, le paysage défiler, et c'était une sensation nouvelle, exaltante. La présence d'Henri à mes côtés me troublait. Je me souvenais d'une promenade identique, plusieurs années auparavant, quand il m'avait ramenée sur son vélo. L'attrait qu'il exerçait sur moi était de nouveau là, intact. Et j'avais trop conscience de mon insignifiance pour penser qu'il pourrait être réciproque.

Il se tourna vers moi, et dit :

— Je t'emmène chez moi, Madeleine. Juliette s'occupera de toi. Tu ne peux pas rentrer dans cet état. Inutile d'inquiéter ta mère.

Je ne répondis pas. J'étais étrangement incapable de réagir. En sa présence, je n'étais plus moi-même. Il devait me croire muette : je n'avais encore prononcé aucune parole. J'eus peur de lui paraître stupide. J'aurais voulu être à l'aise et brillante, au moins ne pas montrer qu'il m'intimidait. J'évitais de le regarder, afin qu'il ne lût pas dans mes yeux ce que je voulais lui cacher.

Comme dans un rêve, nous avons traversé le coron, passé devant la mine. Juliette était dans le jardin de sa maison. Elle cueillait des fleurs. Elle me vit et accourut :

— Que se passe-t-il ? Madeleine, qu'y a-t-il ?

Elle me tendit les mains, me fit descendre. Contre elle, je titubai.

— Mon Dieu, Henri, qu'y a-t-il ?

Il le lui expliqua en quelques mots. Son regard inquiet ne me quittait pas, et j'y lisais une douceur, un intérêt que je n'osais pas interpréter.

— Viens, Madeleine, me dit Juliette.

Elle m'emmena dans la maison. En me voyant dans le miroir du hall, je fus horrifiée. J'étais très pâle, des traînées de poussière maculaient mes joues. Mes cheveux étaient décoiffés, des mèches s'étaient échappées et pendaient de mon chignon. Ma robe était grise de poussière, elle aussi. La honte me saisit quand je pensai qu'Henri m'avait vue dans un état aussi lamentable.

Juliette m'emmena dans sa chambre. Elle frictionna doucement mon épaule endolorie avec une pommade. Ce n'était pas grave, je pouvais bouger le bras, je n'avais rien de cassé. Je me lavai le visage, les mains, et me recoiffai. Je brossai ma robe, et je me sentis redevenir moi-même. Je fus capable de sourire à Juliette :

— Merci, lui dis-je d'une voix qui tremblait un peu. Maintenant il faut que je parte. Ma mère va s'inquiéter.

— Attends, me dit-elle, je t'accompagne.

Dehors, Henri faisait les cent pas devant le perron. En nous voyant, il se précipita vers nous, ne regardant que moi seule :

— Ça va mieux, Madeleine ?

— Oui, merci, dis-je.

C'étaient les premières paroles que je lui adressais depuis notre rencontre.

— Je reconduis Madeleine chez elle, dit Juliette. Il fait beau, prendre l'air nous fera du bien.

Henri se pencha vers moi, me prit la main :

— Alors, au revoir, Madeleine. Et toutes mes

excuses… Si j'avais pu prévoir, j'aurais roulé moins vite. A bientôt, j'espère.

Je retirai ma main, troublée, je murmurai :

— Oui, au revoir, et merci.

Nous sommes parties, Juliette et moi, le laissant là. Je ne me suis pas retournée, mais j'ai senti son regard qui me suivait, longtemps. Juliette babillait, mais je ne l'écoutais pas. Une grande confusion emplissait mon esprit. Il me semblait que l'incident qui s'était produit allait être lourd de conséquences. Et je crois que, à l'exaltation que je ressentais, se mêlait de la peur.

A la maison, où Juliette avait tenu à m'accompagner, nous avons raconté à ma mère ce qui s'était passé, la rassurant en même temps. Ma mère eut peur, après coup. Elle me serra dans ses bras :

— Dire que tu aurais pu être tuée, Madeleine ! Si tu avais reçu le coup de sabot à la tempe…

— Allons, dit Juliette, ne vous tourmentez pas avec ce qui n'est pas arrivé ! Madeleine en sera quitte avec un bleu, voilà tout.

Elle avait raison. J'eus l'épaule marbrée de bleu, les jours suivants, et une douleur à chaque mouvement qui disparut assez rapidement. Mais cela, c'était secondaire. Une autre découverte m'emplissait à la fois de crainte et de ravissement : je venais de comprendre que j'aimais Henri. Après avoir été longtemps enfoui au fond de mon cœur, mon amour pour lui maintenant jaillissait et l'occupait tout entier.

Ce fut le commencement d'une nouvelle période, celle où j'eus l'impression de vivre sur un nuage rose. Après tant de sacrifices et de larmes, c'était si doux de me sentir heureuse que je n'arrivais pas à y croire. Je faisais mon travail habituel, le ménage, la lessive, je passais des heures à la machine à coudre, tout cela dans un état second. Je rêvais tout éveillée, j'avais continuellement l'image d'Henri dans mon cœur.

La semaine suivante, Juliette vint m'inviter à aller chez elle le dimanche après-midi. Elle me glissa à l'oreille, complice :

— Je crois qu'Henri nous emmènera faire un tour en automobile.

Le samedi, je lavai et repassai ma robe des dimanches, je me baignai et me lavai les cheveux plusieurs fois de suite, afin qu'ils fussent doux et brillants. En les brossant devant le miroir de la cuisine, je remarquai que mes joues étaient roses et que mes yeux étincelaient. Pour la première fois, je me trouvai jolie. Mes cheveux châtains s'harmonisaient bien avec mes yeux noisette, mon petit nez court était charmant, ma bouche ni trop grande ni trop petite, et mes dents étaient blanches et brillantes. Je désirais de toutes mes forces qu'Henri me trouvât jolie. Mes mains me désolaient ; elles étaient rêches, à cause des travaux ménagers. Mais je me consolai en me disant que mon travail de couturière me laissait au moins des mains propres et blanches, contrairement à celles qui étaient « cafus » et qui triaient le charbon huit heures par jour.

Le dimanche, je m'habillai et me coiffai avec soin. Au début de l'après-midi, je n'y tenais plus. L'impatience me mettait des picotements dans les mains. Des voisines vinrent rendre visite à ma mère, et se mirent à papoter devant une tasse de café.

— Au revoir, dis-je à ma mère, je vais chez Juliette.

— Ne rentre pas trop tard, Madeleine.

Je promis, et partis sans regrets. Je n'avais pas parlé à ma mère d'Henri, sans m'expliquer au juste pourquoi. Peut-être était-ce parce que je craignais qu'elle ne mît un obstacle à nos rencontres ? Je sentais, obscurément mais avec certitude, que Henri se trouverait souvent sur mon chemin. Autour de moi, la campagne avait revêtu sa parure verte et fleurie de printemps. Le ciel était d'un bleu intense et profond, le soleil était lumineux et chaud, et les oiseaux qui chantaient dans les arbres chantaient aussi dans mon cœur.

Juliette m'attendait, sur le chemin qui menait à sa maison. Elle se précipita au-devant de moi :

— Viens vite, Madeleine ! Henri nous attend. Il veut nous emmener promener en automobile.

Elle me prit la main, m'entraîna. Devant le portail de

la maison, Henri, en effet, nous attendait. Avec un chiffon, il était occupé à faire briller la voiture, déjà étincelante. Il se tourna vers moi, me tendit la main, me sourit :

— Bonjour, Madeleine. Comment vas-tu ?

La timidité enrouait ma voix alors que je répondais :

— Bonjour, Henri. Je vais bien, merci...

Je le trouvai encore plus beau. Son sourire était chaleureux, et son regard, lorsqu'il se posait sur moi, ressemblait à une véritable caresse.

— Eh bien, dit Juliette, partons-nous ?

— Que ces demoiselles prennent place dans mon carrosse ! dit Henri en s'inclinant, et je sentis mon sourire répondre au sien.

Juliette grimpa, et je montai à côté d'elle. Henri tourna la manivelle, mit le moteur en marche. Il nous fit mettre des lunettes de protection.

— Tu vas voir, me dit Juliette, avec ça nous allons ressembler à des gros hiboux !

C'était vrai, et cela nous fit bien rire. En riant encore, nous sommes partis, dans un vacarme et une poussière épouvantables. Nous nous sommes mis à chanter fort pour couvrir le bruit. La proximité d'Henri, dont je n'étais séparée que par Juliette, et dont j'apercevais les mains posées sur le volant en bois, agissait sur moi comme un vin capiteux et me grisait. Nous avons traversé des champs, des bois, quelques villages. Les personnes que nous croisions se jetaient sur le côté ; parfois, les vieux se signaient avec terreur. Cela me faisait rire. Je ne me reconnaissais plus. Moi si posée, si calme, si raisonnable, j'avais subitement envie de sauter hors des sentiers battus et de me saouler de liberté.

Par moments, Henri accélérait. Juliette et moi nous prenions peur. Nous nous cramponnions, nous criions :

— Pas si vite ! Pas si vite !...

Henri riait, et ralentissait, en nous traitant de poltronnes. Je sentais monter en moi un désir irrépressible de vivre, de rire, de m'amuser, d'être insouciante et folle.

Ce ne fut que lorsque Henri eut arrêté la voiture

devant le portail que je reconnus la maison. J'étais ivre de grand air, de soleil, de bruit, et de la présence d'Henri auprès de moi. Il m'aida à descendre et je titubai, victime d'un étourdissement. Il me retint contre lui un instant. Le trouble que je ressentis me fit reculer précipitamment. Il m'enveloppa d'un regard à la fois tendre et complice, me fit un sourire lumineux, avant de se détourner et de faire descendre Juliette.

— Ah ! s'exclama-t-elle, quelle promenade ! C'était formidable ! hein, Madeleine, qu'en penses-tu ?

J'acquiesçai, encore troublée.

— Viens, dit Juliette en me prenant le bras, allons nous rafraîchir. Cette poussière m'a donné soif.

Elle m'emmena dans la cuisine, où nous avons étanché notre soif avec un grand verre d'eau. Puis nous sommes montées dans sa chambre, où nous nous sommes lavé le visage et les mains. Nous nous sommes recoiffées et nous avons brossé notre robe grise de poussière. Nous avons bavardé et je crois que c'était surtout Juliette qui parlait. Moi, je me contentais d'acquiescer. Mon corps était là, près de Juliette, mais mon esprit était resté dehors, auprès d'Henri.

— Viens, dit Juliette au bout d'un moment, en se levant. Allons voir maman.

Nous avons retrouvé sa mère au salon. Elle était toujours pareille, douce et souriante. Elle nous offrit une tranche de gâteau, une tasse de café. La finesse de la porcelaine me changeait de la grossière faïence que nous utilisions à la maison, et, malgré moi, je ne me sentais pas tout à fait à l'aise. Le fossé qui séparait nos deux mondes existait toujours. Outre le décor dans lequel Juliette vivait, quantité de détails m'obligeaient à ne pas l'oublier. Ainsi, chez elle, il fallait laisser fondre le sucre dans la tasse, et bien mélanger avec une petite cuiller, avant de boire. Alors que nous, dans le coron, nous placions le morceau de sucre dans la bouche et le laissions fondre lentement en buvant le café. C'étaient de petites différences, mais combien révélatrices !

Heureusement, notre amitié était au-dessus de tels détails. Elle m'avait même confié, un jour, que sa mère m'appréciait, me trouvant polie, douce et bien élevée, et sachant « rester à ma place ». Qu'entendait-elle par là ? J'avais préféré ne pas approfondir. Je savais que, pour Juliette, notre différence de milieu ne comptait pas, mais je n'osais m'interroger sur ce sujet concernant Henri.

Juliette racontait notre promenade à sa mère, et lui expliquait que Henri s'amusait à faire peur aux gens :

— Comme si le bruit ne suffisait pas, il donne des coups de trompe à réveiller un sourd ! Nous avons bien ri, n'est-ce pas, Madeleine ?

En souriant, j'acquiesçai. Je sentais encore dans mes cheveux, à mes oreilles, le vent de la course. J'étais un peu étourdie, et je savais que mes joues gardaient une rougeur qui n'était pas due uniquement à la promenade en automobile.

Puis je me levai pour prendre congé. La mère de Juliette m'invita à venir aussi souvent que je le désirais. Sur le moment, cela me fit plaisir. Maintenant, avec le recul, je m'interroge. N'a-t-elle eu aucune intuition, ne s'est-elle jamais doutée que, mise en présence de son fils, je pourrais tomber amoureuse de lui ? Ou alors la différence de milieu l'a rassurée tout de suite. Si un doute est venu l'effleurer, elle aura pensé que je pourrais peut-être lever les yeux jusqu'à Henri, mais que lui ne les abaisserait jamais jusqu'à moi.

— Je vais te raccompagner jusqu'au portail, me dit Juliette.

Comme nous sortions de la maison, Henri rentrait. Nous avons échangé un regard, et ses yeux exprimaient tant de choses que mon cœur se mit à trembler.

— Tu pars, Madeleine ? Eh bien, au revoir. J'espère que la promenade t'a plu ?

— Oui, beaucoup.

— Alors, nous pourrons recommencer. Qu'en penses-tu ?

Je me troublai, et bégayai :

— Heu... oui, oui... bien sûr...

— Alors, c'est d'accord. Nous verrons ça. Juliette te préviendra. N'est-ce pas, Juliette ?

— Oui, bien sûr, acquiesça Juliette.

Il me serra la main, et la garda dans la sienne quelques secondes de plus qu'il n'était nécessaire. Ai-je même rêvé cette légère caresse qu'il me fit sur le poignet ? Je sais seulement que je fus très troublée, et que je retirai ma main en me sentant rougir.

Je sortis ; Juliette m'accompagna jusqu'au portail. Le soleil déclinait, et allongeait les ombres des arbres. Le vent fraîchissait un peu, et la douceur d'un soir d'été s'annonçait.

A la grille, Juliette m'embrassa :

— Au revoir, Madeleine. J'irai te voir dans la semaine.

En m'éloignant, je me retournai pour lui faire signe, puis, heureuse, avec la sensation de marcher sur des nuages, je pris le chemin qui me ramenait à la maison.

En arrivant dans le coron, je vis Charles. Il m'appela :

— Madeleine ! Attends-moi !

Il me rejoignit, un grand sourire aux lèvres. Je l'accueillis en m'efforçant de ne pas lui montrer que sa présence me contrariait. J'aurais préféré rester seule, dans l'univers rose et bleu de mes pensées, alors que Charles m'obligeait à reprendre pied dans la réalité.

— D'où viens-tu, Madeleine ?

— De chez Juliette, dis-je brièvement.

— Moi je suis allé assister au match de football, m'expliqua-t-il alors que je ne lui demandais rien. Mon père est resté au cabaret avec ses copains, mais j'ai préféré rentrer. Je ne suis pas tranquille si je sais que ma mère est longtemps seule. Avant, il y avait Marie pour lui tenir compagnie, mais maintenant...

La voix lui manqua. Il s'interrompit. J'ai honte de l'avouer, mais je lui en voulus de me ramener vers des choses tristes.

Je dis, assez sèchement :

— Elle n'est pas seule. Quand je suis partie, elle était chez moi, avec ma mère et les autres voisines. Et puis il y a Julien et Georges, quand même !

— Julien et Georges ne restent pas avec elle, ils sont

toujours dehors à jouer avec d'autres garnements. Tu sais bien, Madeleine, rien ne peut, pour elle, remplacer Marie...

Oui, je le savais. Et je regrettais que la présence de Charles à mes côtés vînt réveiller en moi une tristesse, un chagrin que je croyais oubliés. Il me venait une culpabilité d'avoir oublié totalement, même pour peu de temps, mon amie Marie.

Je regardai Charles avec rancune. J'étais si heureuse avant sa venue ! Je n'attendis pas d'être arrivée devant chez moi pour le quitter rapidement et le planter là. Son regard surpris et blessé me fit mal, et fit que je me sentis encore plus coupable.

Ma mère m'attendait.

— Alors, tu t'es bien amusée ? me demanda-t-elle.

Je lui racontai la promenade en automobile. Je ne pus m'empêcher de lui parler de ma conversation avec Charles, de mon sentiment de culpabilité. Qu'étais-je, pour oublier ainsi que Marie, que mon père nous avaient quittés à jamais, pour ressentir le besoin de vivre, de m'amuser, sans penser un seul instant à eux ?

Ma mère comprit, et me rassura :

— Tu ne les oublies pas, Madeleine, mais tu continues à vivre, et tu es jeune. Tu dois faire ta vie, c'est dans l'ordre des choses.

Elle parla encore longtemps, elle me dit que je ne devais pas me punir ou me priver d'être heureuse simplement parce que mon père et Marie n'étaient plus.

— Ce n'est pas ce qu'ils auraient souhaité pour toi. Au contraire, ils auraient voulu que tu sois heureuse. Alors, n'aie pas de remords.

J'embrassai ma mère. Elle me serra contre elle, et je me sentis rassérénée.

4

LE lendemain, nous apprîmes que les mineurs s'étaient mis en grève. Nous avions moins de contacts avec la mine, maintenant que mon père n'était plus là. Mais nous habitions toujours dans le coron, nous étions toujours environnées de mineurs, et nos préoccupations demeuraient les mêmes que les leurs.

Depuis 1914, les prix avaient triplé. Les revendications de la grève étaient une augmentation de salaire, et huit heures de travail effectif, y compris la durée de la descente et de la remontée, ainsi que celle du trajet.

— Tu comprends, m'expliqua Charles, lorsque notre travail est terminé, nous devons encore attendre, quelquefois une demi-heure, trois quarts d'heure, avant de remonter, que les wagons soient chargés et que la cage soit libre. Quant aux salaires, beaucoup ne s'en sortent plus, en gagnant la même quinzaine qu'avant la guerre, alors que tout coûte trois fois plus cher.

Je savais qu'il disait la vérité. Mais une grève pouvait mener loin. Je gardais toujours le souvenir effrayé de la grève de 1906, pendant laquelle j'avais, pour la première fois de ma vie, connu la faim, et découvert la haine et la violence. Si celle-ci s'éternisait, il y aurait les mêmes problèmes. Ma mère et moi, pourtant, n'étions plus directement concernées. Pour nous faire vivre, nous avions la pension de veuve de guerre de ma mère et notre travail de couturières. Nous étions loin d'être riches, mais nous étions à l'abri du besoin.

Nous vivions dans de meilleures conditions, aussi. Au lendemain de la guerre, l'électricité avait été installée dans les logements. Au début, nous avions eu du mal à nous y habituer. Le simple fait de tourner l'interrupteur nous déroutait. La brusque clarté qui jaillissait, éclairant les moindres recoins, nous faisait ciller. Cela nous changeait brutalement du halo de douce lumière dispensé par la lampe à pétrole. Maintenant nous n'y faisions même plus attention.

Heureusement, c'était le mois de juin. Il y avait dans les jardins de la salade et des légumes qui furent les bienvenus lorsque les salaires vinrent à manquer. La grève dura vingt jours, et finalement les mineurs obtinrent satisfaction.

Cet été-là fut pour moi merveilleux, enchanteur. La promenade en automobile avec Henri et Juliette fut suivie de beaucoup d'autres. Je voguais en plein ciel, heureuse, insouciante, sans imaginer un seul instant que mon retour sur terre pourrait être douloureux.

Un dimanche de juin, Henri nous emmena au cinéma. C'était la première fois que j'y allais. Assise dans la salle obscure, entre Juliette et Henri, je découvris avec stupeur et ravissement les images de l'écran, qu'un piano accompagnait. On projetait des courts métrages comiques avec Charlot, qui nous amusèrent beaucoup. Je me rappelle le plaisir que je ressentais en regardant le film, accru par la présence d'Henri à côté de moi.

Lorsque ce fut fini, j'ai eu l'impression de sortir d'un rêve. Dehors, la clarté du jour m'a éblouie.

— C'était bien, n'est-ce pas, Madeleine ? Ça t'a plu ? me demanda Juliette.

— C'était merveilleux, dis-je sincèrement.

Moi qui, jusque-là, n'avais vécu que dans le coron, avec pour tout horizon la mine, je découvrais les promenades en automobile, la ville, le cinéma. Je me rendais bien compte que c'était une vie à part, une vie faite pour les riches, dont je ne faisais pas partie. Et le fait de découvrir tout cela grâce à Henri me le rendait encore plus cher. A mon amour pour lui se mêlait une infinie gratitude.

Nous sommes rentrés, ce soir-là, au soleil couchant. Lorsque Henri a garé la voiture dans le parc de sa maison, je suis restée un instant sans bouger. Par mon immobilité, il me semblait que je retenais plus longtemps le bonheur intense que je ressentais.

— Eh bien, Madeleine, tu rêves ? s'impatienta Juliette.

Avec un sourire, je descendis de la voiture, aidée par Henri dont la proximité me troublait toujours autant. Je me détournai et dis :

— Il est tard, je dois partir.

— Tu ne rentres pas un instant ? proposa Juliette.

— Non, il faut que je parte. Ma mère m'attend.

Ils me raccompagnèrent jusqu'au portail. Henri ne disait rien. Il marchait près de moi, silencieux. De savoir que j'allais le quitter me venait une souffrance qui était presque physique. J'aurais voulu rester près de lui, toujours.

De chaque côté de l'allée, les massifs de roses embaumaient. Leurs senteurs mêlées nous parvenaient, à la fois douces et entêtantes.

— Humm... dit Juliette en respirant profondément, que ça sent bon ! Toutes nos roses sont fleuries. Regarde, Madeleine, celles-ci sont celles que je préfère.

Elle me montra un rosier chargé de fleurs d'un rouge profond, velouté.

— Elles sont belles, n'est-ce pas ?

— Oui, elles sont très belles. Surtout, celle-ci, à peine ouverte.

— Elle te plaît ? me demanda Henri qui jusque-là n'avait rien dit. Eh bien, je te l'offre.

Avant que j'aie pu protester, il s'était approché, avait cueilli la rose et me la tendait en souriant. Je la pris, toute rose d'émoi, en murmurant un « merci... » à peine audible.

Une exclamation de Juliette me fit relever la tête :

— Oh, regarde, disait-elle à son frère, ton poignet saigne ! Tu t'es griffé en cueillant la rose !

Henri fit un geste d'insouciance :

— Ce n'est pas grave. Qu'est-ce que cela, si j'ai pu faire plaisir à Madeleine ?

Ces paroles, ainsi que le regard grave avec lequel il les prononça, me troublèrent profondément. Je sentis mes joues devenir brûlantes.

Nous étions arrivés au portail, et ils me dirent au revoir. Juliette m'embrassa, Henri me serra la main. Sa voix chaude, profonde, me parut chargée d'une tendresse nouvelle — ou était-ce une illusion ?

— Au revoir, Madeleine. A bientôt, n'est-ce pas ?

J'acquiesçai d'un signe de tête, trop embarrassée pour répondre. Et je repris le chemin de la maison, la tête en feu, le cœur en tumulte.

Lorsque je suis rentrée, ma mère a dit :

— Oh, la belle rose ! D'où vient-elle ?

J'ai répondu, en baissant les yeux, volontairement évasive :

— Du jardin de Juliette.

Je n'ai pas donné de détails. Je n'ai pas, non plus, parlé à ma mère d'Henri. Je savais qu'elle me raisonnerait, et je ne le voulais pas. Je voulais rêver à mon amour en toute liberté, sans aucune entrave.

J'ai mis la rose dans un vase, que j'ai posé sur ma table de nuit. Et je me suis endormie, ce soir-là, le cœur plein de l'image d'Henri. Je sentais se lever en moi un immense espoir, en même temps qu'un exaltant bonheur auquel je n'osais croire tout à fait.

Un après-midi, j'étais, dans le jardin, occupée à désherber. Ma mère et moi l'entretenions de notre mieux depuis que mon père n'était plus là pour s'en occuper. Je travaillais sans arrêter, et j'y étais depuis peut-être une heure lorsque j'entendis la voix de Charles qui m'appelait, de son jardin :

— Madeleine ! Que fais-tu ?

Je levai la tête, repoussai une mèche de cheveux qui retombait sur mon front en sueur :

— J'enlève les mauvaises herbes, dans les carottes.

— J'ai fini mon travail, je viens t'aider. Je vais « remonter » tes pommes de terre.

Il prit un outil dans l'appentis, enjamba le muret de séparation, et vint me rejoindre.

Nous avons travaillé un bon bout de temps, sans échanger aucune parole, attentifs seulement à mener à bien notre tâche. Sa présence silencieuse, près de moi, me donnait du courage. Je le reconnaissais bien là, mon ami Charles, toujours prêt à rendre service, à m'épargner de la peine. Parfois, le chant d'une alouette nous accompagnait. J'interrompais alors mon travail un instant pour la suivre des yeux, tandis qu'elle montait verticalement dans le ciel, toujours en chantant, jusqu'à devenir un minuscule point noir que je finissais par perdre de vue.

Ma besogne terminée, je suis allée m'asseoir sur le muret tout chaud de soleil. J'ai regardé Charles remonter la terre. Je l'admirais d'avoir encore tant d'énergie à dépenser après une journée passée à abattre le charbon. Comme s'il avait deviné mes pensées, il se tourna vers moi et sourit :

— C'est agréable, après huit heures de poussière et d'obscurité, de travailler au soleil et de pouvoir respirer l'air pur. Tu ne peux pas savoir comme ça me fait du bien. Je me sens revivre !

Il termina son rang, puis vint s'asseoir près de moi. Avec la fatigue physique nous venaient un alanguissement, une douceur, une satisfaction de rester là, le dos chauffé par le soleil, savourant un instant de repos.

Au bout d'un moment, Charles rompit le silence :

— Madeleine, Madeleine...

Et il se tut. Surprise, je levai les yeux vers lui. Je ne vis que son profil ; il regardait, avec une curieuse obstination, le bout de ses chaussures. Et il y avait sur son visage une expression que je ne lui avais jamais vue, comme un mélange d'embarras et d'espoir.

— Madeleine, reprit-il, avec ce qu'il me parut être un véritable effort, comme on est là, seuls, tous les deux, je voudrais te dire...

Il s'interrompit de nouveau. Sur le moment, je n'ai pas deviné, je n'ai pas compris où il voulait en venir. L'étonnement que je ressentais s'entendit dans ma voix :

— Charles, qu'est-ce qu'il y a ? Que veux-tu dire ?

Il secoua la tête, de plus en plus embarrassé, ne sachant que répondre. Enfin, il dit, en hésitant, toujours sans me regarder :

— Madeleine... je voudrais te dire... te demander... eh bien, voilà... si on se fréquentait, tous les deux ?

Je suis restée muette de stupeur. Je ne m'attendais pas du tout à une telle proposition de la part de Charles. Je n'avais jamais pensé à lui de cette façon-là. Pour moi, Charles était un frère, un ami, rien de plus. Il ne m'était jamais venu à l'esprit, non plus, qu'il pût voir en moi autre chose qu'une amie d'enfance, ou une sœur tendrement chérie.

Mon absence de réaction l'encouragea-t-elle ? Il leva les yeux vers moi, et reprit, avec un mélange de timidité et de passion :

— Je le voudrais tant, Madeleine... Tu comprends, je t'aime, je crois que je t'aime depuis toujours. Je voudrais tant que tu sois ma femme...

Je le regardai, littéralement abasourdie. Ce qu'il me disait était tellement imprévu que j'avais l'impression de rêver. Il dut lire sur mon visage ma surprise, mon désarroi, me prit la main, et demanda, avec une sorte d'angoisse :

— Tu... tu n'es pas d'accord, Madeleine ?

Je compris que j'allais lui faire mal, et je baissai la tête. Non, ce n'était pas possible. Charles, je l'aimais bien, mais je ne l'aimais pas, pas pour l'épouser en tout cas. Et puis mon cœur était plein de l'image d'un autre. Mais, même si Henri n'avait pas existé, je devais reconnaître que je n'aurais jamais pensé à épouser Charles.

Je le regardai de nouveau, malheureuse. L'espoir et l'inquiétude se mêlaient dans le regard dont il m'enveloppait, avec une intensité qui me fit rougir. J'y lisais aussi l'aveu d'un amour auquel il m'était impossible de répondre. Ma voix tremblait lorsque je dis :

— Mais, Charles... Je... je ne sais pas... Je t'aime bien, mais sans plus... Je ne veux pas t'épouser, Charles...

Je n'ai pas compris combien, à lui, mes paroles ont dû paraître cruelles. Il eut un cri de passion, de douleur, de révolte :

— Mais, Madeleine... Je t'aime tant !

J'eus un geste d'impuissance :

— Charles, je ne peux pas. Comment veux-tu ? Je t'aime beaucoup, comme un frère, mais c'est tout.

Je vis son regard s'éteindre. Il baissa la tête, avec accablement. J'eus pitié de lui. Mais que faire d'autre, aussi ? Je ne l'aimais pas comme il l'aurait voulu, et je n'y pouvais rien.

Je posai ma main sur la sienne :

— Charles, ne sois pas triste... Ce n'est pas ma faute... Tu es toujours mon ami, quand même ?

Il se leva, avec effort, avec lassitude, vieilli soudain :

— Oui, je suis toujours ton ami. Et comme tu le dis, ce n'est pas ta faute. Mais je ne pourrai pas cesser de t'aimer, Madeleine. Tant que tu seras libre, j'espérerai toujours.

Je ne répondis rien, n'ayant plus le courage de le détromper. Mais je savais bien, moi, que je ne l'aimerais jamais. Il serait toujours mon ami d'enfance, un ami très cher, et rien d'autre.

Il repartit chez lui, les épaules basses. J'éprouvais un sentiment de culpabilité qui me mit de mauvaise humeur. Après tout, je n'y pouvais rien, moi, s'il m'aimait. Je n'avais jamais rien fait pour ça. J'essayai de me persuader qu'il se consolerait.

Le soleil se couchait, un brusque coup de vent fit frémir les feuilles des arbres, et je frissonnai. Je rangeai mes outils et rentrai chez moi. Ma mère, dans la cuisine, préparait le repas. Tout en me lavant les mains dans l'arrière-cuisine, je lui racontai ce qui venait de se passer. Je me sentais troublée, mal à l'aise ; j'avais besoin du réconfort maternel.

— Tu ne l'aimes vraiment pas, Madeleine ? me demanda ma mère.

— Non. Je l'aime bien, c'est tout. Je n'ai pas du tout envie de l'épouser, je n'ai jamais pensé à lui comme à un mari.

Ma mère soupira :

— Je ne veux pas te forcer. Il ne faut pas te marier sans amour. Mais, tu sais, c'est un brave garçon, et je crois qu'il t'aime sincèrement.

Je haussai les épaules, en un geste d'impuissance. Je ne voulais pas avouer que mon cœur était pris. Ma mère ne m'aurait pas approuvée, je ne le savais que trop.

— Je n'y peux rien, je ne veux pas me marier avec lui.

Ma mère me serra contre elle :

— De toute façon, tu as bien le temps, tu n'as que dix-neuf ans. Et moi, égoïstement, je préfère te garder le plus longtemps possible.

Et nous n'en avons plus parlé. Charles non plus, ne me dit plus jamais rien. Mais, à partir de ce jour-là, je me rendis compte, quand je croisais son regard, de l'adoration muette et passionnée qui emplissait ses yeux.

Bientôt, je n'y pensai plus. Mon amour pour Henri emplit de plus en plus ma vie. Tous les dimanches, Juliette venait me chercher, ou bien me donnait rendez-vous, et nous sortions tous les trois. Je me sentais entraînée dans un tourbillon de folie. Je garde de cet été le souvenir d'un bonheur éperdu, insouciant, merveilleux, qui finit par me faire perdre la tête.

Le dernier dimanche de juin, il y eut, comme tous les ans à la même époque, la ducasse du village. La ducasse, chez nous, c'est la fête foraine, avec les manèges, les balançoires, les jeux, les stands de tir, les concours. Elle a lieu deux fois par an, en juin et en septembre. Je n'y avais plus participé, depuis la mort de mon père. Cette année-là, Juliette me dit :

— Tu viendras à la ducasse, dimanche. Donnons-nous rendez-vous sur la place, à cinq heures. Nous avons des invités à la maison, mais je tâcherai de m'échapper.

Avec un clin d'œil, elle ajouta :

— Et je crois qu'Henri fera la même chose. Il aura certainement envie de te voir !

Le samedi, j'aidai ma mère à nettoyer à fond la maison, à laver les vitres et les rideaux. Nous fîmes de la tarte. Dans les autres maisons, les femmes faisaient toutes de même. La fin de la grève avait ramené les salaires, avec une augmentation, ce qui permettait aux mineurs de faire la fête.

Le dimanche, je m'éveillai le cœur en joie. Le soleil me parut plus gai, les chants des oiseaux plus joyeux.

Je mis ma plus jolie robe, me coiffai avec soin. Puis j'attendis impatiemment qu'il fût l'heure d'aller rejoindre Juliette.

L'après-midi, les inévitables voisines vinrent voir ma mère. Dès qu'elles furent là, je m'échappai. J'étais en avance, mais cela m'était égal. Je fis le tour de la place, regardant les manèges, les baraques de tir. Il y avait un concours de tir à l'arc. Plus loin, c'était un autre concours, celui des pinsons. Leur chant me parvenait, pur et mélodieux. Le gagnant était celui qui chantait le plus longtemps. Je me détournai, assombrie. Je savais que certains propriétaires avaient crevé les yeux de leur pinson, ou collé leurs paupières, non par cruauté, mais parce qu'un oiseau plongé dans l'obscurité chante mieux et plus qu'un autre. Je n'aimais pas penser à ces malheureux que l'on rendait aveugles et qui, en échange, offraient la beauté de leur chant.

Je passai ensuite devant la tente où avaient lieu les combats de coqs. J'entendais les cris des spectateurs, les paris, et j'imaginais les pauvres animaux, dressés à se battre, en train de se déchirer avec les aiguilles qu'on leur avait fixées aux pattes. Le chant d'un coq victorieux me parvint, en même temps que les cris d'enthousiasme de ceux qui avaient parié pour lui. Je trouvais ce divertissement également cruel. Je fis demi-tour et retournai vers les manèges, accueillie par des flots de musique et l'odeur des gaufres et des frites.

Je vis arriver Juliette. Elle était seule.

— Ouf ! me dit-elle, j'ai réussi à m'échapper. Les invités de papa sont d'un ennui !...

Elle me regarda, eut un sourire complice :

— Henri est resté coincé dans une discussion avec eux. Il essaiera de venir nous rejoindre, dès qu'il le pourra.

Bras dessus, bras dessous, nous avons fait le tour de la place. Devant le manège de chevaux de bois, Juliette s'arrêta :

— Je meurs d'envie de monter sur ce manège. Pas toi, Madeleine ?

— Oh si !

— Alors, allons-y !

Nous avons pris d'assaut, chacune, un cheval. Le manège se mit à tourner, de plus en plus vite ; le cheval de Juliette montait pendant que le mien descendait, et cela nous faisait rire. Nous nous amusions comme des folles. Nous avons fait plusieurs tours de manège, et nous riions tellement que nous en avions la respiration coupée. Je voyais la place du village tourner, en un kaléidoscope d'images désordonnées. Lorsque nous sommes descendues, j'avais l'impression de ne plus tenir debout.

— Oh ! Ça tourne ! dit Juliette, en s'accrochant à moi.

Nous avons dû attendre quelques instants, sans bouger, afin de retrouver notre équilibre. Et nous avons encore bien ri.

Nous nous sommes ensuite promenées, nous avons acheté une glace. La poussière, le monde, la musique, le bruit nous étourdissaient.

— Voilà Henri ! cria Juliette.

Je suivis la direction de son regard, et je le vis. Il s'avançait vers nous, plus beau que jamais. Mon cœur manqua un battement.

— Viens vite, Henri ! appela Juliette.

Il s'arrêta devant moi en souriant, prit ma main dans la sienne :

— Bonjour, Madeleine, dit-il avec douceur.

— Bonjour, Henri, répondis-je, presque tout bas.

Nos regards s'attachaient l'un à l'autre. Ce que je voyais dans ses yeux rendit ma respiration plus rapide.

— Viens, dit Juliette, en prenant Henri par le bras, allons au stand de tir.

Tout était différent, maintenant qu'il était là. Sa seule présence, auprès de moi, me procurait un bonheur si intense qu'il m'était presque douloureux.

Au stand de tir, Henri prit une carabine. Je le regardai, avec admiration, viser et tirer. Il y avait des fleurs en papier, ornées d'un ruban doré. Il réussit à en abattre deux. Il en offrit une à Juliette, me tendit l'autre avec un sourire :

— Je te la donne, Madeleine, avec mon cœur si tu le veux.

Je le regardai, incapable de répondre. Avais-je bien compris ? Je n'osais y croire.

Des gens nous bousculèrent, et nous reprîmes notre promenade. J'avais l'impression de flotter, de marcher sur des nuages. Il y avait de plus en plus de monde. Parfois, une bousculade me projetait contre Henri. Je me sentais alors délicieusement troublée.

Je revins sur terre en entendant Juliette me dire :

— Nous devons malheureusement partir, Madeleine. Nos parents nous ont demandé de ne pas nous attarder, par politesse envers nos invités.

Je ne sais plus ce que j'ai balbutié. J'étais incapable de parler de façon cohérente.

— Nous ferons une sortie plus longue la prochaine fois, c'est promis, me dit Henri avec le sourire qu'il avait pour moi et qui me faisait fondre le cœur.

Nous avons gagné, tous les trois, la sortie du village. A l'entrée du coron, ils me quittèrent. Je les regardai partir, et Henri se retourna pour me sourire. Je lui souris en retour, et je sentis monter en moi un chant d'amour, d'allégresse, de bonheur.

Je repris le chemin de la maison. Je serrais dans ma main la fleur en papier, et je me disais :

— Est-ce possible ? A-t-il vraiment dit ça ?

Un reste d'incrédulité m'empêchait de l'admettre.

Pourtant, quelque chose en moi me disait que j'avais bien compris, et je sentais mon cœur gonflé à éclater. J'étais heureuse comme je ne l'avais pas été depuis longtemps.

Un appel me ramena sur terre. Quelqu'un criait, avec insistance :

— Madeleine ! Madeleine ! Attends-moi !

Avec effort, je me retournai, abandonnant un instant mes songes bleus. Charles me rejoignait, disant :

— Mais tu rêves, Madeleine ! Ça fait dix fois que je t'appelle !

— Excuse-moi, Charles, je ne t'avais pas entendu.

Il se mit à marcher à mes côtés, alors que je ne désirais qu'être seule.

— J'ai laissé Julien et Georges dans les manèges. Je rentre, le bruit m'abrutit !

Je ne répondis pas. La présence de Charles m'importunait, et j'aurais voulu me débarrasser de lui. Mais comment le lui faire comprendre ? De nouveau, il me rappela :

— Madeleine ? Madeleine, je te parle !

Je sursautai :

— Oh ! pardon. Je n'écoutais pas. Que disais-tu ?

— Je t'ai vue tout à l'heure avec Henri Fontaine. Que faisais-tu donc avec lui ? C'était bien lui, n'est-ce pas ?

Sa question me déplut. Décidément, Charles avait le don, en ce moment, d'assombrir ma joie. Je me tournai vers lui, mécontente :

— C'est le frère de mon amie Juliette. Et puis, qu'est-ce que cela peut te faire ?

Sans que je l'aie voulu, ma voix sonnait comme un défi. Je ne voulais pas qu'il touchât à mon beau rêve, mon secret soigneusement caché. Il soupira, triste soudain :

— Maintenant, je comprends... C'est à cause de lui que tu m'as repoussé ?

L'amertume rendait sa voix rauque, douloureuse. Je compris qu'il était jaloux, et j'eus pitié de lui. Je repris, sur un ton plus doux :

— Non, ce n'est pas à cause de lui. Il n'y est pour

rien. Je t'aime comme un frère, c'est tout, et tous les Henri du monde n'y changeraient rien.

Avec violence, il répliqua :

— Je ne te crois pas. Tu as la tête tournée par ce beau monsieur. Avec ses beaux habits et son automobile, il a réussi à t'éblouir. Il n'a aucun mal à être élégant, il est riche, lui, et ne passe pas ses journées au fond de la mine ! Mais fais attention, Madeleine ! Il n'est pas pour toi. Ne lui fais pas confiance. S'il s'intéresse à toi, c'est dans le but de s'amuser. Je ne peux pas supporter cette idée ! Je t'en prie, Madeleine, essaie de te rendre compte...

Je le coupai, brutalement :

— Charles, laisse-moi. Je suis assez grande pour savoir ce que j'ai à faire. Ne t'occupe pas de moi, s'il te plaît.

— Mais, Madeleine, je dois veiller sur toi, je te dis ce que te dirait ton père s'il était encore là...

— Et moi, je veux que tu me laisses tranquille. Tu n'es pas mon père, que je sache, pas même mon frère. Tu n'as aucun droit sur moi.

Ma voix devenait dure, coupante. Charles, l'air malheureux, n'insista pas. Il dut comprendre que c'était inutile. Et moi, je n'avais que faire de ses mises en garde que je n'écoutais pas, que je ne voulais pas écouter. Mon amour pour Henri m'était un ensoleillement, je repoussais farouchement tout ce qui menaçait de l'assombrir.

Il me quitta, ce soir-là, mon ami Charles, en me disant simplement :

— Je serai toujours là pour toi, Madeleine.

Je n'ai même pas répondu. Je n'ai pas compris, alors, ce qu'il voulait dire. Je n'ai compris qu'après, quand j'ai eu besoin de lui. Mais, à l'aube de mon premier amour, il me gênait, et ce fut sans hésiter que je l'écartai de ma route.

Le dimanche suivant, Henri nous emmena à Lens, où avait lieu la ducasse annuelle. Ce fut encore une journée merveilleuse. Nous sommes partis en automobile, au début de l'après-midi.

Nous sommes arrivés à Lens où Henri a garé l'automobile, et nous nous sommes mêlés à la foule. Beaucoup de gens, comme nous, se promenaient. Des cafés, dont les portes étaient ouvertes, nous parvenaient le bruit des conversations, et parfois les rengaines des pianos automatiques. Au coin des rues, des chanteurs, accompagnés de quelques musiciens, interprétaient des chansons dont ils vendaient les partitions aux personnes qui, nombreuses, les écoutaient.

C'était un tel changement, après notre petit village, que je me sentais un peu étourdie. Ravie, grisée, je marchais près d'Henri. Je prenais conscience que j'étais, de plus en plus irrésistiblement, attirée par lui. J'aimais tout de lui, son élégance, sa haute stature virile, ses mains fines et soignées, son beau profil racé, et ses yeux, ses yeux au regard tendre et enchanteur. Je le regardais, et mon cœur était douloureux de tout l'amour que j'éprouvais. J'étais sensible au moindre détail le concernant. Ainsi, j'aimais les cigarettes qu'il fumait, si différentes de celles que fumaient Charles et les hommes du coron. Pour la plupart, les mineurs que je connaissais roulaient leurs cigarettes eux-mêmes, avec du gros tabac brun qu'ils achetaient en paquets. Les cigarettes d'Henri étaient fines, luxueuses, parfumées. Elles apportaient un complément à son charme et à son élégance.

La foule se faisait plus dense de minute en minute. Nous étions arrivés sur la grande place où étaient installés les baraques et les manèges. En comparaison de notre petite ducasse, c'était immense. Il n'y avait pas un seul, mais plusieurs manèges de chevaux, des baraques de tir, des marchands de nougats, de pain d'épice, de glaces. Nous nous sommes arrêtés un instant devant un théâtre de marionnettes. Plus loin, il y avait un montreur d'ours, et j'ai détourné la tête : je ne voulais pas le voir. Henri et Juliette s'arrêtèrent. Je m'écartai et fis quelques pas. Une vieille femme, assise devant une tente, m'interpella :

— Eh bien, belle demoiselle, voulez-vous que je vous dise votre avenir ? Montrez-moi votre main. Vous me donnerez quelques sous, ce que vous voudrez.

J'hésitai. Je tournai la tête, cherchant du regard Juliette et Henri. Ils étaient toujours autour de l'ours. Sans réfléchir davantage, je me décidai, tendis la main gauche :

— D'accord, je veux bien.

La vieille s'en empara, se pencha dessus avec intérêt, fronçant les sourcils. J'attendais, un peu inquiète, avide de savoir. Qu'allait-elle m'annoncer ?

— Je vois qu'il y a eu de la tristesse, autour de toi. La mort n'a pas épargné des gens qui t'étaient proches.

Elle se pencha davantage, suivit du doigt une ligne :

— Mais c'est fini, maintenant. Je vois un amour, un grand amour, qui ne se démentira jamais. Tu connaîtras des difficultés, mais cet amour t'aidera toujours à triompher. Il ensoleillera ta vie... Seulement, ne laisse pas ton cœur s'égarer.

Elle s'arrêta, releva la tête. Henri et Juliette arrivaient.

— Que fais-tu, Madeleine, demanda Juliette. Tu crois aux diseuses de bonne aventure ?

— Donnez-moi votre main, ma petite demoiselle, lui proposa la vieille femme.

— Non merci ! dit Juliette. Je n'y tiens pas. Je préfère ne pas savoir.

Moi, je ne disais rien. Troublée, je donnai quelques pièces à la femme, et je m'éloignai.

— Comme te voilà pensive ! remarqua Juliette. Que t'a-t-elle dit ?

Je secouai la tête sans répondre. Comment interpréter ce que j'avais appris ? Il était rassurant de savoir qu'un grand amour me soutiendrait tout au long de ma vie, et je souhaitais que cet amour fût celui d'Henri.

Devant un marchand de glaces, il nous proposa :

— Que diriez-vous d'une glace ?

— Oh oui, dit Juliette, quelle bonne idée !

Il acheta les glaces, et me tendit la mienne en disant :

— Voici pour toi, Madeleine, ma douce chérie.

Mon cœur fit un bond. Je levai les yeux vers Henri, et son regard intensifia le trouble que je ressentais.

Nous sommes restés un long moment ainsi, les yeux dans les yeux, et le temps pour un instant sembla s'arrêter.

Nous avons repris notre promenade.

Devant le stand du labyrinthe, Juliette s'arrêta :

— On y va ? proposa-t-elle. Qu'en pensez-vous ? C'est amusant !

— D'accord, dit Henri. Tu veux bien, Madeleine ?

Je hochai la tête, avec un sourire. Moi, je voulais bien tout ce qu'il voulait.

Nous sommes entrés, tous les trois.

— Restons ensemble, dit Juliette, sinon nous allons nous perdre.

— Mais non, au contraire, dit Henri. C'est bien plus amusant si on se sépare.

Il partit à gauche, alors que nous allions à droite. Juliette et moi, nous avons marché, tourné, tant et tant de fois que nous ne savions plus où nous en étions. Nous riions comme deux folles.

— Hou hou ! Henri ! cria Juliette.

Sa voix nous parvint, vers la gauche :

— Oui, je suis là !

— Viens, me dit Juliette, c'est par là.

— Mais non, sa voix venait de la gauche. C'est ce chemin-ci.

— Prends celui-là si tu veux. Moi, je pars par là.

Elle prit le chemin qui était devant nous. Je pris celui de gauche. Il se termina bientôt, et je dus revenir sur mes pas. Je tournai de nouveau à gauche, encore et encore, à tel point que je fus bientôt complètement perdue. J'entendis la voix de Juliette, bien plus loin :

— Hou hou ! Madeleine ! Où es-tu ?

— Je suis perdue ! criai-je, continuant à avancer au hasard.

Au détour d'un chemin, je heurtai Henri, et faillis tomber. Il me retint :

— Enfin, j'en retrouve une ! Ne nous quittons plus, maintenant. Viens, cherchons Juliette.

Il me prit la main, ne la lâcha plus. Je le suivis, et le simple fait de sentir ma main emprisonnée dans la sienne m'était une joie. Je me laissai guider par lui. Nous tournions, revenions sur nos pas, repartions, et nous riions. Nous croisions des gens qui, eux aussi, étaient perdus, s'interpellaient joyeusement d'un bout à l'autre du labyrinthe.

Un moment, nous nous sommes retrouvés seuls tous les deux au bout d'une impasse. Henri s'est arrêté :

— Ouf ! Reposons-nous un instant ! Je n'en peux plus, de tourner ainsi sans arrêt !

Il me regarda, sourit, et ses yeux se firent tendres :

— Madeleine, murmura-t-il...

Il leva la main, me caressa la joue, d'une caresse douce, légère, qu'il prolongea le long du cou. Je frissonnai, ma respiration se fit haletante. Je me sentais, sous son regard, hypnotisée, incapable de bouger, de réagir.

Il me prit aux épaules, m'attira à lui, doucement :

— Madeleine... Madeleine, ma chérie...

Le bonheur m'oppressait, atteignait une intensité qui le rendait presque insoutenable. Un vertige me saisit, et je fermai les yeux. Je sentis ses lèvres se poser sur mon front, sur mes paupières, descendre jusqu'à ma bouche. Son baiser m'emporta dans un tourbillon, me fit perdre tout contact avec le monde extérieur. J'étais bouleversée. Lorsqu'il me lâcha, je cachai mon visage en feu contre son épaule et m'accrochai à lui, prise d'un étourdissement. Il me serra contre lui, avec tendresse. Sa voix, à mon oreille, murmura :

— Madeleine... Je t'aime, ma douce Madeleine...

Je sentais mon cœur battre jusque dans ma gorge, et les larmes me vinrent aux yeux.

Il me releva le menton, me regarda avec inquiétude :

— Madeleine ? Tu pleures ?...

Je secouai la tête, en souriant :

— Non... c'est que... Oh, Henri, si tu savais...

J'étais incapable d'en dire davantage. Il se pencha, embrassa avec douceur les larmes que je sentais trembler au bord de mes cils. Je fermai les yeux sous ses baisers, heureuse à en mourir.

La voix de Juliette, toute proche, nous fit sursauter :

— Hou hou ! Où êtes-vous ?

Henri releva la tête, me sourit :

— Viens, Madeleine, allons la rejoindre.

Il cria :

— Nous sommes ici !

Me prenant par la main, il m'entraîna. Au tournant suivant, nous avons retrouvé Juliette. Je ne me rappelle plus comment nous avons réussi à sortir, je ne me souviens que de la présence d'Henri près de moi, ma main dans la sienne, et la douceur de ses sourires lorsqu'il tournait la tête vers moi et me regardait.

Dans la voiture, j'étais près de lui. Nous avons fait la route du retour alors que le soleil se couchait. A l'ouest, le ciel était safran, turquoise et rose. Juliette, près de moi, chantait, heureuse et insouciante. Henri et moi, émus et graves, nous étions silencieux.

Comme il était tard, je demandai à Henri de me déposer à l'entrée du coron. J'embrassai Juliette, je les remerciai de cette journée, et je me tournai vers Henri. Il me prit la main, la porta à ses lèvres, l'embrassa longuement. Il dit, tout bas :

— Bonsoir, Madeleine... Fais de beaux rêves. A bientôt, mon amour.

La respiration coupée, je le regardai. J'avais conscience de lui offrir mon cœur dans mes yeux. Il lâcha ma main, remonta en voiture en me souriant.

— Au revoir, Madeleine ! cria Juliette, alors qu'ils démarraient.

Je les regardai partir, le cœur empli de joie, d'amour, de bonheur. Cette journée avait été merveilleuse, telle que je n'aurais jamais osé la rêver. Je suis rentrée chez moi, j'ai raconté à ma mère la ducasse, les manèges, et une fois de plus, sans même le vouloir, instinctivement, j'ai gardé pour moi le secret de mon amour. Je me suis endormie, ce soir-là, en revivant en pensée tout ce qui m'était arrivé. Je me disais que la gitane ne s'était pas trompée, qui avait dit qu'un grand amour ensoleillerait ma vie.

5

J'AI vécu les jours suivants dans une totale euphorie. Je ressentais une telle joie, un tel enthousiasme, que j'avais envie de danser, de chanter, de crier, de faire partager mon bonheur au monde entier. Ce que je n'avais jamais osé espérer, dans mes rêves les plus fous, s'était produit : Henri m'aimait, il me l'avait dit, c'était merveilleux. Par moments, j'avais encore du mal à y croire.

Dans la semaine, Juliette vint me voir :

— Dimanche, nous projetons d'aller au cirque. Tu viens avec nous, Madeleine ?

Je demandai l'autorisation à ma mère, qui me la donna volontiers. Juliette bavarda quelques instants, puis, lorsque j'allai la reconduire, elle me prit à part, et chuchota :

— Je crois qu'Henri est amoureux de toi... Il ne me l'a pas dit, mais je pense avoir bien deviné.

Me voyant rougir, elle sourit, une étincelle complice au fond des yeux :

— Et toi, Madeleine, l'aimes-tu ?

Je sentis ma rougeur s'accentuer et ne répondis pas. Juliette se mit à rire :

— Oh, Madeleine ! Ne prends pas cet air gêné ! Il n'y a rien d'étonnant, après tout, mon frère est si bien, je comprends que tu l'aimes !

Devenue plus grave, elle me serra contre elle :

— Madeleine, je suis ravie. Si tu devenais ma belle-sœur, j'en serais enchantée. Je t'aime déjà comme une sœur.

Nous sommes allés au cirque, le dimanche suivant. J'ai vu, pour la première fois de ma vie, des jongleurs, des équilibristes, des chevaux savants, des clowns. Avec Henri à côté de moi, je croyais rêver. Il me semblait, par moments, que tout cela arrivait à une autre. Henri me faisait découvrir une vie tellement différente de la mienne que j'en étais littéralement éblouie.

Avec moi, il était tendre, amoureux. Nous fîmes beaucoup d'autres sorties. Il me prenait la main, ou bien me serrait contre lui. Juliette, complice, s'éloignait parfois, au hasard d'une promenade, pour nous laisser seuls. Alors, à la faveur de quelques instants de solitude, il m'embrassait, me murmurait des mots d'amour tendres et doux, et moi j'étais au septième ciel. Je l'aimais tellement qu'il me semblait impossible d'aimer davantage. Je vivais dans un monde illuminé de bonheur.

Les seuls instants sombres que je connaissais me venaient de Charles. Lorsque je le voyais, je ne pouvais m'empêcher d'être triste pour lui. Je sentais monter en moi un sentiment confus de culpabilité et de remords, que je m'efforçais de repousser. Charles ne me disait plus rien, se contentant simplement de me suivre d'un regard de chien fidèle, plein d'une adoration muette et désespérée. Malgré moi, cela m'agaçait ; je lui en voulais de déranger mon bonheur.

J'évitais, aussi, de parler d'Henri à ma mère. Je ne le faisais pas par besoin de dissimulation. Simplement, je ne voulais pas le lui dire, sans m'expliquer au juste pourquoi. Je craignais sans doute qu'elle ne m'interdît les sorties, ou que, comme Charles, elle ne voulût s'opposer à mon amour pour Henri. Je refusais qu'elle détruisît mon beau rêve par des mises en garde, par le rappel d'une différence de milieu dont j'étais, au fond de moi, tout à fait consciente. Elle aurait essayé de me faire comprendre qu'entre lui et moi rien n'était possible, et je ne le voulais pas.

Cet été-là fut ensoleillé, chaud, lumineux, empli de promesses. Je vivais chaque semaine dans l'attente du dimanche, sachant qu'alors je retrouverais Henri. J'étais heureuse, et jeune, et insouciante, et folle.

***

Le dernier dimanche d'août, Henri m'annonça :

— Dimanche prochain, Madeleine, je te dirai au revoir pour plusieurs semaines.

Il me sembla que tout devenait noir. Interdite, je balbutiai :

— Mais… pourquoi ?

— Mes études sont terminées, et je vais aller faire un stage en Allemagne où, paraît-il, les mines sont, techniquement, bien supérieures aux nôtres. Ils sont beaucoup plus mécanisés que nous. Comme, ensuite, je travaillerai avec mon père, j'espère ramener des idées valables pour moderniser ici.

En parlant, il s'échauffait, emporté par l'enthousiasme. Je le sentais s'éloigner de moi, et j'en souffrais. Il vit sans doute mon visage déçu, voulut me consoler :

— Mais ne t'inquiète pas, Madeleine ! Si je pars pour un an, je ne resterai pas absent tout ce temps-là. Je reviendrai, de temps er temps, et nous nous reverrons. Tu ne m'oublieras pas, hein ?

Son regard câlin chassa mes appréhensions, et je lui souris. Mais j'avais le cœur gros malgré tout. Ne plus le voir pendant plusieurs semaines, alors que chaque dimanche était pour moi un enchantement renouvelé, comme cela me semblait dur ! Juliette intervint :

— J'irai te voir, Madeleine, ou tu viendras chez moi. Je te donnerai de ses nouvelles. Allons, ne sois pas triste.

J'ai essayé de lui obéir, mais, au fond de moi, j'avais de la peine. Comment pouvait-il partir, accepter avec insouciance l'idée de me quitter, d'être séparé de moi pendant tout ce temps ? Je me disais que moi, à sa place, je ne le pourrais pas. Je compris, fugitivement, que je n'étais pas son seul univers, et une ombre descendit sur mon amour.

Le dimanche suivant avait lieu, comme chaque année, la ducasse de septembre. Un bal « volant » avait été installé sur la place sous une grande tente rectangulaire. Juliette m'avait dit :

— Demande à ta mère la permission d'aller au bal, Madeleine. Nous irons ensemble.

Ma mère n'avait pas refusé. Au contraire, elle avait dit :

— C'est de ton âge, Madeleine. Il est normal que tu t'amuses...

Et, le dimanche après-midi, je suis allée chercher Juliette. Elle m'attendait, avec Henri. En le voyant si beau, je me dis qu'il allait partir, et mon cœur battit douloureusement. Il prit ma main, embrassa mes doigts :

— Viens, Madeleine, profitons du moment présent, ne pense pas que je pars demain.

Je m'efforçai de faire ce qu'il disait, mais je ne pouvais m'empêcher de sentir, tout au fond de moi, une douleur sourde. Pour la chasser, j'ai, avec Juliette, grimpé sur les manèges, joué aux fléchettes. J'ai même essayé de tirer à la carabine, aidée par Henri dont les bras autour de moi et les mains sur les miennes accéléraient les battements de mon cœur.

Quand vint l'heure du bal, j'avais réussi à m'étourdir, à ne penser qu'à sa présence auprès de moi.

Beaucoup de jeunes étaient là, beaucoup de parents aussi, des mineurs que pour la plupart je connaissais. Je ne vis pas Charles, et j'en fus heureuse. J'aperçus Albert Darent, qui se contenta de me lancer un regard mauvais, avant de se détourner. Je le détestais et le craignais, et j'étais heureuse d'être avec Henri. Au moins, pensai-je, il n'osera pas m'embêter.

L'orchestre se mit à jouer. Henri m'invita à danser. Je crois bien que c'est à partir de ce moment-là que j'ai commencé à perdre la tête.

Henri commanda une bouteille de vin, en emplit trois verres, m'en tendit un :

— Tiens, Madeleine, pour toi.

Je voulus le refuser :

— Non, je ne bois jamais d'alcool.

— Une fois n'est pas coutume. C'est notre dernière soirée, ne refuse pas. Buvons à nos amours.

Je bus une gorgée, reposai le verre. Je me promis de n'y tremper que les lèvres, mais bientôt, après chaque danse, j'eus chaud et soif, et j'en bus à chaque fois. C'était peu, mais cela suffit à me procurer une ivresse qui, jointe à la griserie d'être dans les bras d'Henri, me fit tourner la tête. J'éprouvai bientôt un sentiment d'irréalité, et j'avais l'impression de flotter sur des vagues d'euphorie. C'était si agréable que je continuai de boire, entre les danses, un peu de ce vin qui avait le pouvoir de me rendre si gaie, si légère.

Lorsque Henri m'embrassa, en dansant une valse lente, l'alcool me donna une audace nouvelle et je lui rendis ses baisers avec passion. La danse terminée, il dit :

— On étouffe ici. Viens, Madeleine, allons prendre l'air.

Je n'aperçus pas Juliette, qui dansait probablement plus loin. Par contre, je vis Albert Darent, qui me regardait sortir avec Henri. Dehors, l'air frais accentua mon ivresse, et je trébuchai. Il passa un bras autour de mes épaules, me serra contre lui, m'emmena derrière la place, là où l'obscurité remplaçait la lumière des lampions. Je me laissai faire. Il m'entraîna dans une chemin que j'étais bien incapable de reconnaître. Nous avons marché un peu, serrés l'un contre l'autre. La soirée était douce, tiède, parfumée. Dans le ciel, les étoiles avaient des scintillements de joyaux. La tête sur l'épaule d'Henri, les yeux fermés, je me laissais guider. Je serais allée ainsi au bout du monde. Je sentais une délicieuse faiblesse m'envahir.

Près d'un arbre, il s'arrêta, me lâcha. Je titubai, m'appuyai contre le tronc. Il rit doucement :

— Oh, Madeleine ! Tu n'es pas ivre, quand même ?

Avec effort, je secouai la tête. Pourtant, qu'était cette impression d'avoir du plomb dans les membres, d'avoir la tête à la fois lourde et légère, les paupières pesantes ? Il mit son veston sur l'herbe :

— Assieds-toi un peu, ça va passer.

Je me suis retrouvée assise sans me rappeler avoir bougé. Il s'assit près de moi, me prit contre lui :

— Madeleine, Madeleine, ma chérie...

Il me murmura des mots tendres, des mots fous. Je fermai les yeux, prise de vertige. Lorsque je les rouvris, j'étais couchée, au creux de son épaule. Penché sur moi, il me regardait. Je vis les étoiles danser dans ses yeux, puis il se pencha davantage et m'embrassa. Sous ses baisers, qui se faisaient de plus en plus passionnés, une vague m'emporta. Lorsqu'il se fit trop ardent, je voulus l'arrêter, mais je n'y parvins pas. Une étrange sensation me paralysait, j'étais sans forces et mes gestes, englués par l'ivresse, étaient incapables d'obéir à ma volonté. Et, alors que je voulais le repousser, je ne le pouvais pas.

Il me semblait que je m'enfonçais dans un nuage mou et cotonneux. Soudain, une douleur fulgurante me déchira, perçant la brume dans laquelle je m'enlisais. Les étoiles basculèrent, et, dans ma tête, il y eut un immense éblouissement, brusquement remplacé par l'obscurité totale.

Ce fut mon nom, répété avec insistance, qui me fit reprendre conscience :

— Madeleine ! Madeleine ! Réponds-moi, Madeleine...

Au prix d'un effort intense, j'ouvris les yeux. Je vis le visage d'Henri penché sur moi.

— Oh, Madeleine, comme tu m'as fait peur ! Tu étais si pâle, tu ne bougeais plus.

Péniblement, je me redressai. L'ivresse s'estompait, laissant la place à une migraine qui me serrait douloureusement les tempes. Je compris subitement qu'il venait de se produire quelque chose d'irréparable, et mes larmes se mirent à couler, pressées, chaudes, ininterrompues.

Henri m'aida à me relever, me serra contre lui :

— Madeleine, ne pleure pas. Je te demande pardon, j'ai perdu la tête. J'avais trop bu, moi aussi. Je te promets de ne plus recommencer.

Il ne prononça pas les mots qui auraient pu apaiser ma profonde détresse. Avec un sentiment de désespoir indicible, je demandai :

— Je veux rentrer...

— Viens, Madeleine, je vais te reconduire.

Evitant de retourner vers la place, il m'emmena, par-derrière, jusqu'au coron. De son bras passé autour de ma taille, il me soutenait. Penchée en avant, je marchais machinalement, en état de choc.

Je garde de ce qui suivit un souvenir confus. J'ai dû quitter Henri, j'ai dû rentrer chez moi, mais je m'en souviens à peine. Ce que je sais, c'est que j'étais affreusement malade, ma migraine devenait d'instant en instant plus pénible, et une nausée persistante me soulevait le cœur.

A la maison, tout était calme, ma mère dormait. En titubant, j'ai gagné ma chambre. Au bord de l'évanouissement, je me déshabillai, me couchai. Une fois dans mon lit, l'obscurité m'engloutit, et je perdis conscience.

Je revins à moi avec une horrible sensation de malaise, sans pouvoir la définir exactement. Il faisait grand jour. Les faits de la nuit se mêlaient, dans mon esprit, en un magma qui ne me laissait aucun souvenir précis.

Lorsque je me levai, ma mère s'inquiéta de ma pâleur :

— Madeleine, qu'as-tu ? Tu es malade ?

J'avais l'impression que mes membres étaient en caoutchouc, et des coups de marteau résonnaient dans mon crâne. Je dis, évitant le regard inquiet de ma mère :

— J'ai bu du vin, hier, au bal... Je crois que c'est ça qui m'a rendue malade.

— Du vin ? Oh, Madeleine !...

Elle ne fit pas davantage de reproches, me voyant trop mal en point. Pleine de sollicitude, elle dit :

— Assieds-toi. Je vais te préparer une infusion.

Je m'assis à la table, et fermai les yeux. Mon mal de tête persistait. Je laissai ma mère s'occuper de moi. Sa tendresse me faisait du bien.

Je n'ai pas donné d'autres détails sur la soirée de la veille. Qu'aurais-je pu dire ? Je ne savais plus très bien moi-même ce qui s'était passé. Je préférais laisser mes souvenirs dans l'épais brouillard qui les enveloppait. Je souhaitais oublier, si je le pouvais.

Au cours des jours qui suivirent, peu à peu, je retrouvai mon énergie. Je ne gardai de cette soirée qu'une vague réminiscence, qui me mettait mal à l'aise et que je m'efforçais de repousser.

Septembre s'avançait. Les journées avaient une douceur, une charme qui annonçaient l'automne. Je passais mes dimanches avec ma mère, ou j'allais voir Juliette, parfois. L'absence d'Henri me pesait, et nos sorties me manquaient. Un dimanche où je m'ennuyais, j'accompagnai Charles et Pierre à un match de football. Je m'y ennuyai encore plus. Je me sentais insatisfaite.

Juliette me donna des nouvelles d'Henri :

— Sais-tu, Madeleine, qu'il est enthousiasmé par le travail des mineurs, là-bas ? Il travaille pour le moment dans une mine qui vient d'être modernisée. M. von Gerhardt, le directeur, l'a hébergé chez lui. Sa femme et sa fille le dorlotent, paraît-il. Henri nous l'a écrit, il est ravi !

Il ne parlait pas de moi, dans ses lettres. Insouciante, Juliette ne s'apercevait pas de ma déception. M'avait-il si rapidement oubliée ? Et cette jeune Allemande, la fille du directeur, était-elle mieux que moi ? Lui plaisait-elle davantage ? Le doute me torturait.

Invariablement, je demandais :

— Quand revient-il ?

— Peut-être viendra-t-il nous voir en octobre, disait Juliette, mais seulement pour quelques jours. Ne t'inquiète pas, ajouta-t-elle, je te préviendrai.

Et puis, les événements se précipitèrent. Un matin d'octobre, alors que je venais de me lever, ma mère, comme d'habitude, versa le café dans les tasses. Je ne compris pas ce qui m'arriva. Une nausée me tordit l'estomac, une bile amère m'emplit la bouche. Je n'eus que le temps de me lever pour aller vomir. Ma mère, inquiète, m'avait suivie :

— Madeleine, que se passe-t-il ?

Au bord de l'évanouissement, j'étais incapable de répondre. Elle s'effraya de me voir un visage blême, couvert de sueur. Elle m'essuya le front, les joues.

— Ce n'est peut-être qu'une indigestion. Ça va passer.

Je fus, ce jour-là, incapable de boire mon café. Et le lendemain, ce fut la même chose. Il me suffisait de respirer l'odeur du café pour ressentir aussitôt un dégoût qui me soulevait le cœur. C'était, pour moi, surprenant, car, jusqu'alors, j'aimais bien le café. Je ne pris pas garde au regard inquiet et scrutateur de ma mère.

Le samedi, comme d'habitude, je fis la lessive. J'allai remplir les seaux d'eau à la pompe, je fis plusieurs aller et retour. Je me sentais nauséeuse. Je serrai les dents, me secouai. Je plaçai le linge dans la batteuse, et commençai à battre. Le mouvement de va-et-vient, alors que j'actionnais le tourniquet, contribua à intensifier mon malaise, et je me sentis de plus en plus malade. Une sueur froide mettait sur mon visage, sur tout mon corps, une sorte de pellicule humide et malsaine. Ce travail qui, habituellement, n'était pas facile devenait, là, franchement intolérable.

Bientôt, je dus arrêter. Je me redressai et me forçai à respirer profondément, plusieurs fois de suite. La nausée passa. Je m'obligeai à rincer le linge, à le tordre, sans trop me baisser car le simple fait de me pencher faisait revenir mon envie de vomir.

Je bâclai mon travail. Je sortis avec le linge pour le mettre à sécher. J'étais en train de le pendre sur les fils de fer, luttant contre un malaise grandissant, lorsque j'eus un éblouissement. Il me sembla que la clarté du soleil m'aveuglait, et je vis les piquets devenir flous, s'éloigner. Instinctivement, je tendis les bras pour me retenir à l'un d'eux, et tout devint noir.

Ce fut ma mère qui me trouva, inquiète de ne pas me voir revenir. La fraîcheur d'un linge mouillé avec lequel elle humecta mon front me ranima. J'ouvris les yeux. J'étais couchée dans l'herbe, et ma mère, penchée sur moi, paraissait complètement affolée.

— Madeleine, oh, mon Dieu, Madeleine ! Que se passe-t-il ?

En gémissant, je me redressai :

— Oh, maman... je ne sais pas... Je suis malade. Que m'arrive-t-il ?

Ma mère m'aida à me relever, m'emmena dans la maison, me fit asseoir. Puis, en hésitant, me dit :

— Madeleine, il faut que je te demande... je suis inquiète, Madeleine... Ton dégoût du café, et tes nausées, depuis plusieurs jours... et ici, ton évanouissement... Cela ressemble beaucoup à... Et pourtant, non, je me dis que c'est impossible... Pas toi, tu n'as pas...

Encore faible, la tête vide, je l'écoutais sans comprendre. Alors elle lâcha d'une seule traite, comme on se jette à l'eau :

— Et ton retard, ce mois-ci... C'est déjà arrivé, mais jamais aussi longtemps... Madeleine, tu présentes tous les symptômes d'une grossesse. Mais c'est impossible, n'est-ce pas ?

Foudroyée, j'étais incapable de répondre. Dans ma naïveté, cette idée ne m'avait même pas effleurée. Un cri silencieux monta en moi : « Non, non, ce n'est pas vrai !... »

Mais il ne franchit pas mes lèvres. Emplie d'horreur, je comprenais soudain qu'une catastrophe m'arrivait, et cela pour un instant d'égarement dont je ne me souvenais même plus avec certitude.

Atterrée, je baissai la tête. Ma mère s'affola :

— Mais enfin, Madeleine, réponds... Ce n'est pas possible ! Comment donc... ?

Sa voix s'étrangla. Elle me regarda, et la peur que je lus dans ses yeux me serra douloureusement le cœur. Tout bas, je dis :

— Je crois que... le soir du bal, ce soir où j'avais

bu... Henri m'a emmenée... Je ne sais plus très bien ce qui s'est passé, mais...

Je m'arrêtai. Avec un sentiment d'intense désespoir, je levai les yeux vers elle :

— Oh, maman, pardonne-moi... Il m'avait fait boire, je ne savais plus ce que je faisais...

La gorge nouée, je me tus. J'avais la sensation de vivre un cauchemar. Ma mère gémit :

— Madeleine, comment as-tu pu ?... C'est de ma faute, aussi, j'aurais dû te mettre en garde. Je t'ai laissée trop libre, peut-être... Mon Dieu, pourquoi cela, en plus ?... Tout cela ne serait pas arrivé si ton père avait encore été là. Qu'allons-nous faire ?

La tête dans ses bras repliés sur la table, elle se mit à pleurer. Impuissante, je la regardais, et je m'en voulais d'ajouter encore à sa peine, à la tristesse qu'elle portait sans cesse en elle depuis la mort de mon père. J'aurais voulu mourir, je souhaitais n'être pas née.

Les jours suivants, il fallut bien nous rendre à l'évidence. Mes malaises augmentaient, je vomissais tout ce que je mangeais. Je cachais, de mon mieux, tous ces troubles. Ma mère et moi n'en parlions pas autour de nous. Nous vivions dans la terreur que quelqu'un d'autre s'en aperçût.

— Préviens Henri, au moins, me dit ma mère. Il doit savoir, il est responsable, après tout. Il a abusé de toi. L'idéal, ce serait qu'il t'aime assez pour t'épouser, mais...

Je l'espérais, moi aussi, je n'avais plus d'espoir qu'en lui.

J'eus un autre malaise, un jour que Juliette était là. Nous étions seules toutes deux dans le jardin, assises sur le vieux banc de bois, et nous bavardions. Ou plutôt Juliette papotait, et je l'écoutais, m'efforçant de réprimer la nausée que je sentais monter et essayant d'ignorer la sueur froide qui me couvrait le visage. Puis je la vis s'estomper, s'éloigner, et soudain je ne vis plus rien.

Je revins à moi quelques minutes plus tard. Juliette, affolée, me tapotait les joues.

— Madeleine, que se passe-t-il ? Tu m'as fait peur. Qu'as-tu ? Tu es malade ?

Elle était si loin de se douter de la vérité que je me sentis gênée. Mon amie Juliette, pure et gaie comme un rayon de soleil ! Comment allait-elle réagir ?

Je baissai la tête, accablée :

— Je ne peux pas te le dire, Juliette, j'ai trop honte... Si tu savais ! Je suis une fille perdue...

Elle me regarda, incompréhensive d'abord. Puis ses yeux s'agrandirent, reflétèrent un véritable effarement :

— Madeleine ! Tu ne veux pas dire que... ?

Les joues cuisantes de honte, j'étais incapable de répondre. Elle soupira, pleine de pitié, me serra contre elle :

— Comment est-ce possible ? Pas toi, Madeleine ! Dis-moi...

Alors, à mots entrecoupés, je racontai ce dont je me souvenais, le soir du bal.

— C'est Henri le plus coupable, me dit Juliette. Toi, Madeleine, tu as été imprudente, c'est tout. Seulement, il ne faut pas qu'une simple imprudence détruise ta vie. Henri revient, dimanche prochain. Viens chez moi, dans l'après-midi. Tu lui parleras. Il a le droit de savoir, et le devoir de réparer.

Je la regardai, avec reconnaissance, avec un mélange de peur et d'espoir. Pleine de sollicitude, elle me rassura :

— Allons, ne t'inquiète pas ! Henri est amoureux de toi, il t'épousera. Tu deviendras Mme Fontaine, tu seras ma vraie sœur.

J'aurais bien voulu partager son enthousiasme, sa certitude. D'où me venaient ce doute, cette inquiétude secrète que j'essayais de refouler et qui me laissaient une crainte confuse de l'avenir ?

Le dimanche après-midi, je me dirigeai vers la maison de Juliette, le cœur empli d'appréhension et les nerfs noués par une véritable sensation de trac. De loin, j'aperçus Juliette qui, près du portail, m'attendait. Elle me fit signe de me hâter.

— Vite, s'écria-t-elle, Henri est derrière la maison. Allons le rejoindre !

Je m'inquiétai :

— Juliette, lui as-tu dit... ?

— Non. J'ai simplement dit que tu viendrais, c'est tout.

Nous avons contourné la maison, et je me trouvai face à lui, qui venait vers nous. Je m'arrêtai, soudain paralysée par sa présence. Les mots se bloquèrent dans ma gorge.

Il sourit, mais il me parut que ses yeux n'avaient plus cette chaleur, cette douceur que j'aimais. Ou bien était-ce une fausse impression, due à mes nerfs exacerbés ?

— Bonjour, Madeleine... Comment vas-tu ?

Crispée, je pensai qu'il devait me trouver bien laide avec mon visage pâle et tendu, mes traits tirés, mes yeux cernés. Juliette intervint :

— Madeleine doit te parler, Henri. Alors, je vous laisse.

Après une pression amicale sur mon bras, qui était aussi un signe d'encouragement, elle s'échappa, nous laissant seuls. Je sentais croître mon appréhension.

— Viens, Madeleine, dit Henri, faisons quelques pas. Qu'as-tu à me dire ?

Je ne savais pas comment m'y prendre. Je marchais près de lui, et je le voyais si lointain, si indifférent, que je sentais monter en moi un sentiment proche du désespoir. Toujours silencieusement, nous sommes sortis par la porte de derrière, et nous nous sommes trouvés dans la campagne. Nous avons pris un chemin de terre. Le vent faisait tourbillonner, autour de nous, les feuilles des arbres que l'automne éparpillait partout.

— Eh bien, Madeleine ? Te voilà muette ! As-tu à me dire que tu t'ennuies, loin de moi ?

Je retrouvai, dans son sourire légèrement taquin, dans ses yeux, un peu de la tendresse dont je me souvenais si bien. Un peu rassurée, j'eus un faible sourire, secouai la tête :

— Non, il y a autre chose.
— Quoi donc, Madeleine ?

Tête baissée, je marchais sans répondre. Comme c'était difficile ! Comment trouver les mots pour lui dire... ? J'avais tellement honte que je sentais mes joues devenir brûlantes. Intrigué, il s'arrêta et, d'une main, me souleva le menton, m'obligeant à le regarder :

— Qu'y a-t-il, Madeleine ? Parle, tu m'inquiètes.

Je baissai les yeux. J'étais gênée, et malheureuse. Pourtant, il fallait bien que je lui dise, j'étais venue pour ça. Je pensai à ma mère pour me donner du courage, et, à mots entrecoupés, sans le regarder, j'essayai de parler.

— Eh bien, c'est... Oh, Henri, il faut que je te dise... Je... Oh, mon Dieu, comme c'est difficile !... Je crois que... Tu sais, le soir du bal... je crois que... maintenant... j'attends... un enfant...

A bout de forces, je me mis à pleurer. Je ne sais pas ce que j'attendais. Inconsciemment, sans doute, je souhaitais qu'il me prît dans ses bras, qu'il me rassurât, au moins, qu'il me dît de ne pas m'inquiéter. Mais il ne fit rien de tout cela. Il resta là, devant moi, comme foudroyé. Il m'apparut perdu, désorienté, aussi paniqué que moi. Il bégaya :

— Mais, Madeleine, mais... C'est... c'est une véritable catastrophe !

Il se tut, très pâle. Puis, prenant conscience du regard plein d'espoir et d'attente avec lequel je le fixais, il s'affola :

— Mais... que veux-tu que je fasse ?... Je ne peux rien faire...

J'eus un cri de bête blessée :

— Henri, ne m'abandonne pas !

Il haussa les épaules, avec accablement et une sorte de peine :

— Mais, Madeleine, demain, je repars en Allemagne, pour plusieurs mois. C'est prévu, Madeleine, je ne peux pas tout détruire... C'est de mon avenir qu'il s'agit...

Il s'arrêta. Alors, brutalement, je compris que je n'avais aucune place dans ses projets. Je n'avais été pour lui qu'un simple divertissement, qu'il pensait retrouver avec plaisir chaque fois qu'il reviendrait au village. Je gémis, toute dignité oubliée :

— Henri... ne me laisse pas... Que vais-je devenir ?

Avec une sorte de rage, il répliqua :

— Mais Madeleine, il fallait y penser avant... Après tout, tu savais ce que tu faisais, en sortant avec moi. Que pouvais-je croire ? Ce n'est pas entièrement ma faute si, ce soir-là, j'ai perdu la tête...

La stupeur m'ôta toute réaction. Se pouvait-il qu'il m'eût considérée comme une fille facile, un simple divertissement, alors que pour moi il était tout ?

Sans pitié, il reprit :

— Et maintenant, qu'espères-tu ? Que je t'épouse, peut-être ? Je ne peux pas, c'est impossible, tu dois bien le comprendre. Mes parents n'accepteront jamais que j'épouse la fille d'un de leurs mineurs !

Ce fut comme s'il m'avait giflée. Ainsi, c'était bien cela : il m'avait jugée assez bonne pour lui servir de distraction. J'étais dégrisée. Avec une cruelle lucidité, je me rendais compte que Charles avait raison. Il avait voulu me prévenir, et moi, croyant qu'il parlait par jalousie, je ne l'avais pas écouté.

Je regardai Henri avec un mélange de surprise et d'horreur. Comment avais-je pu me tromper à ce point sur lui ? Je le voyais maintenant tel qu'il était, faible, lâche, sans volonté, égoïste, uniquement occupé de son propre plaisir. Je crois qu'à cet instant ma soudaine lucidité a tué mon amour. Je me rendais cruellement compte que j'avais aimé l'image que je me faisais de lui, et non pas lui-même. Envers celui dont je découvrais maintenant la véritable nature, je n'éprouvais plus que du dégoût.

Meurtrie, révoltée, je lui lançai, hors de moi :

— Lâche ! Tu es un lâche !

Frémissante de douleur et d'indignation, je me détournai. Je m'enfuis en courant. Le vent s'engouffrait dans ma robe, et faillit, à plusieurs reprises, me faire trébucher, mais je n'y pris pas garde. Profondément blessée, je courais, instinctivement, vers le seul refuge au monde qui me restât : les bras de ma mère.

Elle ne déçut pas mon attente. Elle me serra contre elle, me berça doucement, mêlant ses pleurs aux miens. Lorsque je lui eus tout raconté, elle soupira :

— Que pouvons-nous faire ? Il faudrait demander conseil, à Pierre peut-être ?

J'eus un cri de protestation :

— Oh non, maman, non ! Ne parle à personne de... Ne le dis à personne !

Et je me remis à pleurer.

— De toute façon, dit ma mère, si Henri refuse de réparer, que peux-tu faire ? Nous sommes trop dépendantes de sa famille pour exiger quoi que ce soit. Son père, en tant que directeur de la mine, peut nous expulser de ce logement du jour au lendemain. C'est déjà bien beau qu'il nous permette de rester, alors que ton père n'est plus là...

En pensant à mon père, je me sentis encore plus coupable. Moi qui chaque jour déplorais son absence, j'étais maintenant presque heureuse et soulagée qu'il ne fût plus là pour connaître mon état et ma honte. Pour ma mère, même si je souffrais de lui faire de la peine, ce n'était pas la même chose. Une femme, une mère surtout, comprend et pardonne toujours. Mais mon père, lui, n'eût pas compris. Il aurait eu énormément de peine, et j'imaginais le regard, douloureux et plein de reproche informulé, qui aurait été le sien. Maintenant encore, après tout ce temps, ce m'est un soulagement de savoir qu'il est parti avec l'image intacte qu'il se faisait de moi, et je suis heureuse de penser qu'il n'a pas été témoin de ma chute, que cette peine-là, au moins, lui a été épargnée.

Très tôt, le lendemain matin, Juliette accourut :

— Madeleine ! Je suis désolée pour toi, et j'ai honte pour mon frère. Il est gentil, charmant, mais léger et irresponsable. Il est reparti en Allemagne, sans remords, juste un peu ennuyé, c'est tout. J'ai essayé de lui faire entendre raison, mais il ne veut rien savoir. Il dit qu'il regrette ce qui s'est passé, mais qu'il ne peut pas t'épouser.

Une fois de plus, je pensai avec amertume que je n'avais été pour lui qu'une distraction. C'était mon orgueil, maintenant, qui était blessé.

— Il dit, continuait Juliette, que tout ce qu'il peut faire pour toi, c'est te donner de l'argent...

— Ah non ! Je ne veux pas de son argent !

La phrase était sortie, violente, avant même que je ne l'aie pensée. J'avais ma fierté, et même si j'avais été suffisamment naïve pour croire en lui, j'avais découvert ce qu'il valait, et je ne voulais rien lui devoir. Je n'éprouvais plus qu'un intense, un profond mépris.

— Ou alors, reprit Juliette, hésitante, si tu le veux, j'en parlerai à mes parents... Ils accepteront peut-être de t'aider...

Fermement, je l'interrompis :

— Non, Juliette, je t'en prie. Si tu veux me faire plaisir, n'en parle à personne, et surtout pas à tes parents.

— Mais, Madeleine... Je cherche à t'aider ! Que vas-tu devenir, dis-moi ?

Je l'embrassai, émue :

— Tu es gentille, Juliette, mais ne t'inquiète pas. Je me débrouillerai.

Pour la convaincre, j'affichai une assurance que je ne possédais pas. Elle partit, à moitié rassurée, promettant, sur mon insistance, de n'en pas parler à ses parents.

J'ai vécu les jours suivants dans un mélange d'angoisse et de désespoir. A l'humiliation d'avoir été abandonnée par Henri venait s'ajouter une question sans réponse : qu'allais-je devenir ? Bientôt, je ne pourrais plus cacher mon état, et tout le monde me montrerait du doigt. La crainte d'être mal jugée, la honte d'être une fille perdue, d'avoir apporté le déshonneur sur ma famille m'ôtaient tout repos.

Par moments, j'étais littéralement affolée. Pourtant, pas un instant je n'ai envisagé l'avortement. Je savais que, à l'autre bout du village, vivait une vieille femme que l'on disait un peu sorcière et qui, moyennant une somme assez importante, débarrassait les filles qui allaient la voir d'un enfant indésirable. Mais, outre que nous n'étions pas riches, je refusais, avec un instinct farouche et profond, cette solution. Elle représentait, pour moi, un crime, le pire de tous : le meurtre de mon propre enfant.

J'ai pensé à partir, aller cacher ailleurs ma honte... mais où ? Et puis, pouvais-je abandonner ma mère ? Moi partie, l'opprobre retomberait sur elle.

Un soir de la semaine suivante, je pris l'excuse d'aller chercher des poireaux dans le jardin pour dissimuler mes larmes. J'allai tout au bout, m'assis sur le banc. Là, n'en pouvant plus, je me mis à pleurer, la tête dans les bras, à gros sanglots.

Je sursautai lorsque je sentis une main se poser sur mon épaule. Croyant que c'était ma mère, je levai les yeux, et je vis Charles. Je me détournai, incapable d'arrêter de pleurer. Je sentis Charles s'asseoir près de moi, je l'entendis me dire avec douceur :

— Madeleine ! Madeleine, qu'as-tu ? Pourquoi pleures-tu ?

Je me tournai vers lui, pour lui demander de partir, de me laisser seule. Mais je vis, dans ses yeux, tant de tendresse que je n'en eus pas le courage. Sans savoir comment, je me retrouvai contre lui, serrée contre son épaule, sanglotant désespérément, tandis qu'il me berçait doucement, avec les paroles apaisantes que l'on emploie pour calmer le gros chagrin d'un enfant :

— Là... là... c'est tout, maintenant... Ne pleure plus...

Peu à peu, en effet, je me calmai. Des soupirs tremblés m'échappèrent encore, puis, progressivement, mes sanglots cessèrent. Je demeurai là, tout contre Charles, mon nez dans l'étoffe rugueuse de son veston, et je me sentais bien. J'avais l'impression d'être protégée. Les nuées sombres qui me harcelaient sans répit jusqu'ici semblaient s'éloigner.

— Ça va mieux ?

Je hochai la tête, sans quitter le refuge de son épaule.

— Pourquoi un si gros chagrin, Madeleine ? Tu es malheureuse ? Dis-moi ce qu'il y a. Je ne supporte pas de te voir pleurer.

Je ne sais toujours pas ce qui m'a poussée à parler. Dieu sait que je ne voulais pas le dire, à personne. Mais là, j'ai éclaté, vaincue par la bonté et la gentillesse de Charles. A bout de souffrance, la tête enfouie dans son veston, je lui ai confié ma honte et mon tourment. Et cela me faisait du bien de lui parler, car je sentais que lui, au moins, ne me jugerait pas mal.

Lorsque je me tus, il savait tout. L'abandon d'Henri, et mon inquiétude, et mon état de fille perdue et ma honte. Je ne m'étais pas trompée, il n'eut pas un mot de reproche à mon égard. Il me serra davantage contre lui, et je le vis serrer les poings :

— Le salaud, gronda-t-il, le salaud ! Avec quel plaisir j'irais lui casser la figure !

Il y avait tant de haine dans sa voix que j'eus peur. Je me redressai, le regardai :

— Oh, Charles, je t'en prie ! Ne fais pas d'imprudences !

— C'est pour lui, ou pour moi, que tu as peur ?

— Charles ! Pour toi, bien sûr ! Tu serais renvoyé de la mine, tu le sais. Ne prends pas un tel risque pour moi...

Gravement, il me demanda :

— Madeleine, l'aimes-tu encore ?

Ma réponse jaillit, si vibrante de sincérité que je le vis se détendre :

— Oh non ! Si tu savais comme je le méprise !

J'ajoutai, plus bas :

— Et comme je m'en veux...

Il me regarda, ouvrit la bouche pour parler, sembla hésiter, et ne dit rien. Il remua un peu, et je l'entendis déglutir plusieurs fois. Intriguée, je demandai :

— Charles, que se passe-t-il ?

Alors, d'un seul coup, il se décida :

— Madeleine... Tu sais, Madeleine, ce que je t'ai dit, au printemps, c'est toujours valable, si tu le veux...

Devant mon geste de surprise, il continua bien vite :

— Je sais que tu ne m'aimes que comme un frère, mais, pour moi, ça ne fait rien. Si tu veux, ton enfant aura un père, je dirai qu'il est de moi.

Je ne réussis pas à empêcher ma voix de trembler en lui répondant :

— Mais, Charles... Ce... ce n'est pas possible... Je ne peux pas, plus maintenant... Tu mérites mieux que moi...

Il secoua la tête. Je vis dans ses yeux clairs, posés sur moi, un tel amour, un tel désir de me convaincre que l'émotion me submergea de nouveau :

— C'est toi que j'aime, Madeleine, toi seule. Je t'aimerai quoi qu'il arrive. Et j'aimerai ton enfant, simplement parce qu'il me viendra de toi.

Alors une houle se leva dans ma poitrine, envahit tout, monta jusqu'à ma gorge. C'était un flot libérateur, qui emportait avec lui l'amertume et la peur, pour ne laisser qu'un espoir pur et tout neuf.

Je regardai Charles, avec l'impression d'être éblouie :

— Charles ! Tu... Tu ferais ça, vraiment ?...

— Je t'aime tant, Madeleine ! Et... si tu ne l'aimes plus, lui, je ne perds pas l'espoir, je sais qu'un jour tu m'aimeras.

Je n'ai pas voulu le détromper. Je savais que mon cœur était mort. Je l'aimais comme un frère, comme un ami, et je ne pouvais faire plus. Mais, si cela lui suffisait, c'était très bien ainsi. Maintenant s'ajoutait à ma tendresse pour lui une immense, une éperdue gratitude. Je n'aurais pas trop de toute ma vie pour le remercier.

— Madeleine ?... Tu acceptes ?

— Si tu le veux, oui, Charles...

Il me serra contre lui, avec emportement :

— Merci, Madeleine !

— Ne dis pas ça ! C'est moi qui dois te dire merci, tu le sais bien.

Il mit un doigt sur mes lèvres :

— Tais-toi, nous n'en parlerons plus jamais. C'est d'accord ?

C'est à cet instant précis que j'ai compris, pour la première fois, à quel point il m'aimait.

6

Ce même soir, j'ai raconté à ma mère ce qui s'était passé. Quand je lui ai parlé de la proposition de Charles, j'ai vu des larmes dans ses yeux :

— Mon Dieu, le brave garçon !... Comme il t'aime, Madeleine !

Nous avons parlé, longuement. Ma mère, comme moi, éprouvait envers Charles une reconnaissance infinie. Je me promis, une nouvelle fois, de le rendre heureux, ce serait ma façon de le remercier.

Dans mon lit, pour la première fois depuis bien des jours, l'inquiétude me laissa en paix. Et l'insomnie disparut, elle aussi. D'une façon que je n'aurais jamais osé espérer, une solution s'offrait à mon problème. Je me sentais apaisée, profondément soulagée.

Le lendemain matin, Jeanne, la mère de Charles, vint nous voir. Elle semblait affolée :

— Charles vient de me parler, avant d'aller à la mine. Si je m'attendais à ça ! Est-ce vrai, ce qu'il m'a dit, Madeleine ? J'ai du mal à le croire !

Le cœur serré, je demandai :

— Qu'a-t-il dit, exactement ?

— Eh bien, que... qu'il y a eu une fois où il a perdu la tête... et que maintenant tu es enceinte, et qu'il doit réparer...

Ainsi, même à ses parents, Charles n'avait pas confié mon secret. Il avait dit ce qu'il m'avait promis : que l'enfant était de lui. Je dis, gênée devant le regard douloureux et réprobateur de Jeanne :

— Oui, c'est vrai, Jeanne...

Sa bonté naturelle reprit le dessus, et elle me rassura :

— Eh bien, il t'épousera. Il t'aime, c'est son plus cher désir. Et moi, ajouta-t-elle avec un tremblement dans la voix, j'y gagnerai une fille. Je n'aurais pas choisi pour Charles une autre fille que toi, Madeleine.

Nous avons parlé du mariage qu'il faudrait précipiter.

— Bien sûr, dit Jeanne, les gens vont jaser. Mais qu'y faire ?

— Rien du tout, dit ma mère. De toute façon, ils finiront bien par se calmer.

J'ai vu dans son regard qu'elle pensait la même chose que moi : qu'était-ce, un peu de cancans à affronter, à côté de ce qu'aurait été ma vie sans l'intervention de Charles, avec l'étiquette de fille-mère à porter comme une tare ?

En fin d'après-midi, Charles vint, solennellement, faire sa demande à ma mère. Elle le serra contre elle :

— Merci, Charles, pour Madeleine, et pour l'enfant qui va naître.

Il sourit, ému :

— Il ne faut pas me dire merci, Louise. Je ne fais pas un sacrifice en épousant Madeleine. Je l'aime, je suis heureux de l'épouser.

Je n'ai pu m'empêcher de demander :

— Même dans les conditions actuelles, Charles ?

Il me regarda gravement :

— Oui, Madeleine, même ainsi. J'ai même de la reconnaissance pour cet enfant que tu attends, car c'est surtout grâce à lui que tu acceptes de m'épouser. Sans lui, probablement m'aurais-tu encore repoussé...

Je m'approchai de lui, et, timidement, l'embrassai sur la joue. Je rougis lorsqu'il me prit dans ses bras et me serra contre lui. J'eus même un geste pour me dégager. Je ne parvenais pas à penser à Charles autrement que comme à un frère. Comprit-il mon geste de recul ? Il n'insista pas, et me lâcha aussitôt.

Lorsqu'il partit, je le reconduisis jusqu'à la porte. Il me prit aux épaules. Avec appréhension, je levai les yeux vers lui. Il sourit doucement, avec tendresse m'attira et m'embrassa sur les joues, comme un frère. Mon soulagement ne lui échappa pas.

— Bonsoir, Madeleine. Dors bien.

— Bonsoir, Charles. A demain.

Je rentrai chez moi, avec une pointe d'inquiétude au cœur : que se passerait-il, lorsque Charles voudrait m'embrasser comme un fiancé ? Et lorsque nous serions mariés ? Jusque-là, dans mon soulagement, je n'avais pas pensé plus loin. Mais maintenant je m'inquiétais. Je ne savais même pas ce qui se passait lorsqu'on était marié, et je n'osais pas en parler à ma mère. De ces choses-là, on ne parlait pas. La seule expérience que j'avais, c'était un souvenir désagréable et confus dans lequel une douleur déchirante me traversait. Qu'exigerait Charles de moi ? A la pensée qu'il pourrait m'embrasser comme l'avait fait Henri, tout mon être se raidissait. Je ne voulais pas embrasser Charles de cette façon, je n'étais pas amoureuse de lui.

Juliette vint me voir, dans la semaine. Je lui annonçai mon prochain mariage avec Charles. Je lui racontai tout. Elle aussi, comme ma mère, déclara :

— Il doit t'aimer beaucoup. Tu as de la chance, au fond, Madeleine.

Oui, c'était vrai, j'avais de la chance que Charles fût là. A Juliette non plus, je n'ai pas parlé de mes inquiétudes. Qu'aurait-elle pu me dire ? Je savais bien moi-même que je n'avais pas d'exigences à formuler, je devais déjà être heureuse d'être acceptée ainsi par Charles, et je n'avais qu'une chose à faire : être pour lui une femme fidèle et dévouée.

Ma santé ne s'améliorait pas. J'avais encore beaucoup de nausées. Le matin, je ne pouvais plus supporter l'odeur du café. C'était pénible, et je m'effrayais, par moments, de l'état dans lequel j'étais, qui ne me laissait pas oublier qu'en moi un enfant commençait de vivre, sans que je l'eusse voulu.

Charles m'entourait de tendresse. Il venait souvent me voir, et je m'arrangeais toujours pour que nous ne soyons jamais seuls tous les deux. Il semblait se contenter de la situation. Son attitude envers moi était la même qu'avant, sauf que, maintenant, il me tenait les mains, et me parlait avec douceur et amour. Il ne cherchait pas à m'embrasser, à part deux baisers sur les joues lorsqu'il me quittait le soir. J'en étais soulagée.

La nouvelle de mon prochain mariage fit le tour du coron. Nombreuses furent les voisines qui vinrent nous voir, les yeux brillants de curiosité. Elles en furent pour leurs frais. Ma mère, à toutes, déclara simplement :

— Oui, elle va épouser Charles. Il est inutile qu'ils aient de longues fiançailles, ils se connaissent depuis l'enfance.

Charles avait demandé un logement à la Compagnie des mines, car, disait ma mère, quand on est marié, chacun chez soi. Un mineur qui se mariait avait le droit d'avoir sa maison. Il venait de se bâtir des nouvelles constructions, à l'autre bout du coron, où nous nous installâmes. Les jours qui précédèrent le mariage furent occupés par les nombreux préparatifs. Il fallait équiper le logement. C'était une maison claire et agréable, avec deux pièces en bas et deux en haut. Elle me changeait de celle où je vivais avec ma mère, qui était tout en rez-de-chaussée et ne comprenait que trois petites pièces. De plus, elle faisait partie d'un pavillon de deux logements, espacé des autres de quelques mètres, ce qui donnait l'impression d'avoir plus d'espace, contrairement aux anciennes maisons qui se succédaient collées les unes aux autres.

Je m'y plus tout de suite. L'électricité y était installée. Tout était neuf et beau. Avec une sorte de fébrilité, je me mis à coudre des rideaux, et je m'appliquai à rendre l'endroit coquet. Cela m'obligeait à réaliser que bientôt je serais mariée, je vivrais avec

Charles, je n'aurais plus ma mère avec moi. Je n'arrivais pas à y croire vraiment.

Juliette venait m'aider, de temps en temps. Elle se montrait enthousiaste :

— Je t'envie presque ! disait-elle. Une maison pour toi toute seule : tu te rends compte !

Nous avons meublé les pièces. En bas, un salon et une cuisine. En haut, les chambres. Il fallut acheter un grand lit, et je frémis en le voyant. Devrais-je y dormir avec Charles ? Cela me paraissait quasi impossible.

Les parents de Charles, et ses deux frères, Julien et Georges, lui offrirent un fauteuil : un vrai luxe ! Julien et Georges avaient eux aussi pris le chemin de la mine. Georges, le plus jeune, qui venait d'avoir quatorze ans, était galibot comme Charles à ses débuts. Et il était fier d'être mineur, d'apporter à sa mère, chaque quinzaine, son salaire comme les hommes de la maison.

Mon mariage eut lieu la première semaine de novembre. J'ai vécu toute cette journée avec une continuelle sensation d'irréalité. Dans la jolie robe que m'avait confectionnée ma mère, je me sentais une autre. J'avais l'impression que ce n'était pas vraiment à moi que tout cela arrivait. J'épousai Charles à dix-sept heures. Les mariages se faisaient toujours l'après-midi, chez nous, afin que les mineurs ne perdent pas leur journée de travail.

Par respect envers la mémoire de mon père, et étant donné les circonstances, nous ne fîmes pas de grandes réjouissances. Il y eut simplement un repas, chez Jeanne et Pierre. Les amis et voisins vinrent prendre le café. Ma mère pleura beaucoup, en pensant à mon père. Moi aussi, je pensais à lui. Qu'aurait-il dit, s'il avait encore été là ? Etait-ce mieux qu'il n'y fût plus ?

J'appréhendais le moment où je me retrouverais seule avec Charles. Que se passerait-il alors ? Au fur et à mesure que la soirée s'avançait, je sentais mes mains devenir glacées, et j'avalais convulsivement ma salive pour réprimer la nausée qui montait. J'avais peur.

Les invités commencèrent à s'en aller, les uns après les autres. J'aurais voulu les retenir, j'aurais voulu retenir le temps. Je m'affolais de le voir passer inéluctablement. Lorsque le dernier invité fut parti, nous restâmes encore un peu, en famille. Et puis il fallut bien partir, nous aussi. Ma mère m'embrassa en pleurant :

— Je vais me retrouver toute seule chez moi, maintenant. Viens me voir souvent !

J'aurais beaucoup donné pour pouvoir être encore avec elle, comme avant. Mais cela ne m'était plus permis. Je devais suivre mon mari.

Les parents de Charles nous embrassèrent affectueusement. Nous sommes sortis, Charles et moi, pour aller rejoindre notre maison qui nous attendait. Il faisait nuit, et en marchant près de Charles, dans le coron silencieux, j'avais l'impression de rêver. Je me disais : « Je suis avec Charles, je vais vivre avec lui. » Et je n'arrivais pas à m'en persuader.

En entrant chez nous, l'appréhension me reprit. C'était même plus que cela, c'était un véritable trac. Là, subitement, seule avec lui, dans la pièce que j'avais arrangée moi-même et où je me sentais pourtant étrangère, je venais de me rendre compte qu'il était maintenant mon mari. La nausée que j'avais réprimée toute la soirée revint, violente. J'eus le temps de dire :

— Oh, Charles, je... Excuse-moi !

Et je me précipitai dans le cabinet de toilette, où je me mis à vomir lamentablement.

Lorsque je revins dans la pièce, Charles parut effrayé par mon aspect :

— Madeleine ! Tu es malade ? Mon Dieu, tu es verte !

Voyant que je tremblais, il me prit contre lui et m'entoura de ses bras.

— Viens, tu es glacée. Essaie de te réchauffer un peu.

Lentement, je sentis sa chaleur m'envelopper, et mes frissons se calmèrent.

— Ça va mieux, Madeleine ? demanda-t-il doucement.

— Oui, dis-je tout bas.

Je n'osais pas le regarder. Qu'allait-il dire, maintenant, qu'allait-il faire ? L'inquiétude revenait.

— Va te coucher, Madeleine, dit-il avec douceur, et essaie de dormir.

Je le regardai avec crainte. Il me rassura :

— Ne crains rien, je vais te laisser tranquille. Tu es malade, tu as besoin de sommeil. Il est tard, va dormir.

N'osant encore y croire, je dis :

— Mais... mais toi, Charles ?...

— Ne t'inquiète pas pour moi, Madeleine. Je vais me mettre dans le fauteuil. De toute façon, dans quelques heures je me lève pour la mine.

Le soulagement que je ressentais me donnait des remords. J'insistai :

— Mais... tu ne seras pas bien ?

Il sourit, avec un mélange de tendresse et d'amertume :

— Je peux dormir n'importe où, tu sais. Pendant la guerre, j'ai dormi dans des conditions bien pires. Un fauteuil est un véritable luxe, à côté.

Il me regarda, et je me sentis enveloppée par tout l'amour qu'exprimaient ses yeux.

— Va dormir, Madeleine, va !

Je m'approchai de lui, timidement :

— Bonsoir, Charles.

Il m'embrassa sur le front, me repoussa :

— Dors bien, ma chérie.

Ce petit mot tendre, le premier qu'il utilisait envers moi, me troubla étrangement. Avec un sentiment qui ressemblait à de la culpabilité, je montai l'escalier, entrai dans la chambre. Le grand lit était là, impressionnant. Mais, cette nuit, j'y serais seule, me dis-je avec le même soulagement. Je me déshabillai et, à peine couchée, complètement épuisée, je m'endormis.

Lorsque je m'éveillai, Charles était parti. Il m'avait laissée dormir. Mon cœur se gonfla de reconnaissance pour sa délicatesse. Je me levai, mis la maison en ordre, fis un peu de ménage, et préparai le repas. Ma mère vint me voir :

— Ça va, Madeleine ? Tout va bien ?

J'ai répondu oui, laconiquement. Je ne parlai pas de l'attitude de Charles ; elle ne m'interrogea pas davantage.

— Comme la maison semble vide, sans toi ! Je me sens perdue !

Je souris, un peu absente. Je prenais pied dans ma nouvelle vie, et je ne savais pas encore trop ce qu'elle serait. Si seulement j'avais pu considérer Charles comme un mari ! Mais je ne voyais toujours en lui qu'un ami, le compagnon de mon enfance, de mes jeux. Pourquoi ne pouvais-je l'aimer autrement ? Je me prenais à le regretter. Tout aurait été beaucoup plus facile.

Ma mère partit, après m'avoir fait promettre d'aller la voir. Et j'attendis le retour de Charles, en faisant le tour de ma maison, et en me persuadant que dorénavant j'étais la maîtresse de ces lieux, que là était mon foyer.

Lorsque Charles rentra, j'avais préparé, comme l'avait fait tant de fois ma mère pour mon père, le chaudron pour le bain. Je l'installai dans un coin de la cuisine, derrière le paravent qui avait appartenu à ma mère et qu'elle m'avait donné. Lorsque Charles se fut lavé, je lui servis son repas. Je lui racontai la visite de ma mère. De son côté, il me parla des plaisanteries d'usage de ses camarades de travail envers un jeune marié. Je rougis et ne répondis pas. Comment pourraient-ils se douter, tous les autres, de l'étrange mariage qui était le nôtre ?

Le soir, mon appréhension revint. Je fis la vaisselle pendant que Charles s'occupait du jardin. Quand il rentra, j'étais encore en train de vomir. Mes malaises, qui m'avaient laissée tranquille toute la journée, se réveillaient, en grande partie dus à la nervosité que je ressentais à l'idée que Charles, peut-être...

De nouveau, il s'inquiéta :

— Madeleine ! Tu es encore malade ?

J'eus un geste d'impuissance :

— Ce n'est rien, Charles. Ça m'arrive souvent en ce moment.

Comme la veille, il fit preuve d'un tact exceptionnel :

— Va te coucher, Madeleine, ne crains rien. Tant que tu seras malade, je te laisserai tranquille. N'aie pas peur de moi, je ne te forcerai pas. Je veux que tu viennes vers moi de toi-même. Je ne ferai jamais rien contre ta volonté. Aussi, je ne veux plus te voir ce regard traqué. Je veux que tu sois heureuse, avec moi. Je t'aime, Madeleine !

Il me tendit les mains, prit les miennes :

— Madeleine, ma chérie, tes mains sont glacées ! Va dormir, je me contenterai du fauteuil.

— Mais, Charles, tu ne peux pas toujours...

Il me coupa, avec douceur :

— Ecoute, ne dis rien. Demain, j'irai chercher chez ta mère ton lit de jeune fille et je le mettrai dans l'autre chambre. Je dirai que tes malaises me réveillent la nuit, que cela me gêne parce que j'ai besoin de dormir après les dures journées passées au fond de la mine.

— Oh, Charles ! Tu crois que... ?

— Je la convaincrai, tu verras. Je dormirai dans ton ancien lit tout le temps qu'il faudra. Je serai patient pour te conquérir.

Soulagée pour toutes les nuits à venir, je ne me suis pas rendu compte du sacrifice qu'il s'imposait. Il me sourit, et je n'ai pas su comprendre, non plus, la tristesse infinie de son sourire.

Ainsi débuta notre mariage, sur des bases faussées. Ce n'était pas un vrai mariage, mais à moi il convenait tout à fait. Je m'installai, peu à peu, dans mon état de femme mariée sans l'être. Je m'occupais de la maison, du ménage. Tous les jours, j'époussetais les meubles pour chasser le charbon qui s'infiltrait partout. Tous les jours, je donnais un coup de serpillière au carrelage, et tous les samedis je lavais à grande eau. Je repris l'habitude de laver des vêtements de mineur. Je faisais la vaisselle, les courses, le ménage, la lessive, les repas. Je m'occupais de Charles comme s'il avait été un père, ou un frère. Je ne prenais pas garde au regard plein d'attente et d'espoir que parfois il posait sur moi. Je vivais avec Charles au lieu de vivre avec ma mère, et il n'y avait rien d'autre de changé.

Je m'habituais à notre nouvelle maison. Elle était située de l'autre côté du coron, avec une vue sur la mine différente de celle que j'avais toujours eue. Cela me changea un peu, au début, mais, là aussi, je m'habituai vite. Par contre, nous n'étions pas loin du « mont d'cheines », comme nous l'appelions, le tas de cendres que possédait chaque coron. À cette époque, le service de ramassage des poubelles n'existait pas. La plupart des déchets et les ordures ménagères étaient brûlés dans le poêle. Tous les matins il fallait, avant de l'allumer, vider les cendres au bord de la chaussée. Le cantonnier des mines venait les ramasser et les transportait sur le mont de cendres, en attendant qu'un tombereau, chaque semaine, les emmène au terril. Lorsque le vent soufflait dans notre direction, il nous amenait des nuages de poussière de cendres qui se collait partout, sur les rebords des fenêtres ou sur le linge que je mettais à sécher dehors.

Au cours du mois suivant, mes malaises disparurent peu à peu. Charles dormait dans l'autre chambre, dans mon ancien lit, et je me sentais plus détendue. Je me levais tôt le matin, pour le départ de Charles à la mine. Je lui préparais son « briquet », le traditionnel casse-croûte du mineur. Puis je faisais le ménage, les courses. Souvent Charles allait me chercher plusieurs seaux d'eau en rentrant du travail, afin de m'éviter, dans mon état, de porter de lourdes charges. Il était avec moi gentil, tendre, plein d'attentions, et moi je ne m'occupais pas de lui autrement que s'il avait été mon frère.

Plusieurs après-midi par semaine, j'allais chez ma mère et je cousais avec elle. Nous continuions ainsi à exercer notre métier de couturière, et je ramenais chez moi les finitions à faire à la main, qui occupaient mes soirées avec Charles. Lui lisait le journal, ou bien me parlait de son travail à la mine. Nos années d'enfance et nos jeux communs nous avaient rendus très proches. En somme, nous nous entendions bien. Il était passionné par son métier, il me racontait les modernisations apportées à la mine après la reconstruction des galeries détruites par les Allemands.

— Il y a l'électricité, maintenant, dans les galeries. C'est fini, l'obscurité complète. Et nos outils aussi sont modernisés ; on commence à utiliser l'électricité pour les machines.

Les premiers jours, tous les soirs, il s'extasiait, en concluant inévitablement :

— C'est beau, tout de même, le progrès !

Puis il s'habitua. Et ce qui l'avait tant enthousiasmé au début lui parut ensuite normal.

Le 1er janvier, j'eus vingt ans. J'étais mariée depuis deux mois, et rien n'était changé entre Charles et moi. Nous vivions comme frère et sœur. Charles ne me disait rien, il semblait se contenter d'une telle existence, et j'en étais satisfaite. Je me tournais entièrement vers l'attente de mon enfant.

Un événement se produisit, dans le courant du mois, qui me fit prendre conscience que mon enfant vivait en moi, et ne me permit plus de l'oublier. C'était un mardi après-midi. J'étais chez ma mère, et je cousais des boutons sur une robe pendant que ma mère était à la machine. Penchée sur mon ouvrage, attentive à faire des petits points, j'ai soudain senti mon enfant bouger. Je n'ai pas compris tout de suite. Je suis restée immobile, retenant ma respiration. Et le doux mouvement a repris. J'ai mis ma main sur mon ventre et je l'ai senti, sous ma paume, remuer doucement. J'ai été bouleversée. Pour la première fois, je réalisai qu'il était vraiment là, et qu'il vivait.

— Que se passe-t-il, Madeleine ? demanda ma mère.

J'ai tourné vers elle un regard émerveillé. Il me sembla qu'en moi une grande clarté se faisait.

— Maman, je… je crois qu'il bouge…

Emue, elle se leva, vint près de moi. Elle posa sa main près de la mienne, sur mon ventre. Et, unies par la même émotion, nous avons guetté ensemble les premiers frémissements de la vie de mon enfant.

A partir de ce jour, je m'intéressai à cet enfant que j'attendais et dont j'avais découvert la réalité. Je me rendis compte avec ravissement que je l'aimais déjà. Au fur et à mesure que les jours passaient et que ma taille s'arrondissait, j'éprouvais une sorte de plénitude heureuse. J'avais hâte qu'il fût là, tout en souhaitant en même temps que durent longtemps ces mois où lui et moi ne faisions qu'un.

Juliette venait souvent me rendre visite. Elle me demandait si j'étais heureuse, et ma réponse affirmative la rassurait. Elle me donnait quelquefois des nouvelles d'Henri, qui était toujours en Allemagne, mais cela ne m'intéressait plus. J'avais rayé Henri une fois pour toutes de mon esprit. Je n'arrivais pas à réaliser que c'était son enfant que j'attendais. En me repoussant, il l'avait rejeté, et ce n'était plus le sien. Ce serait le mien, uniquement.

Un après-midi du mois de février, Juliette et moi bavardions devant une tasse de café. Charles n'allait pas tarder à rentrer. Le chaudron rempli d'eau pour son bain chauffait doucement au bord de la cuisinière. Soudain, la porte s'ouvrit. Georges, le plus jeune frère de Charles, entra, l'air complètement affolé :

— Madeleine ! Viens vite, Charles se bat avec Albert Darent ! Viens, il faut les arrêter !

Suivie de Juliette, je me précipitai hors de la maison. Au bout de la rue, devant le carreau de la fosse, il y avait un attroupement. Je courus derrière Georges, aussi vite que me le permettait mon ventre alourdi. Lorsque j'approchai, les hommes s'écartèrent. Alors je les vis. Ils se battaient comme des brutes. Ils avaient roulé par terre et, dans la poussière, se donnaient des coups avec acharnement. Horrifiée, je criai :

— Charles ! Arrête !

Il ne m'entendit pas, ou, s'il m'entendit, ne

m'écouta pas. Avec un sanglot d'impuissance, je regardai autour de moi :

— Mais, dis-je aux autres, arrêtez-les !

L'un d'eux secoua la tête :

— Impossible de les séparer. Laissez-les, il y avait trop longtemps que ça couvait, il fallait que ça explose !

Incompréhensive, je n'osai pas questionner. Que voulait-il dire ? Que s'était-il passé ? Charles, jamais, n'avait fait allusion à Albert Darent en ma présence.

— Oh, dit Juliette, il faut faire quelque chose ! Ils vont se tuer !

J'avais peur pour Charles. Albert Darent était brutal et fort comme un taureau, et il cognait avec une rage aveugle. Je criai de nouveau :

— Oh Charles ! Je t'en supplie, arrête !

Je le vis relever la tête. Rassemblant ses forces, il donna dans la mâchoire de Darent un tel coup que celui-ci tomba dans la poussière et ne bougea plus.

— Eh bien, il a son compte, dit quelqu'un.

Charles se releva, regarda autour de lui :

— J'espère que ça lui servira de leçon, prononça-t-il clairement. Et si quelqu'un s'avise de répéter ses insinuations, il aura affaire à moi.

Il vint vers moi. Son aspect m'effraya. Dans son visage noir de charbon, du sang coulait, au niveau du sourcil gauche, et au coin de la lèvre. Un de ses yeux était enflé.

— Que s'est-il passé ? demandai-je avec des sanglots dans la voix.

— Viens, me dit-il, rentrons à la maison.

Georges et Juliette nous laissèrent seuls. Dans la cuisine, après qu'il se fut lavé, je nettoyai et pansai les plaies de son visage, et appliquai une compresse d'eau froide sur son œil qui gonflait. De nouveau, je demandai :

— Dis-moi, Charles, pourquoi t'es-tu battu ?

— C'est ce salaud, dit Charles, je ne pouvais plus supporter ses insinuations.

— De quoi parles-tu ? Quelles insinuations ?

— Si tu savais... Tous les jours, il ricanait en me

voyant, avec un air entendu, il me lançait des réflexions comme : « Alors, bientôt papa ? » Je serrais les poings et ne répondais pas. Aujourd'hui, il m'a dit : « Tu ferais bien de t'assurer qu'il est vraiment de toi, ce gosse. Moi, j'ai une autre idée sur la question. » Alors, Madeleine, j'ai vu rouge, et je me suis jeté sur lui. Tu comprends, je ne peux pas supporter qu'il parle ainsi, qu'il te salisse de cette façon.

Je baissai la tête, malheureuse, incapable de répondre. Ce qu'avait dit Albert Darent était vrai, après tout, et c'était pour moi que Charles s'était battu, pour me défendre comme il le faisait depuis notre enfance.

— Ne crains rien, Madeleine, il ne recommencera pas. Je crois que la leçon lui aura suffi.

Je ressentais une sorte de malaise, qui mit longtemps à me quitter. J'étais triste pour Charles, qui aurait, pensai-je, mérité mieux que moi. Et j'étais pleine de crainte envers Albert Darent, car je me doutais bien que, loin de se tenir tranquille, il chercherait au contraire à se venger de la défaite qu'il avait subie.

⁂

Peu après, d'autres difficultés occupèrent nos pensées. Des rumeurs de grève circulèrent de nouveau. Les salaires étaient insuffisants car les prix avaient maintenant quadruplé. De plus, le charbon, augmenté lui aussi, coûtait dix-sept francs le quintal, sans augmentation pour l'ouvrier. Le mécontentement grandissait. Au début du mois de mars, Charles, rentrant du travail, m'annonça :

— Ça y est, la grève est décidée.

Il y eut, comme à chaque fois, d'interminables pourparlers entre les syndicats et les compagnies, personne ne voulant céder. J'avais peur. Chaque grève me remettait en mémoire celle de 1906, et je revoyais les affrontements avec la troupe. Cela m'avait tellement marquée que j'appréhendais que cela pût, de nouveau, mal tourner. Je confiais mes inquiétudes à Charles.

— Mais, Madeleine, disait-il, nous ne pouvons pas

continuer ainsi. Nous sommes exploités. Ils ne voient qu'une chose : le rendement, rien que le rendement. Mais nous sommes des êtres humains, pas des machines, quand même !

Devant l'ampleur prise par la grève, qui s'étendit à tout le bassin minier, les compagnies acceptèrent d'augmenter un peu les salaires.

— Nous réclamons un salaire de vingt-huit francs par jour, me dit Charles, et ils nous offrent vingt-quatre francs cinquante. Les syndicats ne cèdent pas.

Il y eut un référendum, le 21 mars. Les mineurs, à une large majorité, se prononcèrent pour la continuation de la grève. Je m'inquiétais chaque jour davantage : où cela allait-il nous mener ? Nos économies s'épuisaient, je voyais arriver avec appréhension le moment où nous n'aurions plus rien. Les autres femmes de mineurs, comme moi, étaient soucieuses. C'était à elles qu'il appartenait de nourrir la famille, mais, sans argent, comment feraient-elles ?

Avec soulagement, nous apprîmes quelques jours plus tard que, les mineurs des bassins du Nord ayant repris le travail, la reprise était décidée aussi dans le Pas-de-Calais. Le 1er avril, la plupart des mineurs défilèrent dans les rues, avec le drapeau syndical et des musiciens qui jouèrent *L'Internationale*.

Je fus soulagée que tout fût rentré dans l'ordre. Cette grève n'avait pas été inutile, néanmoins. Outre l'augmentation des salaires, venait d'être établi le principe de l'allocation familiale, avec un franc par enfant de moins de treize ans. Ce n'était pas grand-chose, mais les mères de familles nombreuses eurent la satisfaction d'avoir un peu plus d'argent pour élever leurs enfants.

J'étais maintenant enceinte de huit mois. Ma mère venait m'aider, pour les gros travaux, car je m'essoufflais vite et avais perdu ma souplesse. Je vivais dans l'attente de mon enfant, et la nuit, seule dans le grand lit, bien souvent j'étais réveillée par les vigoureux coups de pied qu'il me lançait. Germaine, la sage-femme du village, m'avait dit :

— Il semble vigoureux. Tu auras un beau bébé, Madeleine.

J'avais été heureuse de ses paroles. Mon enfant devenait ma principale préoccupation, tout ce qui m'entourait perdait peu à peu de son importance. Je n'existais plus qu'en fonction de lui.

*
**

Il naquit le 1er mai 1920. Très tôt le matin, je fus réveillée par une douleur dans les reins, pas très violente, comme une simple colique. J'attendis un instant, et lorsqu'elle se renouvela à plusieurs reprises, je compris que le moment était venu. Je me levai, appelai Charles :

— Charles, va chercher Germaine et maman. Je crois que le bébé arrive.

Il bondit de son lit, affolé :

— Madeleine ! C'est vrai ? Tu crois que...

— Oui, Charles. Habille-toi, et va, s'il te plaît.

Il partit, et sa précipitation me fit sourire. Je m'appliquai à marcher de long en large comme me l'avait prescrit Germaine, en attendant qu'elle arrivât. Les douleurs devenaient de plus en plus fortes, mais elles étaient supportables. Je ressentais, en même temps qu'une sorte de crainte devant l'événement inconnu qui se préparait, une merveilleuse exaltation.

Dès son arrivée, Germaine prit la direction des opérations. Elle me fit marcher, encore, et lorsque la douleur augmenta, elle me fit coucher. Je n'eus bientôt plus conscience du temps qui s'écoulait. Je ne vivais qu'au rythme des contractions, de plus en plus rapprochées. A chaque fois, la souffrance atteignait un palier supérieur, ma labourait le ventre, et je me mordais les lèvres pour ne pas crier.

Ce fut long. Il était trois heures de l'après-midi lorsqu'enfin je l'entendis pousser son premier cri. Une sensation merveilleuse, ineffable, gonfla son cœur.

— C'est un garçon, dit Germaine, un beau gros garçon !

Quand ma mère me l'apporta, tout emmailloté, je le pris contre moi et regardai son petit visage avec un amour infini.

— Maman, dis-je à ma mère — et ma voix était rauque d'émotion contenue —, je voudrais l'appeler Jean…

— Merci, Madeleine, me dit-elle tout bas. Tu ne pouvais pas me faire plus plaisir…

Elle se pencha vers moi, embrassa mon front encore moite de sueur.

Lorsqu'elle se redressa, elle me dit :

— Je vais chercher Charles, maintenant. Il veut te voir. Peut-il entrer ?

Sur ma réponse affirmative, elle arrangea mon oreiller, tira sur les draps, me recoiffa.

— Voilà, j'y vais.

Elle sortit, et peu après il entra. Je le regardai, à la fois heureuse et émue. Pourtant, un petit regret vint me mordiller le cœur. Pourquoi n'était-ce pas son enfant à lui que je venais de mettre au monde, au lieu de celui d'un autre ? L'accepterait-il de la même façon ?

Il s'avança, avec précaution. Tout contre le lit, il s'agenouilla, me prit la main.

— Madeleine, dit-il tout bas, Madeleine… Tu vas bien ?

Je fis oui, de la tête. Il me regardait intensément. Puis il regarda mon enfant qui dormait, au creux de mon bras, comme un petit ange. Et d'une voix enrouée :

— Ton enfant, Madeleine… Il sera le mien.

Mes yeux se remplirent de larmes :

— Merci, Charles, merci pour tout.

— Je t'aime, Madeleine, dit-il avec ferveur. Dorénavant, vous serez deux dans mon cœur.

Heureuse, je fermai les yeux. Une agréable faiblesse m'engourdissait, et il me sembla que les lèvres de Charles se posaient sur mon visage. Je voulus rouvrir les yeux, mais je n'en eus pas la force. La main dans celle de Charles, mon enfant au creux de mon bras, épuisée, je m'endormis.

7

NOUS eûmes beaucoup de visites, mon enfant et moi. La plupart des femmes du coron vinrent nous voir et admirer Jean. C'était un bébé adorable, qui dormait la plupart du temps et ne se réveillait que lorsqu'il avait faim. Je le nourrissais, et ces moments étaient une étroite communion entre lui et moi.

Ma mère venait tous les jours s'occuper de la maison, de moi, de Charles. Elle ne se lassait pas de regarder mon fils. Comme moi, elle le trouvait très beau. Il avait un léger duvet blond sur le crâne, et des yeux très clairs, « les yeux de Charles », disaient Pierre et Jeanne. Ils étaient heureux :

— Merci, Madeleine, m'avaient-ils dit, de nous donner un petit-fils.

Je ne pouvais pas voir leur visage attendri sans éprouver un sentiment de culpabilité et de remords. Ils croyaient vraiment que mon enfant était le fils de Charles.

Mai avait apporté avec lui le soleil, et j'allais m'asseoir au bord du jardin, mon bébé dans les bras. Je restais là, retrouvant peu à peu mes forces, dans un bien-être quasi animal, envahie par une douce torpeur. Dans les champs, les alouettes chantaient de nouveau. Je les regardais monter dans le ciel bleu, et je savourais mon paisible bonheur. Je contemplais mon fils qui dormait contre moi et je m'émerveillais de sa présence.

Se pouvait-il qu'un instant d'égarement, de folie et de souffrance ait pu produire cet enfant si beau, que j'aimais déjà plus que ma vie ?

Charles me parla d'une nouvelle grève, mais cette fois-ci je reléguai cette préoccupation au second plan. Beaucoup de mineurs n'étaient pas d'accord, et des bandes de grévistes acharnés parcouraient les cités pour empêcher la reprise du travail. Cela dura une dizaine de jours, puis le travail reprit normalement. Rien n'avait été obtenu, les salaires restèrent ce qu'ils étaient.

— Je l'avais bien dit, expliqua Charles, cette grève était trop proche de la précédente. C'était inutile.

J'acquiesçai machinalement, uniquement occupée par mon enfant. Très vite, je recouvrai mes forces. Jean devenait un bébé bien portant et potelé. Sa naissance n'avait rien changé à notre situation, à Charles et à moi. Il dormait toujours dans l'autre chambre, et moi je dormais dans le grand lit, le berceau de Jean près de moi. Ainsi je pouvais le nourrir, la nuit, sans que cela réveillât Charles.

Dans la journée, je n'avais plus une minute à moi. Aux vêtements de mineur de Charles, mouillés et incrustés de charbon, qu'il fallait laver tous les jours, s'ajoutaient maintenant les langes de Jean. Je passais beaucoup de temps en va-et-vient de la maison à la pompe, car, après avoir préparé le bain de Charles, je devais recommencer pour celui de Jean. Et, en baignant Jean, j'aimais le câliner, lui parler, lui dire des mots tendres, embrasser son petit corps doux et satiné. Il y eut plus d'une fois un repas en retard, mais Charles ne se plaignit jamais. Et moi, je ne me rendais pas compte que je le délaissais. Mon enfant occupait toute ma vie, lui seul était mon univers.

Juliette venait souvent le voir. Elle aussi s'extasiait devant lui. Un jour, elle remarqua :

— Dire qu'il est mon neveu et qu'il restera un étranger pour moi ! Madeleine, je voudrais être sa marraine. Dis, tu veux bien ?

Sur le moment, je ne sus que répondre. Et puis j'acceptai. Après tout, pourquoi pas ? Juliette était ma meilleure amie. A tout le monde, nous expliquerions la chose ainsi. Lorsque j'en parlai à Charles, il ne fit pas d'objection.

— Tu fais ce que tu veux, Madeleine.

Il n'avait pas protesté non plus lorsque j'avais voulu l'appeler Jean. Comme il le disait, il me laissait faire ce que je voulais.

Pour lui faire plaisir, je demandai à son frère Georges d'être parrain. Georges accepta aussitôt, avec une joie touchante. Il avait quatorze ans, et cela lui donnait une importance dont il était fier.

Nous baptisâmes mon fils un dimanche de juin. Je l'avais, pour la circonstance, habillé de blanc, et son visage, sous le petit bonnet de dentelle, était attendrissant de fragilité. A la sortie de l'église, Charles et ses frères lancèrent, selon la coutume, des dragées que les enfants du coron ramassèrent en criant et en se bousculant. Les cloches sonnaient à toute volée, et, mon enfant dans les bras, je sentais mon cœur chanter d'allégresse, de gratitude, de bonheur.

Tout au long de l'été, les jours coulèrent, heureux, agréables. L'après-midi, je prenais mon fils, et j'allais avec lui chez ma mère. Jeanne venait nous rejoindre, et nous étions, toutes les trois, béates d'admiration devant lui. Il était notre petit prince.

Ensuite je repartais chez moi, pour préparer le bain de Charles. Il y eut plus d'une fois où, là aussi, je fus en retard. Et Charles prit l'habitude de ne plus rentrer directement, mais d'aller, à la sortie de la mine, boire un ou deux verres de bière *Chez Tiot Louis,* le cabaret des mineurs. Je n'y vis pas d'inconvénient. Tout ce que j'en retirais, c'était de pouvoir rester un peu plus longtemps avec Jean.

Il y eut son premier sourire, qui me fit fondre le cœur. A partir de ce jour, il sourit souvent, tendant ses petits bras potelés avec une expression câline et irrésistible, qui me rappelait celle d'Henri. Lorsqu'il souriait de cette façon-là, ma mère lui aurait donné tout ce qu'il voulait. Et moi, j'avais les yeux tellement fixés sur mon enfant que j'oubliais de voir ce qui se passait autour de moi.

Ce fut pourquoi je tombai des nues lorsque Georges vint me parler de Charles. C'était un jour du mois de septembre, en fin d'après-midi. Charles, après sa journée de travail, était parti aider son père à récolter les pommes de terre de son jardin. J'étais restée chez moi, et je venais de baigner Jean lorsque Georges entra. Je crus qu'il venait voir son filleul, comme il le faisait souvent, et je ne m'étonnai pas. Mais, au bout d'un moment, je remarquai son air gêné. Il se mordait les lèvres, et visiblement cherchait à parler sans pouvoir s'y décider. Intriguée, je demandai :

— Georges, qu'y a-t-il ?

Alors il se lança, d'un seul coup :

— Eh bien, voilà, Madeleine. Il y a déjà un moment que je veux te parler... Je sais bien que ça ne me regarde pas, mais je ne peux plus continuer de le voir ainsi...

Il hésita, s'arrêta. Je le pressai :

— Que veux-tu dire ?

En voyant mon étonnement, il reprit :

— C'est au sujet de Charles. Tu n'as rien remarqué ?

Les yeux ronds, me sentant complètement stupide, je dis :

— Mais... non. Pourquoi, qu'y a-t-il ?

— Eh bien, c'est assez difficile à dire, mais... Je ne comprends pas, il devrait être heureux pourtant, avec toi et Jean, et il a l'air malheureux...

— Il t'a dit quelque chose ?

— Non, non, il ne dit rien, justement. Mais il se traîne. A la mine, il travaille sans enthousiasme. Lui qui ne buvait jamais, il va tous les soirs *Chez Tiot Louis*... Ma mère aussi l'a remarqué, Madeleine, on dirait que plus rien ne l'intéresse. Elle n'ose pas t'en parler, alors j'ai décidé de te le dire. Tu ne m'en veux pas ?

— Mais... tu es sûr que tu ne te fais pas d'idées fausses ?

— Non, je suis sûr de moi. Sais-tu qu'hier, en attendant la cage pour remonter, perdu dans ses pensées, il s'est trop approché. Je l'ai tiré en arrière, en lui disant, pour plaisanter : « Fais attention, tu ne tiens pas à te faire raplatir, quand même ! » Et il m'a répondu, avec un haussement d'épaules désabusé : « Bah ! ça m'est égal... » Si tu avais vu son expression quand il a dit ça ! C'était celle d'un homme qui a perdu l'espoir.

J'éprouvais une intense stupeur. J'étais loin de me douter que Charles pût être malheureux. Il ne me confiait jamais rien. Que se passait-il donc ?

— Il fallait que je te le dise, Madeleine. Bien sûr, ce n'est pas mon problème. Mais si cette situation a un rapport avec toi, et si tu peux faire quelque chose pour que Charles redevienne ce qu'il était, je t'en prie, fais-le.

Avec l'impression d'avoir reçu un coup sur la tête, je promis à Georges de faire ce que je pourrais. Puis après son départ, je réfléchis. Je cherchai ce qui avait bien pu décourager Charles à ce point. Et je me rendis compte que, depuis la naissance de Jean, je l'avais délaissé de plus en plus. Je ne discutais même plus avec lui comme avant. Quand il me parlait de son travail, de ses problèmes de mineur, j'acquiesçais machinalement. Et il avait fini par ne plus rien me dire. Il rentrait de la mine pour aller au jardin, et ne se plaignait jamais. Je n'avais même pas prêté attention, non plus, à son silence. J'étais, avec mon enfant, dans un monde à nous, d'où Charles avait été exclu dès le début. Et dire que je m'étais promis de le rendre heureux ! Je pris l'engagement de réparer, s'il n'était pas trop tard.

Je préparai un repas soigné, faisant un plat qu'il aimait particulièrement. Lorsqu'il revint, tout était prêt. Pendant qu'il allait se laver les mains dans l'arrière-cuisine, je le regardai avec attention, ce que je n'avais pas fait depuis des mois. Je vis — comment cela avait-il pu m'échapper ? — qu'il traînait les pieds et marchait voûté comme un vieil homme accablé qui n'a plus rien à attendre de la vie. Je remarquai son visage maigre, ses traits tirés, son regard las.

Je le servis, et sa joie lorsqu'il vit que j'avais préparé un repas qu'il aimait me mit les larmes aux yeux. Non, il n'était pas trop tard. Il fallait que je réagisse. Après le repas, je l'interrogeai :

— Quoi de neuf, à la mine, depuis tout ce temps ?

Il leva vers moi un regard surpris. Je pris l'air le plus naturel possible, et il se mit à me raconter que l'après-midi même il y avait eu la descente d'un cheval au fond.

— Si tu l'avais vu, Madeleine, cette pauvre bête ! On lui a mis des courroies de cuir sous le ventre, on lui a lié les pattes, et on l'a suspendu verticalement. Quand il est arrivé au fond, on l'a amené sur le plat de l'accrochage. Mais là, ce sont des plaques de fer, et avec ses fers aux pattes, il glissait, il tombait. Si tu avais vu son affolement, son incompréhension ! On a été obligé de le tirer de force, jusqu'à l'endroit où il n'y a plus de plaques de fer, et on l'a redressé. Il roulait des yeux effrayés, il tremblait.

— Et ensuite, que s'est-il passé ?

— Nous l'avons emmené avec les autres chevaux. Il lui faudra plusieurs jours pour s'habituer, mais il s'y fera, comme les autres. J'ai toujours admiré leur résignation, et je ne peux pas m'empêcher de les plaindre. C'est vrai, nous, au moins, on remonte. Mais eux, ils passent leur vie au fond, dans le noir, dans la poussière. Ils sont aveugles, à la fin. Ils ne voient plus. Il paraît que si on les remontait, après tout ce temps, ils deviendraient fous. Ça me fait mal au cœur, tu sais ! J'aime bien mon métier, mais ça, c'est la chose la plus difficile à admettre, pour moi.

Pour la première fois depuis de longues semaines, nous avons parlé, toute la soirée. Le lendemain matin, en préparant son briquet, je lui dis :

— Charles, cet après-midi, peux-tu rentrer directement ?

Il me regarda, étonné :

— Pourquoi ?

— Je préfère que tu n'ailles plus *Chez Tiot Louis*. Reviens tout de suite. Ton bain sera prêt. Si tu veux boire une bière, je te la verserai, ici. Tu veux bien, dis ?

Ma voix s'était faite suppliante. Sans se faire prier davantage, il acquiesça :

— D'accord, Madeleine, si tu veux.

Il ouvrit la porte. Pour la première fois depuis

longtemps aussi, je me haussai sur la pointe des pieds et l'embrassai sur la joue. Il sursauta, surpris, puis il me sourit, et je vis la joie revenir dans ses yeux.

A partir de ce jour, je m'occupai de lui, je ne le laissai plus à l'écart. Je lui demandais de tenir Jean pendant que j'étais occupée, je lui racontais ses progrès de bébé. Lui se remettait à me parler de son travail, et je l'écoutais, je m'intéressais à ce qu'il me racontait. Peu à peu, je me rendis compte qu'il retrouvait sa gaieté, sa joie de vivre ; il redevenait le Charles que je connaissais depuis toujours, plein de prévenances et de tendresse, et je me sentais plus proche de lui.

Sans que je m'en rendisse compte, ma tendresse pour lui évoluait. Il y eut un jour où, lorsqu'il me dit bonsoir en m'embrassant sur le front, j'eus envie qu'il me prenne contre lui et me serre dans ses bras. Le rouge aux joues, je me détournai. Que m'arrivait-il ?

Les jours suivants, j'éprouvai plusieurs fois la même impression. Je regardais Charles avec d'autres yeux, je le découvrais. Jusque-là, je le voyais sans le voir. Maintenant, je me prenais à admirer sa haute taille, ses bras musclés, ses yeux clairs, sa mâchoire virile. J'avais envie qu'il se comportât avec moi autrement que comme un frère.

Quand il n'était pas là, il me manquait. J'avais Jean, bien sûr, mais je voulais aussi Charles. Dès qu'il revenait, je me sentais heureuse. Bientôt, je dus me rendre à l'évidence : sans m'en rendre compte, je m'étais mise à aimer Charles, j'avais besoin de lui. Notre situation actuelle ne me suffisait plus. Ce fut alors que je compris combien il avait dû souffrir depuis notre mariage.

Je fus heureuse de ma découverte. Je comprenais que l'amour n'était pas forcément une passion, une folie, un coup de foudre. Il pouvait, au contraire, grandir et croître peu à peu, sans qu'on s'en aperçoive, être fait de tendresse, de douceur, de respect. Je prenais conscience que cet amour-là, à mon insu, était venu emplir mon cœur. Et il était bien plus riche, bien plus profond, que l'amour d'adolescente que j'avais cru éprouver pour Henri.

C'était à moi d'aller vers Charles. Il m'attendait, il me l'avait dit, et le moment était venu où sa patience allait être récompensée.

Au mois d'octobre, il y avait son anniversaire. A cette occasion, je confectionnai un repas de fête, mis ma jolie nappe sur la table, et fis un gâteau. Je me fis belle, et, après avoir un peu hésité, je mis la robe que je portais le jour de mon mariage. Lorsqu'il vit tout cela, il s'étonna, à la fois surpris et ému :

— Mais... pourquoi ?

Je m'approchai de lui, rougissante :

— Bon anniversaire, Charles...

Je l'embrassai tendrement sur la joue. Nous avons pris le repas à deux, comme des amoureux. Il semblait se créer entre nous une nouvelle intimité. Dans la maison bien close, avec Jean qui dormait dans la chambre, j'avais vraiment l'impression que nous étions une famille heureuse et unie.

Après le repas, je fis la vaisselle, pendant que Charles fumait tranquillement, dans son fauteuil. Ensuite, le cœur battant, je m'approchai de lui. J'étais un peu intimidée, mais je savais ce que je voulais, et mon amour tout neuf me soutenait. Je m'assis près de Charles, et murmurai doucement :

— Charles, j'ai quelque chose à te dire...

Je vis qu'il était intrigué par l'expression de mon visage, par le sourire mystérieux que je n'arrivais pas à retenir, et peut-être aussi par l'exaltation qui devait se lire dans mes yeux. Je repris, heureuse à l'avance de la joie que j'allais lui apporter :

— Charles, c'est ton anniversaire, aujourd'hui, et je veux t'offrir un cadeau... Tu sais, lorsque tu m'as épousée, j'éprouvais pour toi beaucoup de reconnaissance, et une amitié toute fraternelle. Tu m'as dit, tu t'en souviens, que tu attendrais patiemment que je vienne vers toi. Eh bien, Charles, ce moment est venu. Si tu veux encore de moi, je suis à toi. Voilà ce que je voulais te dire... c'est mon cadeau d'anniversaire.

Je sentais monter en moi une intense émotion. Charles me regarda, et ce fut, dans ses yeux, comme si le soleil se levait. Tout son visage exprima un émerveillement, un ravissement incrédule.

— Madeleine ! C'est vrai ? Oh, Madeleine...

Il se pencha vers moi, me prit les mains, les embrassa, avec emportement, avec passion :

— Oh, Madeleine ! Si tu savais...

Sa voix tremblait de sanglots retenus. Je lui caressai la joue, avec une maladresse qui trahissait mon manque d'habitude. Il m'attira vers lui, avec douceur, et, dans ses bras, je soupirai de bonheur. Là était ma place, je l'avais compris avec certitude. Un grand apaisement me vint. Je fermai les yeux. Lorsqu'il m'embrassa, avec un mélange de timidité et de passion, notre baiser fut une promesse de bonheur.

— Madeleine, demanda-t-il encore d'une voix rauque, tu veux bien ?

— Oui, dis-je tout bas, et la gravité avec laquelle je prononçai ce simple mot lui donna la valeur d'un serment.

Alors il me souleva, m'emporta jusque dans la chambre. Charles me déposa sur le grand lit avec précaution et tendresse. Et ce soir-là, pour la première fois depuis que nous étions mariés, je devins vraiment sa femme.

Jean était un bébé sage et facile, qui grandissait sans problèmes. Il ne pleurait presque jamais. Je ne l'en aimais que davantage. Mon existence était remplie d'amour, mon amour pour Charles, et mon amour pour mon enfant. J'avais une vie très occupée, le travail ne me laissait pas beaucoup de répit, mais, entre mon mari et mon fils, j'étais heureuse.

Charles était pour moi, maintenant, un mari tendrement aimé. De son côté, il m'entourait sans restriction de tout son amour. Je n'avais qu'un seul regret, c'était que mon enfant ne fût pas aussi le sien.

Peut-être ce regret m'influença-t-il inconsciemment, et, peu à peu, me vint l'idée que l'attitude de Charles envers Jean n'était pas comme je l'aurais voulue. Elle ne me semblait pas spontanée, pas naturelle. C'était difficile à expliquer, c'étaient des petits détails qui me choquaient. Par exemple, il ne prenait jamais Jean de lui-même, il fallait que je le lui donne, alors que Pierre, ou même Georges et Julien, le levaient très haut au-dessus de leur tête pour le faire rire. Et lorsque je le lui mettais dans les bras, il paraissait gêné, incapable de s'en occuper. Puis, quand je le reprenais, il me le rendait avec soulagement et même empressement. J'étais peut-être influencée par la pensée que Jean n'était pas son vrai fils. Je me disais souvent que Charles eût certainement préféré avoir son propre fils.

Cette idée finit par ne plus quitter mon esprit. Je décidai de confier mes craintes à ma mère. Un jour où j'étais chez elle, et où nous étions seules, alors que Jean faisait sa sieste, je lui en parlai :

— Tu n'as rien remarqué, maman, au sujet de l'attitude de Charles envers Jean ?

Ma mère eut l'air sincèrement surprise :

— Non, pourquoi ?

— Eh bien, je ne saurais pas l'expliquer clairement, mais c'est une impression... Tu sais, Jean n'est pas son fils, après tout. Je me dis qu'il ne peut pas l'aimer comme s'il était le sien. Peut-il oublier qu'il est celui d'Henri ?

— C'est ton sentiment de culpabilité, Madeleine, qui te donne de telles idées. Il s'occupe de Jean, il lui parle ?

— Oui, mais avec une sorte de gêne, une réticence que je ne m'explique pas. Avec Jean, il me semble qu'il n'est pas naturel. Quand il le tient, par exemple, il me donne l'impression d'être mal à l'aise.

— Si tu avais vu la maladresse de ton père, quand tu étais bébé et qu'il n'osait même pas te prendre dans ses bras ! C'est pareil pour Charles ! Ça s'arrangera quand Jean grandira, tu verras.

Elle me raisonna longuement, et finit par me rassurer. Charles savait la vérité lorsqu'il m'avait épousée, il l'avait fait en toute connaissance de cause, et il semblait, avec Jean et moi, être parfaitement heureux. Pourquoi me torturer l'esprit, avec ce qui n'était peut-être qu'une fausse idée de ma part ?

Dans les jours qui suivirent, je m'aperçus que Jean commençait à balbutier quelques mots. Pendant l'absence de Charles, je m'exerçai à lui apprendre à dire papa. Très vite, il sut le dire. Ce jour-là, quand Charles rentra de la mine, Jean faisait la sieste. Charles se baigna, prit son repas, puis s'installa dans son fauteuil. Alors j'allai chercher Jean qui était réveillé et qui gazouillait dans sa chambre. Je le ramenai tout chaud encore de sommeil. En m'approchant de Charles, je chuchotai tout bas, à l'oreille de mon fils :

— Pa...pa..., dis Pa...pa !

Le résultat dépassa mes espérances. A Charles, qui relevait la tête et nous regardait, il tendit ses petits bras en gigotant pour m'échapper et en bégayant :

— Pa...pa ! Pa...pa !

Charles, étonné et ému, se leva et, à son tour, tendit les bras :

— Oui, mon petit Jean, dit-il, viens avec papa !

Il prit le petit contre lui, puis se tourna vers moi. Je m'approchai. Il mit un bras autour de moi et nous tint un long moment contre son cœur. Alors je me suis sentie en paix avec moi-même. J'ai compris que dorénavant, nous formerions une vraie famille.

8

L'ANNEE suivante vit l'arrivée dans notre coron des premiers Polonais. Ils vinrent en masse, de plus en plus nombreux, attirés par les compagnies françaises qui faisaient des offres de travail aux mineurs étrangers. En Pologne, ils étaient au chômage, car l'économie, en pleine transformation après la guerre, ne pouvait offrir du travail à tous. Beaucoup vinrent aussi d'Allemagne, où une crise économique sévissait. Certains Polonais, déjà émigrés en Westphalie, émigrèrent une nouvelle fois et gagnèrent la France.

En France, on avait besoin de main-d'œuvre pour relancer l'activité économique. Le charbon était, à cette époque, la principale source d'énergie. Le Comité des Houillères s'intéressait surtout aux Polonais des mines de Westphalie, qui savaient ce qu'était le travail d'un mineur de fond.

Une famille vint s'installer dans la maison située en face de la nôtre : le père, la mère et les six enfants, dont l'aînée avait à peu près dix ans et le dernier quelques mois. Ils portaient pour tout bagage quelques misérables baluchons dans lesquels ils avaient entassé toute leur richesse.

Ils se logèrent comme ils purent, avec les meubles que la Compagnie avait mis à leur disposition provisoirement. Ils semblaient perdus, ne parlaient pas un mot de français. Je les aidai beaucoup, dans les premiers temps.

J'indiquai à Martha, la mère, l'emplacement de la pompe à eau, de l'épicerie des mineurs. C'était Anna, la fille aînée, qui faisait les courses. Au début, à la boutique de Mélanie l'épicière, elle montrait du doigt ce qu'elle voulait. Progressivement, ils apprirent à parler français. Les enfants surtout, avec l'école, devinrent pratiquement bilingues, car ils continuaient de parler polonais chez eux.

Ils étaient très pauvres, bien plus pauvres que nous. J'ai longtemps vu Anna marcher pieds nus, faute de pouvoir acheter des chaussures. Elle ne possédait, comme ses sœurs, qu'une seule robe, qu'elle mettait sur l'envers pendant les jours de la semaine et sur l'endroit le dimanche seulement.

Leur arrivée fut accueillie avec quelques réticences par les Français. Charles, quelquefois, me disait :

— A la fosse, ils parlent allemand entre eux. Cela ne plaît pas beaucoup. Par moments, nous avons l'impression d'être encore en guerre et d'avoir des Allemands autour de nous.

Leur façon de vivre, aussi, causa beaucoup d'étonnement dans le coron. Chez nous, le mineur français profitait souvent du dimanche et des soirées pour cultiver son jardin. Par contre, je voyais Stephan, le mari de Martha, se reposer après son travail. En dehors de la mine, il ne faisait rien. C'était sa femme qui, en plus du travail de la maison, s'occupait du jardin. Et le dimanche, l'un comme l'autre se reposait. C'était, pour eux, le « jour du Seigneur », le repos dominical, c'était sacré.

Ils ne se nourrissaient pas comme nous. Leur nourriture était à base de charcuterie et de féculents. Peu à peu, ils s'intégrèrent, et finirent par prendre nos habitudes. Malgré tout, ils se groupèrent, et eurent bientôt leurs propres sociétés sportives, culturelles, leurs chorales, leur curé, leur club de football.

Anna fut conquise par Jean. Elle s'occupait beaucoup de ses frères et sœurs, savait s'y prendre avec les enfants. Jean l'adora bientôt. Il lui tendait les bras lorsqu'il la voyait, et bien souvent elle allait le promener.

Il avait deux ans, maintenant, et trottinait allégrement.

Il s'intéressait à tout. Je lui parlais beaucoup, et il m'écoutait gravement, essayant de répéter ce que je lui disais. Ma mère et mes beaux-parents étaient fous de lui, Charles et moi également. Ses progrès nous émerveillaient, il était pour nous le centre du monde.

Juliette aussi l'adorait. Il ne se passait pas une semaine sans qu'elle vînt le voir. Il la connaissait bien et poussait des cris de joie quand elle arrivait. Elle me parlait quelquefois d'Henri, me disait qu'il avait prolongé son séjour en Allemagne. Elle soupçonnait fort Gerda von Gerhardt, la fille du directeur, d'en être la cause. Il y avait longtemps que tout ce qui concernait Henri ne me touchait plus. Je finissais même par oublier que mon fils était le sien, je le considérais comme le vrai fils de Charles. Un jour elle m'annonça qu'Henri avait épousé Gerda, en Allemagne :

— C'était à prévoir, Madeleine. Je m'en doutais depuis longtemps. Il nous a écrit qu'il allait venir, avec sa femme. J'espère qu'elle est bien. Tu te rends compte, une Allemande ! Alors qu'il pouvait t'épouser, toi !

Cette année-là aussi, je me fis couper les cheveux. La mode des cheveux courts faisait fureur. Je l'adoptai parce qu'elle était beaucoup plus pratique. C'était une coiffure plus jeune que mon éternel chignon. Les robes, également, changèrent, devinrent plus courtes, et s'arrêtaient au mollet au lieu de descendre jusqu'à la cheville. Nous eûmes beaucoup de travail de couture, ma mère et moi, car nombreuses furent les femmes qui se firent faire une nouvelle robe.

Nous entendions parler de la téléphonie sans fil, des premiers balbutiements de la radiodiffusion. Nous voyions de plus en plus, dans les rues, des automobiles, qui continuaient à effrayer les chevaux. Le progrès se mettait en marche.

Jean grandissait. Il découvrit Noël, les vœux de Nouvel An, il connut la joie d'aller chercher, à Pâques, dans le jardin, les œufs colorés qu'y avaient déposés les cloches. En voyant son émerveillement, je me rappelais ma propre enfance et ma propre joie, et je me disais que, d'une génération à la suivante, c'étaient les mêmes petits bonheurs qui se renouvelaient.

⁂

Les années passaient. Charles et moi étions de plus en plus unis, chaque jour vécu ensemble nous rapprochait davantage. Il aimait Jean sans restriction, et le petit l'adorait. Ils jouaient ensemble tous les deux, Charles lui apprenait à jouer au ballon, il le promenait sur ses épaules. Il régnait entre eux une complicité qui me ravissait.

La reconstruction des galeries se terminait. Il fallait maintenant travailler dur pour produire beaucoup. Et la mine, une fois de plus, intervint tragiquement dans ma vie, comme s'il lui était impossible de me laisser vivre longtemps en paix.

C'était un matin du mois de mars, pendant l'année 1925. Le printemps commençait de s'installer. Il était environ huit heures et, comme chaque matin, nous étions occupées à nettoyer le ruisseau devant notre porte. Le cantonnier avait ouvert la vanne, et l'une après l'autre, au fur et à mesure que l'eau descendait la rue, nous lavions les pavés du ruisseau et poussions les saletés qui étaient reprises par la voisine, et ainsi de suite jusqu'au bout de la rue.

Nous étions toutes sur le devant de nos maisons et nous affairions joyeusement dans le soleil matinal, pleines de courage et d'entrain. C'est alors que la sirène a retenti. Je me suis immobilisée, et j'ai senti ma peau se hérisser. Malgré la chaleur du soleil dans mon dos, j'ai frissonné. Nous nous sommes toutes regardées. Dans les yeux des autres, j'ai vu l'angoisse que je ressentais.

J'ai confié Jean à Anna, et, comme les autres, j'ai couru en direction de la fosse. C'était l'affolement général, la panique. Nous courions toutes en sachant qu'une catastrophe venait d'arriver, et le fait d'ignorer laquelle rendait notre frayeur encore plus grande.

Nous nous sommes massées devant les grilles. Silencieuses, figées par l'angoisse, nous avons attendu. Jeanne vint me rejoindre. Dans son visage tendu, seuls les yeux vivaient, reflétant une telle peur, une telle anxiété, un tel tourment, que j'eus mal pour elle. Elle, c'était pour son mari et ses trois fils qu'elle tremblait, les quatre êtres aimés qui étaient toute sa vie, maintenant. Certaines, des Polonaises surtout, avaient un chapelet entre les doigts et priaient, tout bas, avec ferveur.

Quelques hommes apparurent. L'un d'eux vint vers la grille :

— Il y a eu un éboulement, dit-il brièvement. L'une des galeries est bloquée. Nous ne savons rien de plus pour l'instant.

Nos questions se pressaient :

— Est-il important ? Y a-t-il des blessés ? Des morts ?

— Nous n'en savons rien. On va aller voir. Ce n'est peut-être pas grave...

Il partit, nous laissant dans le même état d'esprit. Nous savions ce qui s'était passé, mais nous n'étions pas plus avancées. Un éboulement, ça pouvait être grave. Si une galerie entière s'était effondrée, combien de mineurs seraient enfouis dessous ?

Nous attendîmes longtemps, immobiles. Le silence n'était troublé que par les murmures des prières que certaines, inlassables, récitaient. Notre angoisse nous enveloppait.

Enfin, un remous survint. Les premières, contre la grille, annoncèrent :

— En voilà qui remontent !

Je tendis le cou pour voir. Des mineurs, en effet, traversaient la cour vers nous. Je regardai avec avidité. Charles n'était pas parmi eux. Ils sortirent, et leurs femmes se jetèrent frénétiquement sur eux, les palpant, s'assurant qu'ils n'avaient rien, pleurant de soulagement, avec des sanglots bruyants.

Les autres, dont j'étais, reprirent leur attente. Elle fut encore interminable. Et puis, de nouveau, un cri :

— En voilà encore !

Cette fois-ci, ils étaient plus nombreux. J'écarquillais tellement les yeux qu'ils me faisaient mal. Il me sembla voir Charles, et j'eus un vertige. Je n'osai y croire. Ma vue se brouilla de larmes. Je clignai des yeux plusieurs fois, regardai de nouveau, avec un mélange de peur et d'espoir. Oui, c'était bien lui qui s'avançait, au côté de Pierre avec Julien et Georges. De soulagement, de gratitude, mon cœur sembla éclater. Il vint vers moi et j'allai vers lui. Je me jetai dans ses bras, qu'il referma sur moi :

— Je suis là, Madeleine, je n'ai rien. Ne pleure pas, c'est fini...

Je ne m'étais même pas rendu compte que je pleurais. Et pourtant, les larmes ruisselaient sur mes joues, je ne pouvais plus les arrêter. Je me libérais de la frayeur que j'avais ressentie, et j'éprouvais un tel apaisement que j'en oubliais les autres. Charles était là, tout était bien. C'est à cette peur que je mesurai l'intensité de mon amour.

— Viens, Madeleine, attendons encore. Je veux savoir, pour mes autres camarades.

Je me mouchai, m'essuyai les yeux. Des sanglots tremblaient encore dans ma voix lorsque je demandai :

— Charles, oh Charles... Que s'est-il passé ?

— Il y a eu un éboulement, dans l'une des galeries. Ce n'était pas celle où nous étions, heureusement...

Jeanne vint vers nous, les yeux pleins de larmes. Elle serra Charles dans ses bras. A mon tour, j'embrassai Pierre, Julien et Georges.

— Ils sont tous saufs, dit Jeanne, quel soulagement !

Ensemble, nous avons attendu les autres remontées. Des sauveteurs étaient allés dégager la galerie effondrée, et nous apprîmes que l'éboulement ne s'était produit qu'à l'entrée et ne s'était pas étendu. Trois des mineurs qui se trouvaient là avaient été blessés. Il n'y avait pas de morts.

Les blessés furent amenés sur des brancards. Je les vis, couverts de charbon et de sang. Leurs femmes pleuraient, torturées de les voir dans cet état, mais soulagées quand même qu'ils fussent vivants.

Peu à peu, nous nous sommes dispersés, chacun rentra chez soi. Je m'occupai de Charles, ce soir-là, avec une ferveur et un amour accrus. Le fait d'avoir failli le perdre me le rendait plus précieux.

Une collecte fut organisée, dans le coron, à l'intention des blessés. Tous les mineurs y participèrent, conscients que ce qui venait d'arriver à leurs camarades pouvait, du jour au lendemain, leur arriver aussi. Ils savaient que leur métier n'était qu'un duel continu avec la mort.

J'ai vécu, à partir de ce jour, avec la crainte permanente d'une catastrophe. Chaque soir, quand Charles rentrait, j'étais heureuse et soulagée qu'il fût là. Et chaque matin, quand il partait et m'embrassait, je chassais de toutes mes forces la pensée qui me venait et qui me disait que son baiser était peut-être le dernier.

Lorsque Jean eut six ans, il fut temps, pour lui, d'aller à l'école. Je l'avais gardé avec moi le plus longtemps possible. Il n'avait pas fréquenté la classe enfantine qui était une sorte de garderie pour les moins de six ans. Il avait néanmoins beaucoup de compagnons de jeux, parmi les autres enfants de la rue, et notamment les frères et sœurs d'Anna. Il apprenait d'eux des mots de polonais ; bien souvent, pendant qu'il jouait, je l'entendais parler polonais avec nos petits voisins.

Cette année-là, à la rentrée, le cœur un peu serré, je lui préparai son cartable, l'habillai de la longue blouse grise que je lui avais confectionnée, et qui remplaçait le tablier de satinette noire de mon époque. Anna vint le chercher. Le tenant par la main, elle l'emmena, prenant son rôle très au sérieux. Je les regardai partir, comprenant qu'une page venait de se tourner. Mon enfant grandissait, il connaîtrait d'autres horizons, qui l'éloigneraient de moi. Il était fini, le temps où il était à moi, où c'était moi qui lui apprenais tout ce qu'il savait. Le regret me pinça le cœur, et je rentrai en soupirant.

A midi, il revint, enthousiaste. Le maître était gentil ; il avait reçu un cahier et un crayon, il avait joué aux billes à la récréation. Il me noyait sous un flot de détails joyeux. J'eus mal de voir qu'il s'adaptait si bien dans un monde où je n'étais pas, alors que moi, toute la matinée, je m'étais sentie perdue sans lui et n'avais pensé qu'à lui. Mais aussitôt je me reprochai ce sentiment, me rappelant mon propre enthousiasme lors de ma première journée d'école. Alors je me réjouis avec lui. Le soir, comme mon père l'avait fait avec moi, je regardai avec lui ses livres de classe. Il les montra à Charles avec une naïve fierté :

— Regarde, papa ! Bientôt je saurai lire, moi aussi.

Comme moi à son âge, il aima tout de suite l'école. Il fut très vite le premier de sa classe, et sembla apprendre sans effort. Tout l'intéressait. C'était un enfant vif, intelligent, sensible. J'étais fière de lui.

⁂

L'hiver qui suivit fut très rigoureux. Plus d'une fois, la pompe à eau, au milieu de la rue, fut gelée. Dans nos chambres, chaque matin, nous voyions, sur les carreaux des fenêtres, des fleurs de glace. Il y eut d'abondantes chutes de neige, et Jean, avec les enfants du coron, s'en donnait à cœur joie. Ils faisaient des batailles de boules de neige, construisaient des bonshommes que le froid gelait et gardait intacts longtemps. Jean revenait ensuite à la maison, les joues rouges, les yeux brillants, et j'étais heureuse de le voir heureux.

Un jeudi, jour sans école, il était parti jouer avec ses camarades, et je m'affairais à ma lessive, lorsque Anna entra, comme une tornade, l'air hagard et effrayé :

— Madeleine ! Madeleine, venez vite !

Aussitôt, je m'inquiétai :

— Mon Dieu ! Qu'y a-t-il ?

— C'est Jean ! Il est tombé, il ne bouge plus. Vite, venez !

Je cherchai mon châle et, dans mon affolement, ne le trouvai pas. Alors je sortis comme j'étais, en sueur et trempée par l'eau de la lessive. Dans la rue, je suivis Anna. Tout en courant, elle m'expliquait :

— Il y a eu une dispute. Un des enfants a traité mon frère Stanislas de « sale polack » et l'a menacé. Jean a voulu intervenir pour le calmer, mais l'autre l'a repoussé violemment. Jean a glissé sur la neige durcie et est tombé contre le trottoir. Maintenant, il ne bouge plus...

Je savais qu'il y avait souvent des disputes, et même des bagarres, entre enfants français et polonais. « Sale polack » ou « sale boche » était l'injure qui était le plus souvent lancée à la tête des Polonais. Jean, d'un naturel doux et tolérant, était jusque-là resté en dehors des bagarres. Et, pour une fois...

Un groupe d'enfants, debout, silencieux, s'écarta lorsque j'arrivai. Je le vis, allongé sur le dos, étrangement pâle et immobile. Je m'agenouillai près de lui, pris sa tête entre mes mains. Les yeux clos, il semblait sans vie. Je suppliai :

— Jean, Jean, mon chéri... C'est maman. Réponds !...

Il ne réagissait pas, et je m'affolai. Regardant autour de moi, je vis que d'autres femmes étaient sorties et observaient la scène. L'une d'elles me dit :

— Attendez, je vais aller chercher une compresse de vinaigre. Il n'est peut-être qu'évanoui, il a dû se cogner la tête en tombant.

Elle revint avec un linge imbibé de vinaigre, qu'elle me tendit. Doucement, avec précaution, je frottai le front, les joues de Jean. En même temps, je lui parlais, et je ne sais plus ce que je disais. C'étaient des mots d'amour, de tendresse, de supplication. A genoux dans la neige, je ne sentais pas le froid qui traversait mon tablier trempé et me faisait frissonner. J'étais uniquement tendue vers mon enfant, guettant désespérément sur son visage un signe de vie.

Enfin, après un long moment, il soupira et péniblement ouvrit les yeux. Son regard, vague, erra un instant avant de se poser sur moi. Il porta la main sur le côté droit de sa tête :

— Oh maman, j'ai mal... Que s'est-il passé ?

Je le serrai contre moi :

— Ce n'est rien, tu t'es assommé en tombant. Viens, rentrons à la maison.

Me relevant, je le pris dans mes bras. Les femmes et les enfants se dispersèrent. L'un d'eux vint vers moi :

— C'est moi qui l'ai fait tomber. Je vous demande pardon... Je ne l'ai pas fait exprès. Je suis content qu'il soit revenu à lui, j'ai eu si peur...

Moi aussi, j'avais eu peur. J'étais tellement soulagée que je n'eus pas le courage de le gronder. Je dis simplement :

— Que cela te serve de leçon ! A l'avenir, ne recommence plus.

— Oh non, je ne recommencerai pas !

Je rentrai chez moi, mon fils dans mes bras. Je le déshabillai, le couchai. Il était très pâle, tremblait et claquait des dents. J'eus peur pour lui et envoyai Anna chercher le médecin.

Quand il arriva, Jean était très rouge et semblait avoir de la fièvre. Sur le côté droit de sa tête, au-dessus de la tempe, une bosse gonflait, impressionnante, toute bleue.

Le médecin l'ausculta, prit sa température. Je ne pus me retenir de demander, la voix rendue blanche par l'angoisse :

— Est-ce grave ? Pourquoi est-il dans cet état ?

Il fit la moue :

— C'est un état consécutif au choc. Mais je ne pense pas que ce soit grave. Je vais donner un calmant et je reviendrai demain. D'ici là il devrait aller mieux. S'il y avait quoi que ce soit, envoyez-moi chercher.

Dans la nuit qui suivit, je sentis que je m'enrhumais. Je ne m'en étonnai pas. Je me dis que j'avais certainement pris froid lorsque j'étais sortie dans la neige sans me couvrir. Je pensai que ce serait un simple rhume et n'y fis plus attention.

Mais, après quelques jours, je toussais sans discontinuer, et j'éprouvais dans la poitrine une brûlure qui allait en empirant. A la fin, j'écoutai Charles qui me disait de faire venir le médecin. Il revint donc pour moi, m'ausculta, et diagnostiqua une bronchite. Il me donna une potion et des cataplasmes à appliquer sur la poitrine.

— Et faites attention à ne pas prendre froid là-dessus, me recommanda-t-il.

La brûlure dans la poitrine était si intolérable que je suivis ses prescriptions à la lettre. La nuit, surtout, j'avais des quintes de toux qui finissaient par m'étouffer, et j'avais l'impression qu'un foyer incandescent avait envahi mes bronches. Je pris régulièrement la potion, et mis, matin et soir, le cataplasme, bien qu'il me piquât horriblement.

Au bout de quelques jours, j'allais mieux. Je toussais, encore, j'avais encore des quintes irrépressibles, mais la brûlure avait disparu. Le médecin m'avait dit :

— C'est en voie de guérison. Continuez le traitement jusqu'à complète disparition de la toux.

Comme je me sentais mieux, je décidai d'arrêter les cataplasmes. C'était fastidieux, désagréable et douloureux, et cela me faisait perdre du temps. Je pris la potion encore une ou deux fois, et puis je l'oubliai. Je continuais de tousser mais n'y faisais pas attention, me disant que la toux finirait bien par disparaître elle aussi.

Un matin, je sortis dans l'air humide, et sentis que je frissonnais. Je fus mal à l'aise toute la matinée. Des tremblements me parcouraient le dos, et il me semblait qu'un poing me comprimait la poitrine. J'essayai de me dire que la bronchite m'avait affaiblie et de ne pas y attacher d'importance.

Toute la journée, je me sentis de plus en plus mal. Vers le soir, j'avais une horrible migraine, en même temps ma tête me paraissait étrangement légère. Je voyais Charles et Jean à travers un brouillard déformant, et parfois j'avais l'impression qu'ils s'éloignaient. Charles me dit :

— Ça ne va pas, Madeleine ? Tu es malade ?

Avec effort, je portai la main à mon front, que je sentis brûlant :

— J'ai mal à la tête. Je vais aller me coucher.

Pendant la nuit, j'eus l'impression que la fièvre me dévorait. J'étais de plus en plus malade, et j'éprouvais une difficulté croissante à respirer. Par moments, je crois bien que je perdis conscience.

Au matin, je fus incapable de me lever. J'entendis vaguement la voix de Charles qui m'appelait, et qui parlait de médecin. Et puis je ne sais plus. Je n'ai plus, ensuite, de souvenir précis. J'étais en proie à la fièvre, roulée dans des vagues brûlantes qui ne me laissaient pas un instant de répit. Un poids énorme s'était installé sur ma poitrine. Instinctivement, j'essayais de le repousser, mais je n'y parvenais pas. J'étais dans un univers où la souffrance me maintenait prisonnière.

Je délirai. J'eus des cauchemars. Je voyais un énorme dragon se poser sur moi, me regardant avec des yeux fulgurants. Avec ses griffes, il me déchirait furieusement la poitrine, et je ressentais une douleur atroce, insupportable.

J'avais aussi quelques brefs instants de lucidité, où, à travers l'écran de ma fièvre, j'entendais la voix de ma mère. Je sentais quelqu'un me redresser et me faire boire quelque chose, j'avais la sensation d'une main caressant mon front brûlant. Mais c'étaient des moments très fugitifs. Je retombais bien vite sous l'emprise de la fièvre.

Un jour pourtant, au bout d'un temps que j'étais incapable d'évaluer, je retrouvai une semi-conscience. Je me sentais encore en proie à la maladie, mais en même temps, je me rendais compte de l'endroit où j'étais. Je me voyais dans mon lit, et, pour la première fois, la pensée me venait que j'étais très malade, que j'allais probablement mourir, mais elle ne provoquait en moi aucune réaction. J'éprouvais un étrange détachement. Je flottais entre deux mondes, n'arrivant pas à reprendre pied dans le premier ni à entrer dans le second. Il me sembla qu'une grande faiblesse m'engourdissait, et je perdis de nouveau toute notion de la réalité.

Ce fut alors que je rêvai. Etait-ce seulement un rêve, ou, au contraire, ai-je réellement vécu cet instant ? Je fus d'abord plongée dans les ténèbres, et puis, sans transition, je me trouvai enveloppée d'une lumière radieuse, éclatante. J'étais dans un monde merveilleux, paradisiaque, enchanteur, où tout n'était que tendresse, lumière et bonheur. Devant moi s'étendait une grande, une immense prairie, et j'éprouvai soudain une envie irrésistible d'y courir. Je m'aperçus alors qu'il existait une frontière, invisible mais réelle, entre cette prairie et l'endroit où je me trouvais. Et derrière cette frontière, je vis mon père.

Il me regardait, et je voulus aller vers lui. Je fis quelques pas en avant, mais je dus m'arrêter, car des voix m'appelaient :

— Reviens ! Ne pars pas, reviens !

Déchirée entre ces voix qui me tiraient en arrière et mon désir d'aller rejoindre mon père, j'hésitai un instant. Mais l'attrait de ce monde enchanteur que j'apercevais était si fort que je me remis à avancer. Au moment où j'allais franchir la barrière au-delà de laquelle, je le savais, il n'y aurait plus pour moi de retour possible, un cri m'arrêta :

— Maman, maman ! Reviens, maman !

Je m'arrêtai, désespérée, incapable d'avancer davantage, et pourtant le souhaitant avec une telle force qu'elle m'était douloureuse. Dans un geste d'imploration je tendis les mains vers mon père, qui toujours me regardait, et je dis :

— Pourquoi ? Pourquoi ne puis-je pas venir te rejoindre ? Je le désire tant ! Dis, prends-moi avec toi, je t'en prie ! Puis-je venir ?

Il secoua la tête, et toute la tendresse du monde m'enveloppa tandis qu'il me disait, d'une voix douce :

— Pas encore, pas maintenant. Ne t'inquiète pas, tu viendras me rejoindre un jour. Mais plus tard, bien plus tard. Pour le moment, tu dois retourner auprès de ton mari, de ton enfant. Ils ont besoin de toi. Ta place est auprès d'eux. Va les rejoindre, va !

Alors, subitement, tout disparut. Je me retrouvai dans mon lit, extrêmement faible mais lucide. J'ouvris lentement les yeux, et je les vis. Ils étaient de chaque côté du lit, et me tenaient chacun une main. Charles avait la tête penchée, et je ne voyais de lui que ses cheveux, drus et ébouriffés. Jean, lui, avait les yeux fixés sur moi. Il s'écria aussitôt :

— Maman, maman, tu es réveillée ? Tu nous vois, tu nous reconnais ?

A ces mots, Charles releva la tête, et je pus voir qu'il pleurait. Il me regarda, et sur son visage hagard, je lus un espoir fou, incrédule. Et puis, il se jeta tout contre moi, et me serrant, sanglota sans retenue en répétant :

— Enfin, enfin ! Tu es sauvée ! Si tu savais...

Je voulus caresser sa chevelure, mais ma main était encore trop faible.

— Maman, maman, cria Jean, tu restes avec nous, maintenant, dis ? Tu ne partiras plus ? Dis, tu vas rester ?

Je les regardai, tous les deux, mes deux amours. Oui, mon père avait raison, ils avaient besoin de moi. Pour eux, je devais vivre. Je me sentis soudain sereine, apaisée, heureuse. Je souris à mon enfant, et tendrement je dis :

— Oui, je vais rester, c'est promis.

TROISIÈME PARTIE

(1926-1945)

LE CŒUR DÉCHIRÉ

1

LES années qui suivirent furent parmi les plus heureuses, les plus paisibles de ma vie. J'avais eu une congestion pulmonaire et avais failli mourir. J'aurais pu perdre Jean, aussi, si sa chute avait causé une blessure plus grave qu'une simple bosse. Et j'aurais pu perdre Charles dans l'éboulement qui s'était produit à la mine auparavant. Alors, le simple fait que nous soyons tous là, vivants, en bonne santé, et réunis, me paraissait miraculeux.

Nous formions une famille très unie, tous les trois. Jean restait notre seul enfant. J'aurais bien voulu donner à Charles un enfant qui fût de lui, je rêvais parfois d'une petite fille aux boucles blondes... Mais la Nature ne l'a pas voulu, et je me suis assez facilement résignée. Jean me comblait. De son côté, Charles ne m'en parla jamais. J'en conclus qu'il était heureux ainsi. Et, égoïstement, je me disais parfois que ce n'était pas plus mal, car je craignais que, si nous avions un autre enfant, il ne le préférât à Jean.

Nous étions arrivés à oublier totalement qu'il n'était pas son fils, le petit croyait que Charles était son vrai père, et moi je ne pensais plus que bien rarement à Henri. Juliette, qui continuait de nous rendre visite, venait de se marier avec un jeune ingénieur. Elle était folle de son mari, rayonnait de bonheur, et j'étais heureuse pour elle. Sans que je le lui demande, elle me donnait des nouvelles d'Henri. Gerda, sa femme, depuis qu'ils étaient mariés, faisait fausse couche sur fausse couche sans parvenir à mettre au monde un enfant. Je ne prêtais aux récits de Juliette qu'une attention distraite. Ce qui pouvait arriver à Henri ne me concernait plus.

Autour de nous, la vie continuait, plus agréable à mesure que les années passaient. Les prix, qui jusque-là n'avaient fait qu'augmenter, se stabilisaient alors que dans l'ensemble les salaires continuaient de progresser. Nous vivions mieux. Le charbon se vendait bien, il fallait produire beaucoup, les mineurs ne manquaient pas de travail.

Jean grandissait, adorable et charmant. Il ressemblait à mon père, il avait ses yeux, son air doux et calme. Il avait la même façon que lui de baisser la tête. Il ne me rappelait Henri que lorsqu'il souriait, d'une certaine façon, pour obtenir quelque chose qu'on lui refusait. Juliette l'avait remarqué aussi, et un jour, ne put s'empêcher de me le dire :

— Mon Dieu, Madeleine, il a le sourire de mon frère !

C'était, Dieu merci, sa seule ressemblance avec Henri. Il travaillait toujours très bien à l'école, et semblait passionné d'apprendre. Il était très intelligent, et je me désolais parfois en pensant qu'il devrait, après le certificat d'études, prendre le chemin de la mine. Il était si fin, si délicat que le métier de mineur ne me semblait pas pour lui. Pourtant, c'était ainsi. En ce temps-là, on était encore mineur de père en fils, et au lendemain du certificat d'études, le garde des mines allait chercher les garçons en âge de travailler et les recrutait d'office. J'appréhendais le moment où cela arriverait.

Ce fut l'année 1930 qui marqua la fin de cette période paisible et douce, et nous apporta le début des difficultés. Ce ne fut pas très net au début, et nous ne nous en sommes pas rendu compte tout de suite. Le charbon, peu à peu, se vendait moins bien ; des mineurs furent mis au chômage partiel, une journée toutes les deux semaines. Les primes de rendement baissèrent progressivement, ce qui faisait que, tout en effectuant le même travail, les ouvriers du fond gagnaient moins. Le mécontentement devint général, et ce fut le début de nombreuses grèves.

Ma tranquillité d'esprit disparut. Je n'aimais pas entendre parler de grève, je gardais toujours la peur de voir dégénérer les manifestations en bagarres.

Quelques années s'écoulèrent encore. Jean eut douze ans et fit sa communion solennelle. Ce jour-là, nous le fîmes photographier. Nous avons organisé un grand repas, où nous avons invité parents et amis, et où nous avons bu, mangé, dansé et chanté. Ce fut la seule fois de ma vie où je vis Charles un peu ivre.

Juliette eut un enfant, un garçon qu'elle prénomma Germain, aussi turbulent et remuant que Jean était calme et grave. Elle qui connaissait maintenant les joies de la maternité compatissait aux malheurs de sa belle-sœur qui, après bientôt huit ans de mariage, avait fait une fois de plus une fausse couche. Cette fois-ci, l'hémorragie qui avait suivi avait été si forte qu'il avait fallu l'opérer d'urgence pour la sauver. Le médecin leur avait annoncé qu'elle ne pourrait pas avoir d'enfant.

— Toutes ces fausses couches, toutes ces souffrances pour rien ! C'est triste, tu sais, Madeleine. J'ai fini par aimer ma belle-sœur, elle est douce, placide et calme. Son désespoir m'a fait mal. Henri, lui aussi, a été très déçu.

Je ne disais rien, qu'aurais-je pu répondre ? Je ne pouvais m'empêcher de penser que c'était peut-être une sorte de punition pour Henri. J'étais triste pour Gerda, qui était innocente et ne connaissait probablement pas la vérité. Mais je ne pouvais pas plaindre Henri.

Et puis vint l'année 1933, et avec elle, les difficultés de toutes sortes se précisèrent.

Ce fut d'abord une aggravation des conditions de travail. Les charbons étrangers vinrent concurrencer le nôtre, et les stocks s'accumulèrent sur les carreaux de fosses. Les compagnies obligèrent les mineurs à chômer un jour par semaine, ce qui donna encore lieu à des réductions de salaire. Ce fut aussi l'époque où commencèrent les brimades, les amendes, les menaces de licenciement.

— Ça devient pénible, disait Charles. Pour le moindre retard, la moindre maladresse, le porion nous colle une amende, et nous ne pouvons rien faire !

Le 26 novembre de cette année-là, la C.G.T. et la C.G.T.U. organisèrent la Marche des Mineurs. Dans tout le bassin, d'importants cortèges se formèrent, se dirigeant vers Arras, Béthune, Douai ou Valenciennes.

Dans le village, ils se rassemblèrent sur le carreau de la fosse, et partirent rejoindre ceux des autres puits. Charles, son père et ses frères y participèrent. Stephan, le père d'Anna, y était aussi. Il portait une pancarte sur laquelle était inscrit : « Du travail et du pain ».

— Pas la peine nous faire venir, disait-il dans son jargon, et nous promettre travail, si après on n'a plus rien !

Avec Jean, je les regardai défiler. Nombreuses étaient les pancartes, qui disaient : « Nous protestons contre la misère dans nos corons et la ruine de nos régions » ou « Contre le chômage » ou encore « Pour la défense des salaires ».

— Ils ont raison, dit Jean. Je ferai comme eux moi aussi. Après tout, ils défendent leur droit à la vie, ils veulent être considérés comme des êtres humains, c'est normal.

Le soir, Charles revint, exténué, fourbu :

— Je ne sais pas si ça servira à quelque chose. C'est la crise, rien ne va plus.

Je sentais l'inquiétude m'étreindre. Comment cela allait-il se terminer ?

Pourtant, il y avait encore de bons moments. Cette même année, au mois de juin, Georges, mon beau-frère, épousa Anna, qu'il avait souvent rencontrée chez moi, et qui était devenue une grande et belle jeune fille. Ma belle-mère me confia :

— Je suis contente qu'il se marie, contrairement à Julien qui, lui, est toujours célibataire. Mais j'aurais préféré qu'il choisisse une fille de chez nous. Je n'ai jamais pensé qu'il pourrait épouser une Polonaise...

Je la raisonnai du mieux que je pus. Je connaissais Anna, elle était douce et maternelle. Qu'elle fût polonaise ne changeait rien à ses qualités. Ma belle-mère hocha la tête, pas entièrement convaincue.

Le mariage eut lieu, par un beau jour de juin. Ils firent un cortège avec un accordéoniste et un violoniste en tête qui, ensuite, firent danser tout le monde. J'aimai beaucoup leur musique, leurs polkas joyeuses et entraînantes. Il y avait toutes sortes de gâteaux, différents des nôtres, et que je trouvai délicieux. Le repas se passa dans la gaieté. A grands renforts de *Na zdrowie !* (1), ils levaient leurs verres avant de boire. Ce fut un beau mariage, gai, bruyant, chaleureux.

Le mois suivant, un dimanche, nous sommes allés voir, à Douai, le défilé à l'occasion des fêtes de Gayant. Nous avons pris le train. Ma mère, mes beaux-parents, Julien, Georges et Anna nous accompagnèrent. J'étais aussi excitée que Jean à l'idée de voir Gayant et sa famille. Je savais, comme tous ceux de la région, que Gayant était un géant, vénéré par les gens de Douai parce qu'il avait sauvé leur ville. J'avais entendu dire qu'il était haut et impressionnant — vingt et un pieds —, mais je ne l'avais jamais vu.

A la gare de Douai, nous avons suivi le flot de gens qui, comme nous, allaient assister au défilé. Nous nous sommes arrêtés dans une rue et nous avons attendu, debout sur le trottoir. La foule, de minute en minute, se faisait plus dense. Des enfants s'impatientaient. Beaucoup demandaient :

— Il arrive bientôt ?

Peu après, nous entendîmes les tambours, qui annonçaient l'arrivée des sapeurs. Suivaient les compagnies d'archers, d'arbalétriers, et bien d'autres que je ne sus pas reconnaître. Ensuite, il y eut des sociétés de musique, puis des écoles de la ville. Puis encore des défilés de soldats, dont certains à cheval.

(1) *Na zdrowie :* A votre santé.

— C'est la garnison de la ville, me dit Charles.

Je regardais tout avec un égal plaisir. Jean me donna un coup de coude :

— Oh, maman, le joli char ! Regarde !

Un char couvert de fleurs s'avançait, tiré par un cheval fleuri lui aussi. Sa magnificence me laissa muette de ravissement. Au sommet, assise sur un coussin de fleurs, une ravissante jeune fille souriait et envoyait, du bout des doigts, des baisers à la foule qui l'acclamait. D'autres chars suivirent, tous plus beaux les uns que les autres. J'étais émerveillée, je n'avais jamais rien vu de tel.

Ensuite, il y eut un creux, et puis, comme une vague, vint, dans un brouhaha, l'annonce de celui que tous attendaient :

— C'est Gayant ! Voilà Gayant !

Je tendis le cou, pour mieux le voir. Grave, majestueux, impressionnant, il avançait lentement. C'était un énorme mannequin vêtu de rouge, qui semblait accueillir les acclamations avec une orgueilleuse placidité. Par la suite, j'eus encore l'occasion de le voir, mais ce ne fut jamais pareil. Je n'ai plus retrouvé, les fois suivantes, l'étonnement, l'admiration, le respect même, que j'éprouvai ce jour-là.

Sa femme, Mme Gayant, le suivait, tout aussi majestueuse et presque aussi grande. Venaient ensuite les enfants : Jacquot avec un costume de chevalier, sa sœur Fillion, et enfin Binbin, le plus jeune, avec ses yeux un peu louches, ses yeux « berlous » comme nous disions dans notre patois. Cela lui avait valu d'être surnommé par les gens du Nord « Ch'Tiot Tournis ». Il était, Binbin, très populaire et très aimé. En le voyant passer, les enfants hurlaient, les bras tendus :

— Binbin ! Binbin !

Et il allait vers eux, de bonne grâce. Les gens le touchaient, l'embrassaient, car la tradition voulait que le fait d'embrasser Binbin portât bonheur. Nous l'avons touché, nous aussi, quand il est passé près de nous. Dans l'effervescence du moment, comment ne pas y croire ?

Le défilé terminé, nous avons suivi la foule qui se dirigeait vers la place où étaient installés les manèges. Nous nous sommes promenés, nous avons acheté une glace. Jean, encore proche de l'enfance, voulut monter sur les balançoires, puis fit un tour de chevaux de bois.

Nous nous sommes ensuite dirigés lentement vers la sortie. Il faisait chaud, et il y avait de plus en plus de monde. Soudain, j'ai entendu qu'on m'appelait :

— Madeleine ! Madeleine !

Je me suis retournée, et j'ai vu Juliette. Elle venait vers moi. Elle m'embrassa, elle embrassa Jean.

— Bonjour, nous dit-elle. Vous êtes venus voir Gayant ? Nous aussi. Toute la famille est là-bas.

Suivant la direction qu'elle me montrait, je les vis tous. Je reconnus ses parents, et près d'une jeune femme très blonde, je vis Henri. Je ne l'avais pas revu depuis le jour tragique où il m'avait repoussée, et je le trouvai vieilli. Mais je reconnus, avec un pincement au cœur, qu'il avait toujours ce charme trompeur auquel je m'étais laissée prendre. Lui nous avait vus, aussi, mais ce n'était pas moi qu'il regardait. Avec une étrange insistance, il gardait les yeux fixés sur Jean, qu'il détaillait avec une sorte d'avidité. Mal à l'aise, je dis :

— Excuse-moi, Juliette, je dois rejoindre les autres. Nous allons à la gare pour reprendre le train.

— J'irai te voir un de ces jours, me promit-elle.

J'entraînai Jean, en marchant rapidement pour rejoindre les autres qui, dans la foule, n'avaient pas vu Juliette et avaient continué à avancer. Jean n'avait pas remarqué Henri, et je m'en félicitai. Je n'avais pas aimé la façon dont ce dernier avait dévisagé mon fils.

Le lendemain, Juliette vint me rendre visite. J'étais seule lorsqu'elle arriva. Sans préambule, elle me dit :

— Henri a vu Jean, hier.

Une appréhension me noua l'estomac. Je répondis néanmoins calmement :

— Oui, je l'ai remarqué.

— Tu sais, continua Juliette, soudain volubile, il ne l'avait jamais vu. Il a trouvé que c'était un bel enfant. Il m'a posé des tas de questions à son sujet.

— Quelles questions ? dis-je, sur la défensive.
— S'il travaillait bien à l'école, quel métier il exercerait plus tard, s'il était intelligent, et ainsi de suite. Et sais-tu ce qu'il a dit ? Il a soupiré, et il a murmuré : « Dire que je n'ai pas d'enfant, que je n'en aurai jamais maintenant, et que lui, mon propre fils, m'est inaccessible ! »
Je me cabrai :
— C'est sa propre faute ! Tu le sais comme moi, Juliette. Il m'a repoussée, il n'a pas voulu de cet enfant que j'attendais. Il est trop tard, maintenant.
— Oui, je sais bien, soupira Juliette. Il est trop tard, tu as raison.
Après son départ, le malaise que j'éprouvais depuis la veille augmenta. Je n'en parlai pas à Charles, car je n'aurais pas su exprimer clairement ce que je ressentais. J'essayai de me rassurer en me disant que Jean était mon fils et celui de Charles, et qu'Henri n'y pourrait rien changer. Mais je sentais que ça ne s'arrêterait pas là.
J'avais raison. Quelques jours passèrent, et puis Juliette revint me voir, à un moment où, encore une fois, j'étais seule. Elle était avec son fils, qui commençait à marcher et trottinait partout. Elle parla de choses et d'autres, et soudain se décida.
— Madeleine, me dit-elle, j'ai quelque chose à te demander de la part d'Henri.
Tout de suite, je m'inquiétai :
— Qu'est-ce que c'est ?
— Eh bien, voilà... Il voudrait te parler... C'est au sujet de Jean.
— Je m'en doutais... Je le savais... Que veut-il ? Le sais-tu, Juliette ?
— Non, je ne sais rien. Il ne m'a rien dit. Il m'a simplement dit qu'il voulait te voir ; il a une demande à te faire.
Troublée, je murmurai :
— Qu'est-ce que ça peut bien être ? Oh, Juliette, ne peut-il me laisser tranquille ?
Elle haussa les épaules, impuissante :

— Je t'aime bien, Madeleine, mais j'aime bien mon frère aussi. Tu sais que ma belle-sœur ne peut plus avoir d'enfant. Henri ne s'en console pas. Depuis qu'il a vu Jean, il ne pense plus qu'à lui.

— Il n'est plus son fils ! Il n'a pas voulu de lui. Il est trop tard, tu peux le lui dire, Juliette.

Sans le vouloir, je m'énervais. Elle fit un geste d'apaisement :

— Attends de savoir ce qu'il te demande... Il t'attendra demain, devant le portail. Il préfère ne pas venir ici, pour ne pas faire jaser.

— Demain ? Quand ?

— En début d'après-midi. C'est ce qu'il m'a chargée de te transmettre. Il espère que tu viendras. Il a insisté pour que je te dise qu'il ne voyait que l'intérêt de Jean.

En moi, plusieurs sentiments se mêlaient. Révolte, inquiétude, agacement. Jean était mon fils et celui de Charles. Pendant treize ans, Henri s'en était désintéressé, et puis, subitement, il intervenait de nouveau. Pourquoi ? Il m'avait fait suffisamment de mal, j'avais réussi à le rayer de ma vie, et je refusais qu'il vînt, de nouveau, perturber mon existence.

— Que décides-tu, Madeleine ? Tu iras ?

Je secouai la tête :

— Je ne sais pas. Je ne crois pas. Dis-lui de me laisser tranquille. Pour lui, il est trop tard.

— Vas-y, au moins, que tu saches ce qu'il te veut...

— Je ne sais pas, Juliette, je vais réfléchir.

Juliette se leva, prit son fils dans ses bras :

— J'ai rempli mon rôle de messagère. Maintenant, tu feras ce que tu voudras. En tout cas, demain, vers deux heures, il t'attendra.

Sur ces mots, elle m'embrassa et partit. Je restai troublée, torturée par l'indécision. Irais-je, n'irais-je pas ? Je décidai que je n'irais pas. En ne me voyant pas le lendemain, Henri comprendrait que je désirais qu'il me laissât en paix.

Quand Charles revint, je ne lui parlai de rien. J'avais décidé de répondre à la demande d'Henri par le silence et le mépris. Il était inutile que Charles fût tourmenté avec ce problème. Il avait déjà bien assez d'ennuis à la mine ces temps-ci, avec les amendes et les menaces de déclassement qui pleuvaient.

Je ne dis donc rien, mais, cette nuit-là, je ne dormis pas.

Je compris que je n'aurais pas de paix tant que je ne saurais pas ce qu'Henri voulait. Alors je décidai que j'irais, le lendemain, le retrouver devant le portail de la maison de Juliette.

Ce fut les mains moites et le cœur battant d'appréhension que j'allai au rendez-vous d'Henri. De loin, je le vis. Il était appuyé au portail, et m'attendait en fumant une cigarette. Cela me rappela la période où j'avais été amoureuse de lui, et j'éprouvai de l'amertume en pensant combien j'avais été une proie facile, naïve comme je l'étais. Mais maintenant il n'en était plus de même. J'étais beaucoup plus lucide, je savais ce qu'il valait, et, surtout, je ne l'aimais plus.

Il me vit approcher, jeta sa cigarette. Je m'arrêtai à quelques pas de lui, le détaillant froidement. Il avait vieilli, mais n'en était pas moins beau. A l'approche de la quarantaine, de fines rides burinaient son visage, et des cheveux gris argentaient ses tempes. Il me regardait, lui aussi, et je découvris dans son regard une sorte d'inquiétude qui me fit soupirer de soulagement. J'avais eu peur de le trouver arrogant, sûr de lui ; au contraire, je découvrais qu'il était mal à l'aise et semblait embarrassé. Cela me donna du courage pour attaquer. Je fus heureuse d'entendre que ma voix ne tremblait pas lorsque je dis, avec une sorte de brutalité :

— Voilà, je suis venue. Alors, qu'y a-t-il ?

D'une voix douce, presque humble, il répondit :

— Bonjour, Madeleine. Je te remercie d'être venue. Je dois te parler, c'est important...

J'attendais, droite, raide, figée, sans un mot. Il sourit, d'un sourire infiniment triste, et fit un geste d'impuissance :

— Tu ne m'aides pas beaucoup, avec ton attitude de juge. Je te demande, néanmoins, de m'écouter, sinon avec indulgence, du moins objectivement. Je sais bien que cela ne te sera pas facile ; j'ai mal agi envers toi, et tu as tout à fait le droit de m'en vouloir. Je ne l'ai pas compris alors, je le comprends maintenant. Il aura fallu toutes ces années, tous ces espoirs déçus...

Il se tut, baissa la tête. Il parut, un moment, plongé dans ses pensées. J'attendais, toujours digne, sans un geste. Alors il me regarda, et, une supplication dans les yeux, se mit à parler :

— Depuis que j'ai vu Jean, je ne vis plus. Le simple fait de le voir m'a été une révélation. J'ai compris ce que j'avais perdu, en te repoussant, autrefois. Si je pouvais revenir en arrière, combien mon attitude serait différente ! C'est affreux, Madeleine, d'être conscient d'avoir, par ma faute, perdu mon propre fils... Et de me dire que je n'en aurai pas d'autre, maintenant que Gerda...

De nouveau, il se tut. Je refusai de me laisser attendrir. Froidement, je répondis :

— C'est pour me dire cela que tu m'as fait venir ?

Il releva la tête :

— Non, pas pour cela. Je sais bien que Jean est ton fils, et c'est toi uniquement qui décideras. Voilà ce que je veux te demander : Juliette m'a dit que Jean travaille bien à l'école, qu'il est intelligent, qu'il aime étudier. Envisages-tu de le laisser continuer, ou vas-tu lui faire quitter l'école pour la mine ?

J'eus un sursaut de révolte :

— Cela ne te regarde pas. Tu n'as pas à décider de la carrière de mon fils. Si tu voulais t'en occuper toi-même, il fallait y réfléchir avant.

— Je le sais bien, Madeleine. Mais c'est pour Jean que je parle. S'il est doué pour les études, ne penses-tu pas que c'est un crime de l'envoyer travailler au fond de la mine ?

En moi-même, je reconnus que ce qu'il disait était vrai. L'instituteur de Jean m'avait dit pratiquement la même chose. Néanmoins, devant Henri, je refusai d'en convenir. Je dis, simplement :

— Jean a encore une année scolaire à faire. Ensuite, quand il aura quatorze ans, nous verrons.

— Va-t-il continuer ses études, Madeleine ?

Je haussai les épaules, agacée, et me décidai à expliquer :

— Je n'en sais rien encore. C'est très difficile, pour un fils de mineur. Les études coûtent cher. Et puis, être mineur de père en fils, c'est la règle, tu le sais bien. Dans une famille, dès qu'un garçon a quatorze ans, le garde des mines vient le recruter. Si le garçon refuse, la Compagnie licencie son père, ses frères, toute sa famille si besoin est. Tu sais bien que ça se passe de cette façon. Alors, pourquoi me poses-tu une telle question ? Ai-je le choix, dis-moi ?

— Oui, ce choix, je peux te le donner, si tu le veux.

Je le regardai, sceptique :

— Que veux-tu dire ?

— Eh bien… Vois-tu, Madeleine, la seule pensée de Jean travaillant au fond me rend malade. S'il est doué pour les études, il faut l'encourager dans ce sens. Et s'il ne veut pas quitter le milieu de la mine, il peut faire des études d'ingénieur. Alors, voilà à quoi j'ai pensé : quand il aura quatorze ans, il quittera l'école primaire. Confie-le-moi. Je paierai ses études, je m'occuperai de lui…

Violemment, je le coupai :

— Ah non ! Tu n'auras pas mon fils ! Ne cherche pas à me le prendre, sous prétexte que tu viens de t'apercevoir qu'il existe !

Il eut un geste d'apaisement :

— Mais je ne cherche pas à te le prendre. Ce sera toujours ton fils. Si tu veux, je ne lui dirai rien. Nous lui ferons croire que c'est Juliette qui, en tant que marraine, lui paie ses études. Si tu es d'accord, il sera pensionnaire, au lycée où moi-même j'ai fait mes études. Je connais le directeur, il acceptera de le prendre sans problème. C'est mon fils, après tout. Même si je ne le lui dis pas, ce que je te promets, j'aimerais le connaître, l'aimer et me faire aimer de lui. Je voudrais que, par la suite, il puisse travailler avec moi, me seconder, comme je l'ai fait avec mon père. Ne refuse pas, Madeleine...

Je comprenais qu'il avait déjà tout prévu, qu'il espérait mon accord pour enrôler mon fils, le prendre sous sa coupe, lui faire connaître son monde à lui, ce monde de luxe et de facilité si différent de la vie à laquelle Jean était habitué, une vie basée sur un labeur incessant et la sueur quotidienne. Et mon Jean, si pur, si tendre, se laisserait peut-être entraîner, corrompre, préférerait la vie que lui offrirait Henri. Peut-être nous mépriserait-il, Charles et moi ? Je ne pourrais pas le supporter. Je dis avec netteté :

— Non, Henri, je ne veux pas. Tu l'as refusé dès le départ, cet enfant, il est trop tard maintenant.

Il soupira avec découragement :

— Tu es dure, Madeleine. Si tu savais comme je regrette mon attitude d'autrefois... Dans la mesure du possible, je voudrais réparer, donner sa chance à Jean. Je voudrais qu'il puisse être ce qu'il aurait été si je t'avais épousée...

— Mais tu ne m'as pas épousée. Tu m'as laissée tomber, sans te préoccuper de ce que je deviendrais. Et maintenant, parce que tu n'as pas d'enfant, tu viens me réclamer mon fils. C'est trop facile ! Tu n'as aucun droit sur lui, ce n'est plus ton fils, c'est le nôtre, uniquement, à Charles et à moi.

Le reproche que je lus dans ses yeux me fit mal, malgré moi. Mais je refusai de m'apitoyer. Et surtout, je ne voulais pas prendre le risque de perdre Jean.

A voix basse, il supplia :

— Madeleine, je t'en prie, ne dis pas non...

Je ne pus m'empêcher de demander :

— Et ta femme, que dit-elle ? Elle est au courant ?

— Oui, je lui ai tout dit. Elle ne formule aucune objection. Elle est plus compréhensive que toi. Elle qui n'a pas pu me donner d'enfant ne se sent pas le droit de me priver de mon fils, même s'il n'est pas le sien.

— C'est non, Henri. Et je voudrais que tu me laisses tranquille. Tu as failli briser ma vie. Malgré tout, j'ai réussi à être heureuse. Alors, ne viens pas tout détruire à nouveau.

Il soupira, une nouvelle fois, et me demanda :

— C'est ton dernier mot, Madeleine ?

— Oui.

— Je n'irai pas contre ta volonté. Comme tu me l'as fait remarquer très justement, ce n'est plus mon fils, j'ai perdu tout droit sur lui. Pourtant, je pourrais donner des ordres pour qu'il ne soit pas pris à la mine. Mais je ne le ferai pas. J'espère par là te prouver ma bonne volonté, j'espère que tu réfléchiras encore, que tu changeras d'avis. Si jamais tu le fais, pense que je serai là, prêt à faire tout ce que je t'ai dit. D'ici là, ne crains rien, je te laisserai en paix.

— C'est bien vrai ? J'ai ta promesse ?

— Oui.

Je ressentis un immense soulagement. Je pourrais continuer à vivre, heureuse, entre mon mari et mon fils. Je dis simplement :

— Merci.

— Ne me remercie pas. J'espère te prouver ainsi ma bonne foi. Je ne ferai rien contre ta volonté, je le répète. Mais pense à ce que je t'ai dit, Madeleine...

Je n'ai pas répondu. J'étais incapable de lui donner un espoir alors que je savais que je ne changerais pas d'avis. Pourtant, c'était vrai qu'il fallait peut-être laisser sa chance à Jean. Honnêtement, je ne le voyais pas, moi non plus, au fond de la mine. Mais je ne pouvais me résoudre à accepter l'offre d'Henri. De plus, pourquoi perturber Jean ? Il était heureux entre Charles et moi, dans le coron où il avait ses amis. Ce milieu était le sien. Il ignorait jusqu'à l'existence d'Henri, et pour rien au monde je ne lui aurais appris la vérité.

Le soir, j'étais si agitée que Charles s'en aperçut. Il attendit que Jean fût au lit ; alors seulement il m'interrogea :

— Qu'y a-t-il, Madeleine ? Je vois bien que quelque chose te contrarie !

J'hésitai un instant. Nous étions si proches l'un de l'autre que je ne pouvais espérer lui cacher longtemps que j'étais tourmentée. Je me décidai à lui dire la vérité. Je lui racontai tout, et il me fut doux de me libérer de mon inquiétude. Je lui parlai de l'offre d'Henri, lui expliquai mon refus, espérant que Charles m'approuverait et s'indignerait de la démarche d'Henri. Il m'écoutait gravement, en fumant une cigarette. Lorsque je me tus, il resta un moment silencieux et pensif.

— Eh bien, c'est tout ce que tu trouves à dire ? demandai-je avec une sorte d'impatience.

Il leva sur moi un regard grave :

— Je réfléchis, Madeleine. Le problème est sérieux, c'est de Jean qu'il s'agit, de son avenir. C'est à lui qu'il faut penser, avant tout.

— Et tu accepterais de laisser Henri s'immiscer dans sa vie, dans notre vie ?

Il hésita :

— C'est que… tu vois, Madeleine, je pense à Jean. Je ne sais pas s'il faut refuser ce qui est après tout une chance. Moi je ne pourrai jamais lui donner ce qu'il pourrait obtenir d'Henri…

— Mais comprends donc qu'Henri s'est simplement rabattu sur Jean parce qu'il n'a pas d'enfants ! S'il avait eu un fils, il aurait continué à ignorer le nôtre…

— Sans doute. Mais il n'en est pas moins vrai que, pour Jean, il y a là une chance qu'il ne faut peut-être pas laisser passer, de crainte de le regretter plus tard. Ne crois-tu pas ?

Il vit mon geste de dénégation, mon air farouche et buté.

— Je te laisse décider, Madeleine. Je ne veux pas t'influencer. Cela dit, moi aussi, je préférerais garder Jean avec nous, l'emmener avec moi à la mine, plutôt que de le confier à Henri. Mais je crains que ce ne soit là une réaction purement égoïste.

Je n'ai rien dit, sentant peut-être qu'il avait raison. Nous en sommes restés là, mais je n'étais pas satisfaite. J'aurais voulu que Charles m'approuvât, entièrement. Mais il s'efforçait de voir le problème d'un point de vue objectif, et cela me donnait mauvaise conscience.

Cette nuit-là, je dormis peu. J'essayais, comme Charles, d'être objective, mais je n'y arrivais pas. Je décidai de demander conseil à ma mère.

Le lendemain, j'allai chez elle. Lorsque j'arrivai, Jeanne était là. Elle parlait de Pierre, qui allait prendre sa retraite l'année suivante.

— Il est temps ! disait-elle. Il s'essouffle de plus en plus, et éprouve des difficultés pour respirer. Il dit que ses poumons sont si encrassés qu'ils ne peuvent plus fonctionner normalement.

J'écoutais distraitement, j'attendais de me retrouver seule avec ma mère. Lorsque Jeanne partit enfin, je me lançai :

— Maman, j'ai un conseil à te demander.

Une nouvelle fois, je racontai tout. Lorsque j'eus terminé, comme Charles, elle hésita :

— C'est très difficile de donner un conseil sur un tel problème…

Je m'impatientai :

— Essaie de t'imaginer à ma place. Que ferais-tu ?

Elle me regarda :

— Je crois que je réagirais comme toi. Mais est-ce sage ? Pense que tu condamnes ton fils à être mineur toute sa vie, alors qu'il peut faire de brillantes études.

— Mais je ne veux pas, justement, que cette situation, il la doive à Henri. Je préfère le savoir mineur. Ce n'est pas déshonorant, loin de là. Nous sommes une famille de mineurs. Jean suivra la tradition, voilà tout.

— J'ai une autre idée, Madeleine. Si tu demandais son avis, à Jean ?

Je secouai la tête :

— Non, je ne le ferai pas. Je ne veux pas le mettre devant un tel choix. S'il accepte, j'aurai le cœur brisé. S'il refuse, j'aurais toujours peur qu'un jour il n'en vienne à le regretter. Tandis que là il ne saura pas qu'il pouvait choisir. Il s'attend à aller, comme ses camarades, à la fosse dès le certificat d'études. Il est même déjà fier à l'idée de marcher sur les traces de son père, de son grand-père.

— Oui, qu'il reste dans son milieu. Tu as raison,

Madeleine, n'en fais pas un étranger. Il a toujours vécu parmi nous, là est sa vraie place.

Je fus heureuse de voir que l'avis de ma mère rejoignait le mien. En moi s'ancrait une résolution farouche : je garderais mon fils, je le refuserais à Henri.

Quelques jours plus tard, Juliette vint chez moi. Je me doutais bien qu'elle me reprocherait mon attitude. Je ne me trompais pas.

— Henri m'a tout raconté. Comment peux-tu lui refuser ? Ne refuse pas, Madeleine, pense à Jean.

— Et toi, tu ne penses pas qu'Henri exagère un peu ? Après nous avoir ignorés pendant treize années, il se souvient subitement qu'il a un fils !

— Justement ! Il regrette ce qu'il a fait. Ce qu'il voudrait, c'est réparer, dans la mesure du possible. Il ne veut pas que Jean subisse les conséquences de sa lâcheté d'autrefois.

— Jean est mon fils et celui de Charles. Henri n'a rien à y voir.

Elle insista, longuement. Mais plus elle insistait et plus je m'obstinais dans mon refus. A la fin, je lui dis :

— C'est Henri qui t'envoie, en espérant que tu me feras changer d'avis ?

— Non, ce n'est pas lui. C'est moi, parce que je pense à Jean. Et si je les lui payais, moi, ses études ?

— Oh non ! Je te soupçonnerais trop d'être de mèche avec Henri. Laisse-moi, Juliette. Je n'interviens pas dans ta vie, et je te demande de faire de même pour moi.

Elle se leva, à la fois triste et peinée :

— Bien, je ne t'en parlerai plus. J'espère néanmoins que tu changeras d'avis...

Elle me quitta, un peu froidement. Cela m'était égal. Tout ce que je voulais, c'était qu'on me laissât vivre en paix, entre mon mari et mon fils.

2

UN jour de la semaine suivante, Charles rentra du travail avec un œil à moitié fermé et une arcade sourcilière fendue. Je m'affolai :

— Mon Dieu, Charles ! Que s'est-il passé ?

— Ne t'inquiète pas, Madeleine. J'ai dû faire taire Albert Darent, encore une fois. C'est un véritable poison. Je passais en face de *Chez Tiot Louis* quand je l'ai entendu parler de toi. Je me suis approché. Il m'a interpellé, me conseillant de mieux te surveiller. Il racontait à tous les autres que tu avais des rendez-vous avec Henri Fontaine pendant que j'étais à la mine.

— Oh !

— Je n'ai pas pu supporter ses ricanements, ni ses insinuations. Ça a été plus fort que moi. Je lui ai ordonné de retirer ce qu'il venait de dire, et comme il refusait, nous nous sommes battus.

Une fois de plus, j'étais inquiète. Comme je payais cher encore un instant d'égarement ! N'y aurait-il jamais de répit ? Je me méfiais d'Albert Darent. Il était méchant, sournois. Je savais qu'il cherchait à me nuire, depuis l'incident du sac de pissenlits de notre enfance. Il avait la rancune tenace, et j'avais peur de lui.

Je pansai Charles. A Jean qui s'inquiétait de l'état de son père, Charles expliqua qu'il s'était cogné, au fond, contre une berline. Le petit accepta cette explication sans discuter, et devant sa confiance j'eus honte. Si

Charles s'était battu, cette fois encore, c'était de ma faute. Quand donc tout cela allait-il finir ?

Anna, le lendemain, raviva mes craintes. Georges lui avait raconté l'incident et le combat entre Charles et Albert, auquel il avait assisté. Après la bataille, Albert Darent s'était relevé. Georges avait entendu qu'il disait, avec un regard haineux pour Charles :

— Je me vengerai !

Anna essaya de me consoler :

— Si ce qu'Albert Darent raconte sur toi est faux, tu n'as rien à te reprocher. Alors que crains-tu ?

Je ne pouvais pas lui dire la vérité. Comment aurait-elle pu se douter que ma vie n'était pas aussi simple qu'elle le paraissait ?

⁂

D'autres problèmes, plus généraux, vinrent s'ajouter à nos ennuis personnels. Nous étions en 1934, et les conditions de travail et de vie se dégradaient. Les amendes pleuvaient sur les mineurs, pour un rien, et la paie était réduite. Le charbon ne se vendait plus, le chômage s'installait. Si un mineur n'était pas content, ce qui arrivait souvent, les amendes étant abusives, on lui disait : « Si ça ne te va pas, tu peux aller ailleurs ! » ou encore : « Si tu n'es pas content, tes quatre feuilles sont prêtes. »

Les quatre feuilles, c'était l'avis de licenciement, sans préavis. Aussi, personne n'osait protester trop violemment, mais la révolte couvait.

Avec les prix qui augmentaient et les salaires amputés par les amendes, il devenait de plus en plus difficile de vivre. Mon travail de couturière ne rapportait plus beaucoup ; les gens avaient trop de difficultés pour pouvoir commander des vêtements. Ce fut une époque où nous avions juste le nécessaire pour vivre. Nous ne mangions pas souvent de la viande, en ce temps-là. En préparant le café le matin, j'en prenais un tout petit peu et je remplissais la cafetière pour toute la journée.

Charles me parlait de la tension qui régnait à la mine.

Il me disait qu'ils étaient considérés comme des esclaves ; on les faisait travailler dur pour un salaire de plus en plus faible, dans un climat de brimades, de vexations, qui peu à peu devenait intolérable.

Il y eut des réunions syndicales, des manifestations, des menaces de grève. Mais, bien souvent, la compagnie envoyait les gardes mobiles pour dégager les carreaux de fosses. Ces mêmes gardes mobiles relevaient les noms, lors des réunions.

— Ça devient intenable, soupirait Charles. Nous n'avons plus aucune liberté, nous ne voyons aucune issue. Ça va vraiment mal.

Ce fut pendant cette période d'insécurité et de malaise que Jean fit ses débuts à la mine. Avec la crise, on embauchait beaucoup moins, mais il put entrer au triage, en remplacement d'une jeune fille qui avait quitté son emploi pour se marier.

Il partit, le premier matin, avec Charles. Mon cœur se serra en voyant son petit visage pâle et crispé. J'étais aussi contractée que lui. Le soir, quand je le vis revenir, avec son visage encore enfantin tout noirci de charbon, j'eus mal. Je ne le reconnaissais pas, il me semblait étranger. Déjà, il ne m'appartenait plus, la mine me le prenait.

Au début, pour lui et pour moi, ce fut très dur. Ses mains, encore tendres, se couvrirent d'ampoules et saignèrent. Comme c'était l'été, il ne souffrit pas du froid. Mais il eut les yeux rouges, irrités par la poussière de charbon. Peu à peu, la peau de ses mains durcit, des callosités se formèrent. Avec le charbon qui s'incrustait sous les ongles, il eut, à son tour, des mains de mineur.

Il s'habitua, même si ce fut dur. Si un regret me venait parfois quand je me disais que j'aurais pu lui éviter cela, il ne durait jamais bien longtemps. Jean ne se plaignait pas, il acceptait son sort avec fatalisme. Et, quand je le voyais partir, le matin, au côté de Charles, mêlé aux autres hommes de la mine, je me disais que tout était bien ainsi.

***

Ce fut aussi la période où il y eut le renvoi de nombreux mineurs polonais, à cause du chômage. Ce fut dramatique. Je ne peux pas l'évoquer sans un sentiment de malaise et de honte. Furent visés plus particulièrement ceux qui participaient aux grèves, qui militaient aux syndicats. Stephan, le père d'Anna, fut un de ceux-là. Charles rentra un jour du travail, furieux :

— Stephan vient d'avoir son avis d'expulsion ! Il venait à peine de remonter, il a appris qu'il devait partir, dans les quarante-huit heures, avec toute sa famille !

Je courus en face. Martha pleurait. Stephan, assis sur une chaise, encore en tenue de travail, regardait un papier qu'il tenait dans ses mains d'un air hébété. Ses deux fils qui travaillaient avec lui à la mine semblaient atterrés. Les deux plus jeunes pleuraient avec leur mère. C'était un tableau d'une désolation infinie.

Stephan leva sur moi un regard égaré :

— Madeleine ! Nous devoir partir, renvoyés. Où aller ? En Pologne, pas de travail. Quoi faire ?

Je soupirai, essayai de consoler Martha. Anna, prévenue par Georges, accourut :

— Oh, maman, papa ! Ce n'est pas possible !

Elle entoura Martha de ses bras. Je les laissai, consciente de ne pouvoir les aider.

Le lendemain, ils firent leurs bagages. Ils ne pouvaient pas prendre leurs meubles, et essayèrent de les vendre. Ils furent obligés de les céder à un prix dérisoire, alors qu'ils avaient tant besoin d'argent. En particulier une belle armoire. Je savais que Martha avait économisé longtemps pour pouvoir l'acheter. Elle avait coûté six mois de travail à Stephan. Ils s'apprêtaient à la liquider au dixième de sa valeur. Je ne pus le supporter. J'allai chercher la boîte en fer-blanc dans laquelle je gardais précieusement nos économies, en prévision des moments difficiles. Je demandai à Martha combien avait coûté son armoire, et lui donnai la même somme :

— Voilà, je l'achète.

Elle me regarda, incrédule d'abord, puis elle comprit. Elle me serra dans ses bras, me remerciant, dans son émotion, en polonais :

— *Dzienkuje,* Madeleine... Oh, *dzienkuje !*

Le soir, Charles m'approuva. Avec l'aide de Georges et de Julien, il transporta l'armoire dans la chambre de Jean. Elle y est encore. Elle me rappelle, si je pouvais l'oublier, cette période difficile et triste, la période noire de l'histoire des mineurs.

Le lendemain matin, Anna et moi nous les avons accompagnés à la gare. Des gardes mobiles surveillaient le départ, et leur présence ressemblait à une menace. Il y eut des scènes déchirantes. Beaucoup de familles étaient là, avec leurs baluchons, et des enfants pleuraient.

Anna voyait partir toute sa famille, et ignorait totalement si elle la reverrait un jour. Elle embrassait sa mère, ses frères, sa sœur. Stephan la serra contre lui avec une sorte de sanglot silencieux. Je les embrassai, moi aussi, incapable de prononcer un seul mot. Aucune parole ne pouvait leur apporter de consolation.

Partout, autour de nous, c'étaient des adieux émouvants. Lorsque le train arriva, les gardes mobiles durent les obliger à monter, et séparer de force certains d'entre eux qui n'arrivaient pas à se quitter.

Mon cœur saignait pour eux. Je m'imaginais, à leur place, obligée de laisser mon foyer, mes amis, des parents, de partir vers l'inconnu, et je ressentais leur désespoir, leur révolte, leur angoisse.

Je les ai regardés partir, et ils n'ont jamais su — comment l'auraient-ils pu ? — à quel point leur départ m'a marquée. Longtemps après, je pensais encore à eux, et je me demandais ce qu'ils avaient pu devenir. Bien des mois plus tard, Anna reçut une lettre de sa mère. Le train s'était arrêté à la frontière belge, et les avait abandonnés là. Ils avaient réussi à s'installer dans le bassin du Hainaut, où Stephan et ses deux fils travaillaient comme mineurs, dans une mine de charbonnages belges.

Mais pour les autres, tous les autres, je n'ai rien su. Il y eut beaucoup de départs ; chaque semaine, un convoi partait. Cela ne s'arrêta que lorsque les compagnies estimèrent que l'effectif des mineurs était redevenu juste nécessaire.

Dans la maison d'en face, libérée par le départ de Stephan et Martha, vint s'installer une autre famille. Il y avait cinq enfants. Marcelle, la petite dernière, qui n'avait que quatre ans, devint ma petite amie. Elle était la plupart du temps chez moi à me tenir compagnie. Quand Charles et Jean étaient au travail, sa présence me distrayait. Elle ressemblait à la petite fille que j'aurais aimé avoir.

*
**

La vie continuait. Henri, comme il me l'avait promis, me laissait en paix. Je n'entendais plus parler de lui. Seule Juliette, de temps en temps, ne pouvait s'empêcher de parler des études de Jean. Je secouais la tête, et invariablement je répondais :

— Jean s'est bien habitué à son travail de mineur. N'insiste pas, Juliette, je t'en prie.

Elle serrait les lèvres, et je voyais bien qu'elle ne s'avouait pas vaincue. Mais, sûre de moi, je n'y prêtais pas attention.

Vint le moment où Jean, après quelques mois passés au triage, fut admis à descendre au fond. Il devenait, à son tour, une « gueule noire ». A la fin de sa première journée de fond, il rentra, à la fois fatigué et fier de lui. Il me confia, alors qu'il était occupé à se laver :

— Si tu savais, maman, comme j'ai eu peur, quand je suis descendu ! La cage descend à toute vitesse, s'enfonce dans l'obscurité. Ça fait une impression terrible ! L'estomac m'est remonté dans la gorge, je me suis accroché à papa, j'avais l'impression d'avoir des jambes en caoutchouc... Et les autres, autour de moi, discutaient sans paraître remarquer quoi que ce soit !

— C'est parce qu'ils sont habitués. Toi, c'était la première fois que tu descendais.

— Demain, j'aurai un peu moins peur. Et puis, un jour, je n'y ferai même plus attention, comme les autres...

Il se tut un instant, hocha la tête :

— N'empêche que le travail, au fond, est plus dur. Tu sais, je conduis les berlines pleines de charbon à l'endroit où le cheval les reprend. Ça n'est pas facile. C'est juste à ma hauteur quand je suis baissé. Et puis il faut connaître le moindre accident de terrain, pour empêcher la berline de déraper. Je ne les connais pas encore bien... Sur le côté, les billes de soutènement en bois sont quelquefois cassées, il y a des esquilles de bois qui dépassent, qui accrochent au passage. Regarde, j'ai déchiré ma blouse...

— Ce n'est rien, je vais la recoudre.

Je dus plus d'une fois raccommoder ses vêtements de mineur, au début. Peu à peu, là aussi, il s'habitua. Il finit par devenir habile au travail. Il en ressentait une fierté qui se lisait dans ses yeux. Charles et les autres le considéraient comme l'un des leurs ; il avait, comme eux, rejoint la mine, ils faisaient tous partie de la même grande famille.

Pierre, mon beau-père, prit sa retraite. Il la fêta avec ses nombreux amis, heureux de pouvoir se reposer un peu et triste de quitter son travail. C'est une chose que j'ai toujours remarquée, et que je comprends difficilement. La mine était dure avec eux tous, souvent cruelle, parfois meurtrière, et pourtant ils l'aimaient. Pierre, lui, avait été bowetteur ; sa santé, peu à peu, s'était délabrée. Il souffrait de douleurs dans les genoux, qui l'empêchaient de se déplacer normalement. Résigné, il me disait :

— Tu comprends, d'avoir travaillé au fond, pendant des années, assis ou couché dans plusieurs centimètres d'eau, ça s'est infiltré dans mes articulations. Il n'y a plus rien à faire, je suis foutu, maintenant.

Ses poumons étaient malades, aussi. Il toussait de

plus en plus, s'essoufflait très vite. La mine, après l'avoir assujetti pendant quarante ans de fond, ne le libérait pas encore.

A cause de sa santé, et à cause des conditions de travail de plus en plus pénibles, il était content d'arrêter. Car le climat était toujours aussi tendu. En plus des brimades, des amendes, des menaces, il y avait maintenant le chronométrage. Charles était rentré un soir, furieux :

— Maintenant, la compagnie a trouvé un nouveau moyen de vexation. Il y a un chronométreur qui, dès son arrivée au travail, repère un mineur au hasard et chronomètre tout, du début à la fin. Il se place derrière lui, note le temps qu'il met pour prendre les outils, pour monter le marteau-piqueur, l'heure à laquelle il commence à travailler, tout, vraiment tout. A la fin de la journée, il fait son rapport. Et nous devons accepter ça ! C'est soi-disant pour faire une moyenne de rendement !

Quelques jours plus tard, un mineur refusa de se faire chronométrer. Il fut aussitôt mis à pied. Alors une grève de solidarité fut déclenchée. Les chronométreurs ne furent pourtant pas supprimés. Ils furent simplement remplacés par des « surveillants d'organisation » qui s'occupaient surtout du matériel.

Il y eut beaucoup d'autres grèves qui se généralisèrent cette année-là, dans tout le bassin minier. Il y eut des manifestations. Je me souviens que l'une d'elles appela tous les mineurs à Lens où des trains spéciaux les conduisirent. Jean, Charles et ses frères, avec tous les autres, y participèrent. Ils revinrent révoltés. Il y avait eu des forces de police partout, des gardes mobiles à cheval qui avaient chargé, et la manifestation s'était transformée en émeute. Je secouai la tête, peinée. Des images de bataille surgissaient du fond de ma mémoire, des images qui dataient de mon enfance. Trente ans après, rien n'avait donc changé, la violence était toujours présente.

Comme si tout cela ne suffisait pas, la tragédie intervint une fois de plus dans ma vie.

C'était au début de l'été. Un soir, Charles, qui me parlait de tous ses ennuis au travail, me dit qu'il avait remarqué, avec d'autres, de fortes émanations de grisou à un endroit précis.

— Je l'ai montré au responsable de la sécurité. Il y a une infiltration de gaz qui peut devenir dangereuse. Les souris que nous avons placées comme témoins aux endroits suspects étaient à moitié mortes. Il l'a signalé à l'ingénieur. Sais-tu ce qu'il a répondu ? Qu'il n'y avait pas de quoi s'effrayer, que cela n'était de toute façon pas une raison pour ralentir la production. Le rendement, la production, ils n'ont que ces mots-là à la bouche !

Je savais que c'était la vérité. Pour la compagnie, le rendement était bien plus important que le respect de la vie humaine. Je savais aussi, pour en avoir entendu parler autour de moi depuis mon enfance, que le grisou était très dangereux. Il s'accumulait, et une simple étincelle suffisait pour provoquer une explosion. Dans l'histoire de la mine, de nombreuses catastrophes avaient eu pour cause le grisou, et les mineurs le craignaient avec raison.

Les jours suivants, Charles me dit que rien n'avait été fait. Les mineurs eux-mêmes avaient essayé de colmater, mais c'était insuffisant. Le grisou continuait de s'infiltrer. Je n'étais pas tranquille, d'autant plus que Jean remarquait qu'il avait la tête lourde et les jambes flageolantes.

— Vous devriez refuser de travailler dans de telles conditions. Ne pouvez-vous rien faire ?

Dans un geste d'impuissance, Charles haussa les épaules :

— Que faire, Madeleine ? Faire grève ? Il y en a suffisamment en ce moment. Et puis, une grève, pour être efficace, doit être générale. Là, elle ne serait que partielle. Les mineurs qui travaillent dans les autres galeries ne sont pas concernés.

— Par solidarité, ils feront la grève avec vous.

— Peut-être. Mais c'est difficile. Au premier mot, on nous menace de nous renvoyer. Et si nous sommes renvoyés, que ferons-nous ? Tu sais bien qu'on n'embauche nulle part, en ce moment.

Accablée, j'insistai, néanmoins :

— Mais c'est dangereux de continuer à travailler dans de telles conditions. Il faut faire quelque chose quand même !

— Demain, promit Charles, j'en parlerai au responsable du syndicat. Nous verrons ce que nous pouvons faire.

Mais il n'en eut pas le temps. Le lendemain matin très tôt — ils venaient à peine de descendre — la sirène d'alarme a retenti. J'étais dans la cuisine, où je buvais une tasse de café avant de commencer ma journée de travail. Quand je l'ai entendue, j'ai senti tout mon corps se pétrifier. J'ai posé ma tasse, je me suis précipitée dehors. Partout, les femmes sortaient de leurs maisons. La même appréhension se lisait dans les regards.

Nous avons couru jusqu'à la fosse. Devant la grille, nous avons attendu, immobiles, le cœur serré par la crainte et l'angoisse. Que se passait-il ? Dans la froide grisaille de l'aube, je frissonnais. Les mots « coup de grisou » coururent parmi nous sans que je pusse comprendre d'où ils venaient. Je me souvenais d'une autre attente, dix ans auparavant, et je ressentais les mêmes affres qu'alors, multipliées par deux : en plus de Charles, je craignais maintenant pour mon enfant.

Mes beaux-parents, puis ma mère, vinrent me rejoindre. Anna arriva, elle aussi. Côte à côte, silencieux, nous attendîmes. De nos cœurs, montait la même prière : pourvu que... qu'ils soient sains et saufs, mon Dieu !

Celles du premier rang transmettaient les nouvelles. Une équipe de sauveteurs était descendue. Il y avait effectivement eu une explosion due au grisou, et toute une galerie s'était effondrée. Il fallait attendre avant de connaître les dégâts.

Un mouvement se fit, enfin. Un murmure courut :

— En voilà ! En voilà qui arrivent !

Je me dressai sur la pointe des pieds, tendis le cou pour voir, partagée entre la crainte et l'espoir. Je regardai, regardai encore. Mon mari et mon fils n'étaient pas parmi eux, Georges et Julien non plus. La déception me mit les larmes aux yeux. Ma belle-mère, près de moi, dit, d'une voix éteinte :

— Mon Dieu ! Ils ne sont pas là...

Je secouai la tête, la gorge serrée, incapable de prononcer un mot.

Autour de nous, maintenant, les mineurs remontés avaient rejoint leur femme, leurs enfants ; ils s'embrassaient en pleurant. Des femmes palpaient le visage de leur mari, comme pour s'assurer qu'il était bien là. Au bord des larmes, je les regardais, et je les enviais. Leur angoisse était terminée, la nôtre, au contraire, augmentait à mesure que le temps passait.

L'attente reprit, longue, interminable. Elle dura des heures. J'entendais, derrière moi, mon beau-père respirer de plus en plus difficilement. Plusieurs fois, Jeanne lui dit :

— Va à la maison, Pierre. J'irai te chercher dès qu'il y aura du nouveau.

Mais, à chaque fois, il secoua la tête. Il voulait, comme nous tous, rester sur place, tout en sachant que cela ne changerait rien.

A la fin de l'après-midi seulement, nous apprîmes qu'une partie de la galerie avait pu être déblayée, et qu'un certain nombre de mineurs allait remonter. Par contre, tout le reste de la galerie était complètement effondré ; il faudrait beaucoup de temps avant de pouvoir libérer ceux qui étaient bloqués dans cette partie. Nous nous regardions, et la même interrogation, le même souhait, se lisait dans nos yeux.

Un cri se fit, de nouveau :

— Les voilà ! Les voilà !

J'ai essayé de regarder, mais je n'ai pas pu. J'ai fermé les yeux, et les battements de mon cœur étaient si forts qu'ils me causaient une véritable douleur. Avec une impression d'irréalité, j'ai senti que ma mère me serrait le bras ; sa voix me parvint, lointaine, ouatée :

— Madeleine ! Charles est là ! Je le vois !

J'ouvris les yeux, n'osant y croire, et je le vis, moi

aussi. Il s'avançait, au côté de Georges. Anna, près de moi, criait frénétiquement « Georges ! Georges ! » en faisant de grands gestes du bras. Ils vinrent vers nous. Charles me serra contre lui avec emportement. Une croûte de sang séché marquait son front. Il murmura, d'une voix étranglée :

— Madeleine, ma chérie ! J'ai bien cru ne jamais te revoir...

Je pleurais, soulagée de voir que Charles était sauf, mais Jean n'était toujours pas là. Je regardai Charles, questionnai :

— Jean ? Il n'était pas avec toi ?

Il secoua la tête, et dans son regard passa une intense douleur :

— Je ne sais pas où il était. Il devait être au bout de la galerie...

Je me jetai contre lui, torturée :

— Charles ! J'ai peur ! Tu crois que... ?

— Je ne crois rien. Ne t'inquiète pas, Madeleine. Vois, je suis bien remonté, moi, et Georges aussi. Nous allons continuer à déblayer, et nous libérerons les autres.

Ma belle-mère ne se lassait pas d'embrasser Charles, puis Georges, tour à tour, et je vis, dans les yeux de Pierre, des larmes qu'il n'essayait pas de cacher.

— Nous devons repartir, dit Charles, nous allons aider à déblayer. Plus nombreux nous serons, plus vite cela ira.

Je m'accrochai à lui :

— Charles ! Sois prudent ! Je ne veux pas te perdre, maintenant que je t'ai retrouvé.

— Sois sans crainte, Madeleine. Le danger est passé.

Il me serra la main, ajouta :

— Aie confiance. Je te ramènerai Jean.

Avec Georges et les autres, il repartit. Nous reprîmes notre attente. En mon cœur, deux sentiments se mélangeaient : le soulagement de savoir Charles sain et sauf, et l'inquiétude de ne rien savoir pour Jean. Mon enfant, où était-il ? Ne rien pouvoir faire rendait la situation encore plus atroce. Peut-être était-il blessé ? L'anxiété me torturait.

Le soir, on ne savait toujours rien de plus. Le sauvetage s'avérait plus difficile que prévu. L'accès était complètement bouché, il y avait eu un effondrement sur plusieurs mètres. Charles, qui était remonté, expliqua :

— C'est très dur, très malaisé aussi. Il y a parfois d'énormes blocs, il faut y aller avec précaution, de peur de causer un éboulement. Ça prendra beaucoup de temps, je le crains...

J'étais incapable de parler. L'angoisse m'habitait, ne laissant place à aucun autre sentiment.

La nuit fut atroce. Je ne dormis pas. Pour la première fois depuis sa naissance, Jean n'était pas avec nous. Où était-il, et dans quel état ? Je l'imaginais tour à tour vivant et emmuré, ou blessé, ou même peut-être... Je n'osais pas penser plus loin. Je refusais que la mine me le prît. En plus, j'étais consciente de mon impuissance, et c'était une torture de plus.

A l'aube, Charles repartit aider les sauveteurs. Avec ma mère et mes beaux-parents, je repris mon attente, devant les grilles de la fosse. C'était de plus en plus insupportable. Je n'étais plus que tourment, avec cette idée fixe : que mon enfant fût sauvé.

A la fin de la journée, on nous apprit que les sauveteurs n'avaient avancé que de quelques mètres. Les mineurs qui étaient encore au fond étaient tous bloqués derrière cet énorme effondrement ; il fallait tout déblayer avant d'arriver jusqu'à eux. On parlait maintenant de plusieurs jours.

Je faillis m'évanouir. Ma mère essaya de me raisonner, mais sa voix trahissait une anxiété et un tourment égaux aux miens.

La nuit suivante fut encore pire que la précédente. Je pleurai dans les bras de Charles. Lui-même, torturé par l'angoisse, ne pouvait que craindre avec moi. J'ai dû somnoler plusieurs fois, ou perdre conscience, je ne sais plus.

Dès qu'il fit jour, Charles repartit, une nouvelle fois, afin de relayer l'équipe de nuit, et une autre journée s'étira, un lent supplice. A chaque heure qui passait, je pensais toucher le fond de l'angoisse et du désespoir, mais l'heure suivante était encore plus atroce. Je sentais la démence s'emparer de moi. Nous attendîmes encore toute la journée. Le soir, il n'y avait toujours rien de nouveau.

Au cours de la troisième nuit d'attente, je crus bien perdre la raison. Plus le temps passait, plus les chances de les retrouver vivants diminuaient. Au fur et à mesure que les heures s'écoulaient, ma douleur gémissait tout au fond de moi, et les plaintes de ma souffrance emplissaient ma tête, allant en s'amplifiant jusqu'à atteindre un crescendo insoutenable que j'étais seule à entendre et qui peu à peu me rendait folle.

Une autre journée s'écoula. Je ne quittais pas le carreau de la fosse. Derrière la grille, avec d'autres, je guettais fiévreusement le moindre mouvement à l'intérieur. Par moments, ma mère prenait pitié de mon regard traqué, halluciné. Elle me disait :

— Viens, Madeleine, viens chez moi, ou allons chez toi. Ça ne changera rien, de toute façon. Viens...

Mais je refusais farouchement, moi aussi. Je voulais rester là, le plus près possible de l'endroit où se trouvait mon enfant. Il me semblait qu'ainsi je le protégeais, malgré tout. Et surtout, je voulais savoir tout de suite, lorsqu'il y aurait du nouveau. La moindre seconde comptait.

Les équipes de sauveteurs se relayaient continuellement, et avaient réussi à progresser. Le soir, Charles annonça :

— On arrive bientôt à l'endroit où ils sont prisonniers. Ils ont entendu nos coups de pic, et ont répondu en tapant à leur tour. Ils sont vivants !

Je n'eus pas le courage de rectifier : certains étaient vivants, sans doute, mais peut-être pas tous...

— Maintenant que nous savons que nous approchons du but, continuait Charles, nous sommes pris d'un regain d'énergie. Nous commencions à perdre espoir...

Une nuit interminable suivit, et j'essayais de ne pas écouter le hurlement silencieux et continu qui montait en moi. Dès l'aube, je me retrouvai, avec les autres, devant les grilles. C'était la cinquième journée ; je n'en pouvais plus. Je dormais à peine, et ne tenais debout qu'à grand renfort de tasses de café ; je découvrais l'enfer.

Vers le milieu de l'après-midi, alors que je finissais par perdre conscience du monde extérieur pour ne ressentir que mon angoisse, une nouvelle nous parvint :

— Ça y est ! Ils y sont arrivés ! Ils les ont trouvés !

Je n'osais y croire et en même temps j'appréhendais. Qu'avaient-ils trouvé ? Un même frisson nous secoua toutes. Je regardai ma mère et Jeanne, qui étaient près de moi, et dans leurs yeux je vis à la fois la peur et l'espoir.

Nous dûmes attendre encore, longtemps. Soudain, un grand remous se fit :

— Les voilà ! Les premiers remontent !

Avec la sensation de vivre un cauchemar, je regardai. Un premier groupe venait en effet d'apparaître. Soutenus par leurs camarades, ils vacillaient, ils mettaient leurs mains sur leurs yeux pour les protéger de la lumière du jour, cruelle après tout ce temps passé dans l'obscurité. Ils venaient vers nous, et je les dévorais du regard, essayant de voir Jean. Mon cœur se fit très lourd, une infinie désespérance me submergea : Jean n'était pas parmi eux. Des larmes piquèrent mes yeux brûlants, et je serrai les dents de toutes mes forces pour ne pas gémir.

Autour de nous, les premiers rescapés étaient happés par leur famille. J'entendais, avec une impression d'irréalité, les sanglots et les cris hystériques des femmes. Puis un autre cri me parvint :

— Ils remontent les blessés !

Je n'étais plus qu'un brasier que dévorait l'angoisse. Je me mis à trembler sans pouvoir m'en empêcher. A force de regarder fixement l'endroit où ils allaient apparaître, ma vue se brouillait et je n'y voyais plus rien.

Les sauveteurs venaient vers nous, portant des brancards. Ils s'approchèrent. J'avançai, le regard tendu.

Alors je le vis. Il était allongé sur un brancard, faible, si faible qu'il pouvait à peine bouger. Son épaule et son bras gauche étaient couverts de sang séché. De sa main valide, il protégeait ses yeux qui étaient pleins de larmes. Ils étaient fixés sur moi et reflétaient encore toute l'horreur qu'il avait vécue.

Je tombai à genoux, pris son visage dans mes mains.

— Mon Jean ! Tu es là...

Il murmura, si bas que je l'entendis à peine :

— Maman...

Puis, dans un soupir, il s'évanouit.

J'eus à peine conscience que ma mère et mes beaux-parents, à côté de moi, pleuraient. Dans les bras de Charles qui était revenu, je laissais, moi aussi, libre cours à mes larmes. Je me débarrassais de toutes ces heures de tension insupportable, et subitement je me sentais faible.

— Viens, me dit Charles, ramenons-le à la maison. Il faut le soigner.

Laissant là mes beaux-parents, qui attendaient encore parce que Julien n'était toujours pas remonté, je rentrai chez moi avec mon mari, ma mère, et mon fils que la mine acceptait de me rendre, blessé et meurtri.

3

CE n'est que par la suite que je découvris à quel point il était meurtri, bien plus moralement que physiquement. Il avait été blessé à l'épaule et au bras, mais, assura le médecin, ce n'était pas grave, il n'y avait rien de cassé.

— Il est jeune, tout devrait se cicatriser rapidement. A cet âge, la nature a des ressources!

Le médecin parti, je contemplai mon enfant, la gorge serrée. Nettoyé et pansé, il reposait, les yeux clos, le visage plus blanc que l'oreiller. Mon cœur pleurait en le regardant, et, si j'étais soulagée de le retrouver vivant, je souffrais de le voir là, comme un pantin brisé.

— Viens, me dit Charles, laissons-le dormir. Il a besoin de récupérer.

Déchirée, j'obéis. Que pouvais-je faire d'autre, en effet, pour le moment ? Serais-je capable d'effacer toute l'horreur que j'avais vue dans son regard ? Je me penchai, embrassai son front avec douceur et tendresse, et je quittai la chambre.

J'y revins souvent, pourtant. Je n'arrivais pas encore à croire qu'il fût bien vivant. J'avais besoin de le voir, de le regarder dormir. Je venais écouter le bruit de sa respiration, et seulement alors je me rassurais.

Dans la soirée, Charles revint, hagard et bouleversé. Après les blessés avaient été remontés, en dernier, ceux qui avaient été tués. Ils étaient sept en tout ; Julien était parmi eux. Il avait été atrocement brûlé.

— C'est affreux, gémit Charles. Ma mère est comme folle, et mon père, lui, ressemble à quelqu'un qui a reçu un coup sur la tête.

Il s'effondra sur une chaise et se mit à pleurer. Je m'approchai de lui, posai les mains sur ses épaules. J'étais impuissante à le consoler. Je l'aimais bien, Julien, j'avais fini par m'habituer à sa présence silencieuse et discrète. C'était un taciturne. La mine l'avait tué, lui aussi. Quelle cruauté ! Combien il était dur, le métier de mineur, dans son combat inégal, impitoyable, avec la mort !

Je courus chez mes beaux-parents. Georges et Anna étaient là. Des camarades de travail de Julien vinrent, avec leur femme, apporter leur soutien, mais, en face d'un drame aussi atroce, ils étaient impuissants eux aussi.

Dans les bras de Jeanne, je pleurai avec elle. Elle qui avait gardé au cœur, depuis la mort de Marie, une blessure inguérissable, comment allait-elle réagir à ce nouveau coup du sort, qui lui enlevait un autre enfant ? Ses yeux avaient un regard perdu, halluciné. Pierre était complètement hébété. Il secouait la tête avec une sorte d'incrédulité, n'arrivant pas à comprendre, à accepter, à admettre.

Nous avons caché à Jean, le plus longtemps possible, la vérité sur Julien. Il se remettait très lentement et le médecin recommandait beaucoup de calme. Physiquement, sa blessure se cicatrisait bien. Il reprenait des forces. Mais il était atteint moralement. Ses premières paroles, quand il fut capable de parler de l'épreuve qu'il avait subie, furent pour me dire :

— C'était horrible, si tu savais... Tout ce temps dans l'obscurité, sans savoir. Sans savoir si c'était le jour ou la nuit, sans savoir si nous allions être libérés ou si nous finirions par mourir lentement... J'ai cru devenir fou. Vers la fin, nous en étions réduits à manger les carottes des chevaux, et à boire leur urine... Oh, c'était affreux, affreux...

Il sanglotait, et moi j'essayais de le rassurer, avec des

paroles dans lesquelles je mettais toute ma tendresse :
— N'y pense plus, mon chéri, c'est fini maintenant. Essaie de ne plus y penser, d'oublier. Tu es sauvé, tu es en sécurité ici, c'est tout, c'est fini...

Mais les mêmes images, toujours, habitaient son regard. Je me rendais compte qu'il n'arrivait pas à s'en libérer. Je voyais au fond de ses yeux une terreur qui me faisait mal et contre laquelle je ne pouvais rien. Malgré mon profond désir de le ramener vers moi, vers nous, vers une vie normale, il restait prisonnier de son monde de ténèbres et de cauchemar.

Le plus dur, c'était les nuits. Dès qu'il s'endormait, la même panique le reprenait, qui le transportait de nouveau au fond, où il se trouvait une fois de plus enfoui. Alors il se réveillait en criant, se débattait, m'appelant désespérément.

— Maman ! Maman !

Je courais à lui, le caressais avec douceur, lui murmurant des paroles apaisantes. Peu à peu, il se réveillait complètement, il reconnaissait l'endroit où il se trouvait. En tremblant, il murmurait :

— Je rêvais que j'étais encore là-bas, et j'étouffais, je ne voulais pas mourir...

Il frissonnait. Je le prenais dans mes bras, le berçais avec tendresse, comme s'il était encore mon tout petit bébé. Je l'embrassais et je sentais ses larmes mouiller mes joues. Je serrais les dents de toutes mes forces pour ne pas pleurer avec lui, faisant appel à tout mon amour pour essayer de le consoler. Mais, malgré mes efforts, je n'arrivais pas à vaincre la panique qui se reflétait dans son regard. Charles, à mes côtés, hochait la tête, accablé.

Quelques jours après, il put se lever. Il allait mieux, mais son regard était toujours hanté. Il demanda brusquement :

— Où est Julien ? Tout le monde est venu me voir, sauf lui. Il est blessé, lui aussi ?

Je lui appris la vérité. Son désespoir me fit peur. Il se mit à pleurer comme un enfant. Affolée, j'essayais de le calmer, et je n'y parvenais pas. Entre ses sanglots, il murmurait des paroles entrecoupées, où je distinguai, pêle-mêle, les mots : mine, impossible, trop dur, cruel... Il se tourna vers moi, et, dans un cri, me dit :

— Maman, je ne peux plus... je ne veux plus y retourner ! J'ai peur, j'ai peur !

Je le serrai dans mes bras, les yeux pleins de larmes. Il n'était qu'un enfant, un adolescent fragile et trop jeune pour une telle épreuve. Moi aussi, j'appréhendais le moment où il devrait reprendre son travail. Le seul fait de penser à l'angoisse qui serait la mienne à tout instant de la journée, lorsqu'il serait au fond, m'était déjà une souffrance. Et puis, je ne supportais plus de voir la peur dans ses yeux.

Le soir même, j'en parlai à Charles. Il essaya de me rassurer :

— C'est normal, après ce qu'il a vécu. Mais il doit réagir. La première fois qu'il redescendra, il aura très peur, c'est certain. Mais ça se passera après une journée ou deux de travail. A mon avis, pour lui, le meilleur moyen de vaincre sa peur du fond, c'est d'y retourner.

Je ne répondis pas. Une autre idée m'était venue, que j'avais repoussée jusque-là. Mais maintenant je comprenais que j'allais l'accepter, car je ne pouvais plus exposer mon fils à un métier aussi dangereux.

Le lendemain, Juliette vint nous voir, Jean et moi.

— Madeleine, s'écria-t-elle en arrivant, je viens d'apprendre ce qui s'est passé ! Jean, comment vas-tu ? Mon Dieu, quand je pense que tu aurais pu y rester !

Elle le serra contre elle, avec une réelle tendresse.

— J'étais partie pour une semaine avec Germain chez mes beaux-parents. Je ne suis rentrée qu'hier, tard dans la soirée. Tu vas mieux, maintenant, tu vas bien ?

Jean ne répondit pas. A sa place, je dis :

— Son épaule est presque guérie...

Juliette me regarda d'un air significatif, puis parla de choses et d'autres. Elle essaya de faire sourire Jean en racontant les dernières espiègleries de son fils. Lorsqu'elle partit, je l'accompagnai jusqu'à la porte. Sur le seuil, seule avec moi, elle chuchota :

— Tu n'as plus le droit, maintenant, de faire mener à

Jean une vie aussi dangereuse. Tu l'as compris, n'est-ce pas ? Henri ne vit plus, il a eu si peur, lui aussi ! Il te demande, plus que jamais, d'accepter son offre. Je pense que tu n'auras plus la folie de refuser ?

— Je vais en parler à Jean. Je te donnerai sa réponse.

Après son départ, incapable d'attendre, j'appelai Jean, qui était dans le jardin. S'il fallait, pour lui ramener la paix, faire le sacrifice de me séparer de lui, j'y étais prête.

En choisissant mes mots, j'expliquai à Jean que Juliette, ne voulant pas qu'il continuât le dangereux métier de mineur de fond, s'était offerte, en tant que marraine, à lui permettre de continuer ses études. Tout en parlant, je voyais le regard de Jean s'éclairer, et une sorte d'émerveillement, de délivrance, y apparaître. A la fois heureuse et désespérée, je lui demandai :

— Tu es d'accord ?

Il explosa, littéralement, et pour la première fois depuis la catastrophe meurtrière je vis ses yeux pétiller d'enthousiasme, de vie, de joie :

— Oh, maman ! C'est formidable ! Je ne retournerai pas au fond ! Si tu savais comme j'en avais peur ! Et puis, continuer mes études, ça a toujours été mon rêve. Je m'étais résigné à ne jamais le réaliser, et maintenant, tu m'apprends que je le pourrai ! C'est merveilleux !

Avec emportement, il me prit dans ses bras, me fit tournoyer. Il exultait. Son allégresse balaya mes dernières hésitations. Vaincue, je décidai d'accepter l'offre d'Henri.

Charles n'y mit aucune opposition. Au contraire, il m'approuva. La joie et l'exubérance de Jean, qui, dès qu'il revint, lui raconta tout, le firent même sourire. Comme moi, il était content de voir notre fils renaître à la vie, après l'abattement des jours précédents. Et, comme moi, il acceptait d'en payer le prix.

Le lendemain matin, Juliette revint. Dès qu'elle parut, Jean lui sauta au cou, l'embrassa, la fit tournoyer, elle aussi, dans toute la cuisine.

— Oh, ma marraine Juliette, dit-il, je t'adore ! Comme dans les contes, tu es une marraine fée ! D'un coup de baguette magique, tu transformes ma vie ! Tu es merveilleuse !

Juliette, essoufflée, riait.

— Laisse-moi, Jean, laisse-moi, voyons ! Tu es fou !

Après un baiser sonore sur chaque joue, il la lâcha. Elle me regarda, grave, émue :

— Alors, tu as choisi la bonne solution. Merci pour lui, Madeleine, et pour Henri.

Elle se tourna vers Jean :

— Henri, c'est mon frère. Je lui ai parlé de toi, il est prêt à t'aider, lui aussi.

En effet, il s'occupa de tout. Juliette me raconta ce qu'il fit. Il m'était, me dit-elle, profondément reconnaissant de ma décision, et m'en remerciait. Il alla voir le directeur du lycée afin de lui faire accepter Jean, à la rentrée scolaire, à deux mois de là.

— A cause de ton obstination, m'expliqua Juliette, Jean a perdu une année. Mais, heureusement, il est intelligent, et comblera vite ce retard.

Henri prit des mesures, aussi, pour que le retrait de Jean de la mine n'eût pas de conséquences pour Charles, ou pour Georges. Car on avait déjà vu des cas où, dans de telles circonstances, tous les mineurs de la famille étaient licenciés. Il aplanit toutes les difficultés et Juliette me tint fidèlement au courant de tout. Avec discrétion, il n'intervenait pas. Il me laissait Jean entièrement, jusqu'à la rentrée.

Jean, lui, revivait. Il redevenait l'adolescent gai et heureux qu'il aurait toujours dû être. Il avait devant lui un avenir qui, dorénavant, n'était plus sombre. En observant mon fils, je me rendais compte que, même avant la catastrophe, je ne voyais pas dans ses yeux cette lumière, cet enthousiasme qui y étaient maintenant. La mine avait terni son regard, et peu à peu l'avait rendu morose et triste. Même sa façon de se tenir avait changé. Il ne marchait plus voûté, penché en avant ; il s'était redressé, il m'apparaissait, à tous points de vue, libéré.

Ma mère m'approuva, mes beaux-parents également, qui ne se consolaient pas de la mort de Julien. Ce fut à partir de cette époque que j'ai vu, peu à peu, ma belle-mère dépérir. Malgré notre affection, à Charles et à moi, à Georges, Anna et Jean, son petit-fils qu'elle adorait, malgré aussi la présence de Pierre, son mari, elle se laissa mourir de chagrin. A ma mère qui, parfois, essayait de la raisonner, elle répondait doucement :

— Je ne peux plus, Louise, je n'ai plus de forces... Après Marie, Julien maintenant... C'est trop, tu comprends... Je sens bien que je ne m'en remettrai pas... Et, lorsque j'essaie de réagir, je pense que la même chose peut arriver à Georges, à Charles... Comment vivre avec une telle hantise, en plus d'un cœur brisé ?

Elle maigrit, perdit ses forces. Ses cheveux devinrent tout blancs. Elle ne fut plus que l'ombre d'elle-même. Son regard était lointain, il semblait ne plus nous voir, mais au contraire se tourner vers un ailleurs, où l'attendaient ses deux enfants perdus.

L'été passa, l'automne arriva. Le jour de la rentrée, Juliette vint chercher Jean. Henri devait le conduire au lycée. J'embrassai mon fils comme s'il allait m'être ravi. Un instinct, au fond de moi, me commandait de ne pas le laisser partir. Et pourtant, j'acceptais son départ. Il me serra dans ses bras, impressionné lui aussi, triste de me quitter mais malgré tout impatient de commencer sa nouvelle vie. Je le regardai s'en aller avec Juliette, qui l'emmenait vers Henri, et je ne pouvais empêcher mes larmes de couler.

Il me fallut apprendre à vivre sans lui, jour après jour, ne le retrouvant qu'en fin de semaine. Le soir, nous ne fûmes plus que deux, Charles et moi ; la présence, la vivacité de Jean me manquaient beaucoup. Les premiers temps, je ne pouvais pas passer devant sa chambre inoccupée sans pleurer. Où était-il ? Que faisait-il ? Une nouvelle inquiétude, sournoise, venait me torturer :

cette autre vie qu'il menait, si différente de la nôtre, n'allait-elle pas me changer mon enfant ?

Lorsqu'il revint pour la première fois, après la longue semaine passée loin de moi, je ne pus m'empêcher de l'embrasser, encore et encore. C'était Henri qui l'avait ramené ; par la fenêtre, j'avais épié leurs adieux. J'avais vu mon fils embrasser Henri avant de descendre de l'automobile. L'un près de l'autre, leur ressemblance m'avait frappée. Jean, d'ailleurs, ne tarit pas d'éloges sur Henri :

— Il est très gentil avec moi, tu sais, maman. Il semble m'aimer beaucoup. Quand marraine Juliette, la semaine dernière, m'a présenté à lui, il m'a regardé intensément, et j'ai remarqué qu'il était ému. Quand j'ai demandé pourquoi à marraine Juliette, elle m'a dit que c'était parce qu'il aurait aimé avoir un fils comme moi et qu'il n'en avait pas eu.

Je m'en suis aperçue tout de suite, Henri l'attirait, lui plaisait. Les rares fois où j'eus l'occasion de les voir ensemble, je notai, avec une pointe de jalousie, la complicité de leurs gestes, de leurs regards. Je fus d'ailleurs incapable de lutter contre l'attirance qui, dès le début, les rapprocha. Il n'est pas vain de parler des liens du sang. Par un instinct obscur et profond, venu du fond des âges, ils se reconnaissaient sans s'être jamais vus. Et je me disais que rien ne les séparerait plus.

Peu à peu mon fils se transformait. Il devenait plus raffiné, ses manières étaient plus policées. Ses études le passionnaient, et, moi qui n'avais pas eu la chance de pouvoir continuer les miennes, je lisais ses livres, j'écoutais les explications qu'il me donnait avec un enthousiasme communicatif. Et surtout, avec nous, sa famille, il restait le même, il n'avait pas changé. Sa nouvelle vie ne gâtait pas sa nature simple et affectueuse.

Les semaines me paraissaient longues. Je ressentais notre séparation dans mon corps, comme une douleur physique qui, latente et sourde, ne me quittait pas un instant. Heureusement, ma petite amie Marcelle était là. Elle traversait la rue, et venait souvent passer quelque temps avec moi. Sa présence me faisait du bien.

— Si elle vous ennuie, me disait Catherine, sa mère, n'hésitez pas à la renvoyer !

Je répliquais, avec sincérité :

— Elle ne m'ennuie jamais, bien au contraire !

Elle m'aidait à balayer, à faire le ménage, ou bien, si je cousais, elle s'asseyait près de moi et sagement berçait sa poupée. Je lui apprenais des chansons, je lui racontais des histoires. J'aimais la gravité, l'attention avec lesquelles elle m'écoutait.

Charles, à qui pourtant je ne disais rien, s'était rendu compte de l'ennui que j'avais de Jean. Un jour, sans me prévenir, il revint à la maison avec un poste de T.S.F. Je protestai, à la fois ravie et réticente :

— Oh, Charles ! C'est fou !... C'est bien trop cher, voyons !

— Ne t'inquiète pas. Il est payable à crédit. Et puis, ça te distraira, les jours où Jean n'est pas là.

J'embrassai mon mari avec tendresse. Il était toujours prêt à me faire plaisir, et j'appréciais les attentions dont il m'entourait.

— Merci, Charles, tu es gentil.

— Je veux que tu sois heureuse, Madeleine, je ne supporte pas de te voir triste.

Son cadeau ne fut pas inutile. Avec lui, c'étaient le monde, la musique, la gaieté qui entraient chez moi chaque jour. Je pris l'habitude de le faire marcher chaque fois que j'étais seule. Bientôt, je ne sus plus m'en passer. Le silence me gênait, il me fallait le meubler grâce à mon poste. Je me demandais comment j'avais pu vivre sans lui auparavant.

Jean fut heureux de cet achat. Il s'exclama, dès qu'il l'aperçut :

— Chic alors ! Chez Henri et chez marraine Juliette, il y en a un. Je suis bien content qu'on en ait un, nous aussi !

Il s'adaptait très bien à ses deux modes de vie : la pension, le lycée, et puis la maison en fin de semaine. Il faisait connaissance avec le luxe, l'automobile, il allait chez Juliette et chez Henri, où tout était plus beau que chez nous. Une fois, il me dit :

— Plus tard, moi aussi, j'aurai une belle maison et une belle voiture, comme Henri.

Mais il restait simple, et ne méprisait pas pour autant notre modeste intérieur. Juliette elle-même me dit :

— Il est à l'aise dans toutes les situations. Il est exceptionnel. Ses études s'annoncent brillantes. Henri est de plus en plus fou de lui. Il en est fier ! Gerda ne se montre pas jalouse. Au contraire, elle aime beaucoup Jean, elle aussi.

A de telles phrases, je ne répondais pas. Depuis que mon fils connaissait Henri, je n'étais pas tranquille, tout en étant incapable de m'expliquer pourquoi. J'éprouvais comme un malaise ; une intuition me soufflait que c'était une situation boiteuse, que rien de bon n'en sortirait. Je me secouais pourtant, et m'efforçais de ne voir que les avantages : Jean n'allait plus au fond, il ne risquait plus rien, il continuait des études qui feraient de lui quelqu'un d'important. Il était heureux, et pour moi c'était l'essentiel.

Vint l'année 1936, qui amena un grand changement dans la vie des mineurs. Il était temps, car les conditions de travail devenaient de plus en plus intenables. Charles m'en parlait souvent.

— Nous sommes patients pourtant, et puis ils sont forts, ils comptent sur notre peur d'être licenciés. Mais, si ça continue, ça va déboucher sur une révolution. Nous ne sommes pas des bêtes de somme !

C'est pourquoi la victoire des syndicats fut d'autant plus éclatante. Ils obtinrent, d'abord, une augmentation des salaires, avec cinq jours de travail seulement, soit quarante heures de travail au lieu de quarante-huit. Pour le fond, la semaine de travail fut même fixée à trente-huit heures quarante.

— Et, m'annonça Charles, il y a même un repos de vingt-cinq minutes pour le briquet !

Mais surtout, ce qui nous parut, à tous, presque incroyable, ce furent les congés payés. Jusque-là, les dimanches étaient les seuls jours de repos. Les fêtes légales aussi, comme le 14-Juillet ou le 1er janvier, mais, si ces jours tombaient en semaine, ils n'étaient pas rémunérés. Pour la première fois dans l'histoire du monde ouvrier, nous avons appris qu'il y aurait douze jours de vacances payées. Cela nous sembla merveilleux, presque trop beau pour être vrai. Beaucoup restèrent longtemps sceptiques :

— Comment une telle chose peut-elle être possible ? Ne pas travailler, et toucher le salaire quand même ! On n'a jamais vu ça !

Les conditions de travail, elles aussi, redevenaient normales.

— Le système des amendes est supprimé, me dit Charles un jour. Ce n'est pas trop tôt. Et on ne peut plus licencier quelqu'un sans raison. Dorénavant, pour être licencié ou simplement déclassé, il faudra une faute grave.

Cet été-là, pour la première fois de ma vie, je vis la mer. Nous fîmes le voyage en groupe, avec beaucoup d'autres, par le train, jusqu'à Malo-les-Bains. Nous avions à l'époque des billets de congés populaires à tarif réduit, les billets Lagrange. Il y eut des trains spéciaux mis à la disposition des mineurs, et nous pûmes en profiter.

Le parcours se fit dans l'euphorie. Grisés par une véritable sensation de liberté, nous chantions les chansons alors à la mode : *Tout va très bien, madame la Marquise, Le Lycée Papillon* de Ray Ventura et ses Collégiens, ou encore *Quand mon cœur fait boum !* de Charles Trénet.

A l'issue du voyage, nous avons fait connaissance avec la mer, qui me fascina. Si je ferme les yeux, je sens encore le vent du large, j'entends les cris des mouettes. Ce fut, pour moi, une véritable découverte.

Les années suivantes furent, de cette façon, beaucoup plus faciles. Les mineurs travaillaient maintenant avec le respect qui leur était dû. Pour nous, leurs femmes, un grand progrès vint également rendre notre vie plus aisée : ce fut l'installation, dans les maisons, de l'eau courante. Nous n'étions plus obligées de sortir, par tous les temps, pour ramener de l'eau. Finie, l'époque où il fallait revenir courbée sous le poids des seaux.

Ma belle-mère dépérissait près de Pierre malheureux et impuissant à la retenir, Pierre qui avait des ennuis avec ses poumons qui allaient de moins en moins bien.

Moi, j'avais pris l'habitude de ne voir Jean qu'en fin de semaine et pendant les vacances. Charles m'entourait de tant d'amour que j'avais fini par m'y faire, à la longue. C'est pourquoi, lorsque l'orage éclata, je n'étais pas prête à y faire face. Pendant deux ans, je m'étais endormie dans la routine, je m'étais laissée vivre. Et puis, brutalement, l'année 1938 m'apporta ce qui devait être l'une des épreuves les plus douloureuses de ma vie.

4

C'ETAIT un samedi. Jean était un peu en retard. Lorsqu'il revint, Charles, qui faisait cette semaine-là le poste de l'après-midi, n'était pas rentré. J'étais donc seule à la maison. Dès que mon fils entra, je vis, à son regard, que quelque chose n'allait pas. Il ne m'embrassa pas comme d'habitude, et je remarquai qu'il avait l'air de quelqu'un qui vient de recevoir un choc.

Tout de suite inquiète, je l'ai interrogé. Si j'avais su me taire, pourtant ! Il ne m'aurait peut-être rien dit. Mais je n'ai vu qu'une chose : mon enfant me paraissait préoccupé, et je voulais effacer le pli qui barrait son front. Alors, sans aucune méfiance, j'ai demandé :

— Quelque chose ne va pas, mon chéri ? Tu sembles inquiet.

Il m'observa un instant, une incertitude dans les yeux. Il hésita, sembla prêt à parler, et finalement se tut. Intriguée, et totalement inconsciente de ce qui allait suivre, j'ai insisté :

— Voyons, qu'y a-t-il ? Tu ne veux pas me le dire ?

Il me regarda de nouveau, semblant peser le pour et le contre. Et puis, il se décida :

— Maman... Je voudrais... je voudrais te demander quelque chose. Mais avant, promets-moi, jure-moi de me dire la vérité.

Là encore, je ne me suis pas doutée un seul instant de ce que cela pouvait être. Je fus même un peu amusée par l'air grave de mon fils, et c'est en souriant que j'ai répondu :

— Je te le promets. Alors, de quoi s'agit-il ?

Il ne le dit pas tout de suite. Il devait sentir, instinctivement, que sa question allait tout détruire. Il respira profondément, et il me sembla qu'il avait pâli. Puis, presque tout bas, il demanda :

— Maman... Est-ce vrai que papa n'est pas mon vrai père... que... que c'est Henri ?

Pétrifiée de stupéfaction, je n'ai pas pu répondre. Dans les secondes qui suivirent, mon cerveau, bloqué, n'a pas su réagir clairement. J'étais anéantie. La première pensée qui m'est venue a été : comment sait-il ?... Et, totalement désorientée à mon tour, je n'ai pas pris garde au regard avec lequel il me fixait, un regard suppliant, plein d'espoir en même temps, qui criait à lui seul son besoin d'être rassuré. Le choc était trop rude. Je n'ai pas pu réfléchir avec cohérence, je n'ai pu que balbutier, avec l'impression de me sentir sombrer :

— Qui... qui te l'a dit ?

De ma vie, je ne me pardonnerai jamais d'avoir prononcé ces paroles. Elles étaient un aveu, alors que Jean espérait un démenti. Si j'avais simplement demandé : « Qui t'a dit ça ? », tout aurait été différent. Mais, sous l'effet de la surprise, j'ai prononcé les premières paroles qui me vinrent à l'esprit, et elles furent fatales. Ensuite, il était trop tard pour les rattraper.

Jean pâlit encore plus, recula d'un pas, murmura :

— Alors... c'est vrai ? C'est donc vrai... Je ne voulais pas le croire...

Je vis sur son visage une véritable souffrance. Une colère monta en moi contre Henri. Il avait trahi mon secret, malgré sa promesse. Je ne pus m'empêcher de demander :

— C'est Henri qui t'a parlé ? C'est lui ?

— Non. Mais peu importe ! Le principal, c'est que c'est vrai ! C'est vrai ! Je ne voulais pas le croire ! Quand il m'a dit ça, j'ai failli lui sauter dessus ! J'ai simplement cru qu'il était jaloux. Mais lui, il ricanait, il semblait si sûr de lui ! Il m'a dit : « Si tu ne me crois pas, demande à ta mère. Elle doit bien le savoir, elle ! »

— Mais... je ne comprends pas, Jean... Qui donc a pu...

Il répéta, sur un ton à la fois incrédule et horrifié :

— Ainsi donc, c'est vrai ! Je comprends maintenant ! Je comprends maintenant la sollicitude d'Henri, sa tendresse envers moi. Il le sait, lui ? Dis, il le sait ?

Devant son regard accusateur, je voulus me défendre. Mais, sauvagement, il ordonna :

— Réponds, au moins ! Aie la franchise de dire la vérité ! Il le sait, que je suis son fils ?

Un courant obscur m'emportait, et je ne pouvais lutter contre sa force. Avec un profond sentiment de catastrophe, j'acquiesçai d'un signe de tête. Jean eut une sorte de ricanement qui me fit mal, et, impitoyablement, reprit :

— Et papa ? Il sait, lui aussi ? Ou bien il se croit vraiment mon père ? Dis, réponds !

Une horrible souffrance me hachait le cœur. Je ne reconnaissais plus mon fils dans cet adolescent furieux et vengeur qui me parlait durement, qui m'accablait sans pitié :

— Alors, réponds ? Il ne sait rien ?

Torturée, j'ai dit, dans un souffle :

— Si, il est au courant...

— Ah, c'est très bien ! Tout le monde le sait, sauf moi, le principal intéressé !

Un sanglot l'interrompit. Ses yeux reflétèrent une douleur immense. Il eut un geste vers moi, dit, dans une plainte :

— Oh, maman, maman ! Comment as-tu pu faire ça ?...

Anéantie, brisée, je n'ai pas su me défendre. J'ai voulu me rapprocher de lui, essayer de lui expliquer, de lui faire comprendre. Mais lui, meurtri par une révélation trop brutale, ne me le permit pas. Je vis, avec une peine atroce, le recul qu'il eut pour s'éloigner de moi ; je vis son regard se poser sur moi avec une sorte d'horreur, oui, d'horreur — et je crus mourir.

Il reprit, avec rage, avec acharnement :

— Comment as-tu pu faire ça ? Toute cette tromperie ! Jamais plus je n'aurai confiance en toi ! Et jamais je ne te pardonnerai ! Si tu savais comme je t'en veux ! Non, ne m'approche pas ! Ne me touche pas ! Je te déteste !

Je m'arrêtai dans mon élan vers lui, pétrifiée de douleur. J'étais trop bouleversée pour comprendre que seuls la souffrance et le désespoir dictaient son attitude ; il avait mal, et par une instinctive réaction, il cherchait à faire mal à son tour.

Il me tourna le dos, se dirigea vers la porte. Incapable de le retenir, dans un sursaut de désespoir je criai :

— Jean ! Où vas-tu ?

Il se retourna, d'un mouvement brusque. Je lus dans son regard une véritable haine, et je sentis la vie se retirer de mon cœur meurtri.

— Je m'en vais ! Je ne veux plus te voir ! Je vais rejoindre Henri, puisqu'il est mon vrai père ! Ma place est auprès de lui !

La douleur me crucifiait. Je tendis les mains vers lui, mais il ne vit pas mon geste. Il ouvrait la porte, s'en allait. Abrutie de souffrance, impuissante et désespérée, je n'ai pu que le regarder partir, et, à chaque pas qui l'éloignait de moi, je me sentais mourir un peu.

Lorsque Charles rentra le soir, il me trouva complètement prostrée. Depuis le départ de Jean, je ne faisais que pleurer. Mon équilibre était détruit, mon petit monde venait de s'effondrer. Hagarde, abrutie, je promenais autour de moi un regard incompréhensif, perdu.

A l'entrée de Charles, je ne pus que le regarder à travers mes larmes. En me voyant dans un tel état, en constatant l'absence de Jean, il comprit que quelque chose de grave était arrivé. Je vis ses traits se creuser, et ses yeux clairs, qui ressortaient davantage dans son visage noir de charbon, se charger d'inquiétude. Tout de suite, il s'écria :

— Il est arrivé quelque chose à Jean ?

Je secouai la tête. Lourde de désespoir, une houle emplissait ma gorge et m'empêchait de parler. En deux enjambées, Charles vint à moi, me prit aux épaules. Il me scruta, et je vis dans son regard un mélange d'anxiété, de peur, de tendresse, de pitié.

— Pourquoi es-tu dans cet état ? Que s'est-il passé ?

Il regarda autour de lui, désorienté, et reprit :

— Où est Jean ?

Je baissai la tête, et, dans un gémissement, je dis, très bas :

— Il est parti...

— Parti ? Où cela, parti ? Comment, parti ?

Je me mis à pleurer. Charles, que l'intensité de mon désespoir effrayait, essayait de comprendre :

— Calme-toi, je t'en supplie ! Que se passe-t-il ? Où est-il parti ? Et pourquoi pleures-tu ?

Sa tendresse, sa sollicitude, me firent pleurer davantage. Je me jetai dans ses bras, et là, sanglotai longuement. Je m'accrochais à lui, heureuse de sentir, dans la tourmente où je me débattais, sa force, sa compréhension, son amour.

Peu à peu, j'arrivai à retrouver un semblant de calme. D'une voix entrecoupée, je lui racontai ce qui s'était passé. Je dis la violence de Jean, et ses paroles emplies de haine, qui m'avaient fait si mal. J'étais si malheureuse que j'aurais voulu hurler ma peine, ou alors, comme un animal blessé, me réfugier dans un coin et me laisser mourir. Charles, comme moi, ne comprenait pas. Atterré et furieux, il répétait :

— Si je tenais le salaud qui est allé lui raconter ça !

Nous avons cherché, toute la soirée, qui pouvait être responsable de ce gâchis, et nous n'avons pas trouvé. Nous étions seuls, Charles et moi, à connaître la vérité, avec ma mère, Henri et Juliette. Nous tournions en rond, nous nous posions inlassablement la même question : qui donc, mais qui donc ? Ce ne pouvait pas être l'un de nous. C'était un homme, Jean avait parlé d'un homme. Je ne voyais qu'Henri, et pourtant, quelque chose me disait que ce n'était pas lui. Jean, d'ailleurs, avait assuré que ce n'était pas Henri. Alors, qui ? Peut-être le mari de Juliette ?... Mais savait-il la vérité ? Rien n'était moins sûr, Juliette ne lui avait peut-être rien dit. Et puis, pourquoi aurait-il fait ça ? Je me torturais l'esprit, je me rendais malade.

Le lendemain, qui était un dimanche, ma mère vint, comme d'habitude, dîner chez nous. Une nouvelle fois, je racontai ce qui s'était passé. Elle fut, elle aussi, atterrée. Elle voulut essayer de me consoler, et, finalement, se mit à pleurer avec moi. Ma douleur devenait sienne, la même peine était dans nos cœurs. Jean était perdu pour nous, et nous en étions inconsolables. Nous reviendrait-il un jour ?

Je voulais l'espérer. Je me disais que le choc s'atténuerait, ou qu'Henri le raisonnerait, et le renverrait vers moi. Je me disais qu'il était mon enfant, qu'il ne pourrait rester longtemps loin de moi. Mais il ne revint pas.

Dans la semaine, Juliette vint me voir. Henri lui avait tout raconté, et elle me plaignait. Elle non plus ne savait pas qui avait dévoilé la vérité à Jean. Ce ne pouvait être son mari, il n'était au courant de rien, et de toute façon, me dit-elle, il n'aurait pas fait ça. Comme nous, elle s'interrogeait, sans trouver de réponse.

Elle essaya, avec toute son amitié, de me réconforter :

— Prends patience, me conseilla-t-elle. Il faut qu'il accepte ce qu'il vient de découvrir. Le choc a été rude, pour un adolescent sensible comme lui. Comprends-le, Madeleine. Tu es sa mère, il t'avait placée sur un piédestal, et subitement, tout se brise. Il souffre, il est malheureux !

— Oh, Juliette, mon pauvre enfant ! Que puis-je faire, dis-moi ? Je suis si malheureuse, moi aussi !

— Laisse-lui le temps de revenir. Henri m'a dit que, pour le moment, il est totalement buté, il se braque dès qu'on essaie de le raisonner. Tout son équilibre est bouleversé, c'est compréhensible !

Je soupirai, sans répondre. Oui, elle avait raison. Et là encore, c'était moi l'unique responsable. Si Charles avait été le père de Jean, rien de tout cela ne se serait produit. Cette unique faute pesait lourdement sur ma vie. Je m'étais crue sauvée, lorsque Charles m'avait épousée. Comme je m'étais trompée !

Je vécus dès lors amputée d'une partie de moi-même. En moi, un grand vide s'était fait, et j'entendais, au plus profond de mon cœur, une lamentation ininterrompue, qui me disait le mal de mon petit. Je me laissais vivre, je m'engourdissais dans ma souffrance. Charles souffrait avec moi. Il m'entourait de davantage de tendresse, comme pour compenser l'absence de mon enfant. Nous nous rapprochions, pour mieux lutter, à deux, contre la tristesse de notre vie sans lui. Mais rien ne pouvait me consoler du départ de Jean.

A mes beaux-parents, qui croyaient depuis toujours que Jean était le fils de Charles, nous n'avons pas pu dévoiler la vérité. Charles a inventé une histoire de stages qui éloignaient Jean de la maison pendant une période indéterminée. Emmurée dans mon désespoir, j'ai accueilli leur réaction avec indifférence. Je crois, d'ailleurs, qu'ils ont admis l'explication de Charles sans problèmes. Ils étaient suffisamment pris avec leurs propres soucis. La santé de Pierre se dégradait ; quant à Jeanne, plus grand-chose ne l'intéressait.

Ma petite amie d'en face, Marcelle, réclama Jean à plusieurs reprises. Elle avait maintenant huit ans ; c'était une jolie petite fille aux boucles blondes. Je me disais que j'aurais aimé avoir une petite fille comme elle, qui m'aurait sauvée de ma neurasthénie. Je reportais sur elle toute ma tendresse inemployée.

Très souvent, elle me disait :

— Et Jean, Madeleine ? Quand revient-il ?

Ses questions m'étaient douloureuses. Je répondais évasivement :

— Dans quelques semaines, sans doute.

Elle soupirait. Presque autant qu'à moi, Jean lui manquait. Elle lui vouait une véritable adoration depuis le jour où il l'avait défendue contre un groupe de garnements qui lui avaient chipé son ballon. Jean avait chassé les gamins, et rendu son ballon à la petite fille en pleurs. Il était, pour elle, un héros. Elle venait toujours à la maison quand il se trouvait là, et le suivait partout avec une fidélité de petit chien. Lui, acceptait sa présence avec une condescendance amusée. Et, depuis que Jean m'avait quittée, comme moi, elle portait un cœur lourd.

Pour Charles, j'essayai de réagir. Je m'obligeai à croire à un retour possible de Jean. Je savais par Juliette qu'il vivait chez Henri, qu'il refusait toujours farouchement de revenir chez nous. Pourtant, je voulais croire qu'il me reviendrait. Instinctivement, je sentais que seul cet espoir me permettrait de vivre. Sans lui, je me serais laissée mourir.

Cette épreuve m'avait marquée, vieillie prématurément. J'avais trente-huit ans, et déjà des cheveux blancs.

Mon problème personnel m'occupait tellement que les difficultés extérieures m'étaient secondaires. Pourtant, rien n'allait plus. Le chômage s'aggravait, des grèves éclataient, les prix grimpaient de plus en plus. Charles, bien souvent, ouvrait notre poste de T.S.F. et écoutait les informations, le front soucieux. Moi, je n'y comprenais pas grand-chose. J'entendis parler du rattachement de l'Autriche à l'Allemagne, et des accords de Munich. Dans le coron, tous les hommes en parlaient. L'inquiétude nous gagnait peu à peu.

— Tout cela finira mal, disait Charles en hochant la tête avec pessimisme. Nous aurons la guerre, si ça continue.

Je le regardai avec incrédulité. Comment une chose pareille était-elle possible ? Je me souvenais d'une autre guerre, qui m'avait pris mon père et ne m'avait apporté que tristesse et désolation. Je n'osais pas croire que cela pouvait se reproduire.

L'hiver passa, et je vivais toujours séparée de mon enfant. Juliette venait me voir de temps en temps, et me donnait de ses nouvelles. Rien n'était changé, il ne voulait toujours pas revenir. A ma peine de l'avoir perdu venait s'ajouter une rancune envers Henri. Je me disais que, trop content d'avoir récupéré Jean, il l'approuvait dans son choix de ne plus me revoir. J'avais même pensé à aller lui demander de me rendre mon fils, et j'en avais parlé à Juliette. Elle me l'avait déconseillé. C'était Jean, disait-elle, qui refusait tout dialogue ; il fallait laisser faire le temps. Mais ce m'était de plus en plus dur d'attendre, sans savoir si mon espoir serait un jour réalisé. J'avais peur, aussi, que mon fils ne se mît à préférer la vie que lui faisait Henri, et je me demandais de plus en plus souvent s'il reviendrait un jour.

Charles, qui voyait combien j'étais triste, et à qui je faisais part de mes craintes, me rassurait. Il me disait, invariablement :

— Il reviendra, Madeleine, tu verras, il finira bien par revenir. Il nous aime, malgré tout, et puis, c'est un bon petit.

Ma mère abondait dans ce sens :

— Il a raison, Madeleine. Jean t'aime, ne crains rien. C'est parce qu'il t'aime qu'il n'arrive pas à admettre la réalité. C'est un adolescent, épris d'idéal, et l'image qu'il se faisait de toi a été brutalement détruite. Ce n'est qu'une question de temps.

Mais combien de temps ? me disais-je parfois. C'était interminable, et l'idée que mon enfant me haïssait m'était insupportable. J'avais toujours dans la tête les mots qu'il m'avait jetés avec rancune : « Je te déteste ! » Je me réveillais parfois la nuit, ayant l'impression de les entendre encore.

L'année 1939 arriva, et avec elle les menaces de guerre se précisèrent. Les nouvelles devenaient alarmantes. Notre poste de T.S.F. nous apprit l'entrée des troupes allemandes en Bohême-Moravie, puis, en mai, le pacte d'Acier entre l'Allemagne et l'Italie. Plus les mois passaient, plus les chances de paix diminuaient, et plus l'espoir de voir mon fils me revenir s'amenuisait. Je vivais dans une attente continuelle, basée de plus en plus sur la crainte.

Le 1er septembre, les troupes allemandes envahirent la Pologne. Le 3, l'Angleterre et la France déclarèrent la guerre à l'Allemagne. Je nous revois, Charles et moi, dans notre cuisine, l'oreille collée au poste de T.S.F. Ma mère était là, également. Nous avons écouté l'allocution du président du Conseil Daladier. Et puis, ma mère et moi, les larmes aux yeux, avons échangé un long regard. Charles m'a pris la main, l'a serrée très fort. Tous les trois, écrasés par une fatalité implacable, nous éprouvions le même sentiment d'impuissance désespérée.

Parmi les mineurs, beaucoup ne furent pas mobilisés, car il fallait garder de la main-d'œuvre pour extraire le charbon. Charles fut de ceux-là, et, dans la tristesse de ces jours difficiles, ce me fut un réconfort. Privée de la présence de mon fils, que serais-je devenue sans Charles ? J'avais doublement besoin de lui, et j'étais heureuse de savoir que je n'aurais pas à trembler chaque jour pour sa vie.

Mais je n'eus pas le temps d'être rassérénée bien longtemps. Quelques jours après, une nouvelle inquiétude s'abattit sur moi. Juliette vint m'annoncer que Jean s'était engagé, et était parti pour le front. Bouleversée, je m'effondrai.

— J'aurais préféré ne pas te le dire, mais j'ai voulu que tu le saches avant de l'apprendre par d'autres. De toute façon, il aurait été appelé d'ici peu, tu le sais. Et rien n'a pu le retenir, il était fermement décidé à partir.

— Il n'est même pas venu me voir, me dire adieu ! Comment a-t-il pu ?...

— Il est parti très rapidement, sur un véritable coup de tête. Henri a été mobilisé comme officier. Jean n'a pas hésité, il a demandé à partir avec lui.

Je ne répondis pas. Je savais que chaque jour je tremblerais lorsque j'entendrais frapper à la porte. Je ne me souvenais que trop bien de la façon dont nous avions appris la mort de mon père. Je savais que je vivrais avec une peur constante au fond du cœur, et que je m'efforcerais, sans résultat, de chasser la pensée qui me dirait, bien souvent : « Et si je ne le revoyais plus jamais ? Et si je le perdais définitivement ?... »

Charles réagit mieux que moi :

— Il fait son devoir, Madeleine. Nous ne sommes pas les seuls à avoir un fils à la guerre.

Bien sûr, lui était un homme. Il voyait ça d'une façon différente. Moi, je n'étais qu'une mère qui tremblait pour son enfant. En plus, je m'interrogeais sur les motifs qui l'avaient poussé à s'engager. Etait-ce dans le seul but de suivre Henri ? Ou bien une sorte de fuite devant une réalité qu'il ne pouvait admettre, en ce qui me concernait ? Comment savoir ? Dans le doute qui me rongeait, je me disais que, s'il lui arrivait quelque chose, ce serait encore moi la coupable.

J'écoutais avec une nouvelle attention les informations. J'entendais, autour de moi, discuter les hommes, j'essayais de me rassurer quand ils disaient que rien de bien grave ne se passait. C'était la « drôle de guerre », une guerre pour rire. Nous vivions dans une sorte d'attente. Je voyais, sur les murs, des affiches qui disaient : « Nous vaincrons parce que nous sommes les plus forts. » Certains, les plus optimistes, affirmaient que tout serait bientôt terminé. D'autres restaient dans l'expectative. Et moi, égoïstement, je ne pensais qu'à mon enfant.

Juliette vint m'apporter une lettre de lui qu'elle avait reçue. Il avait écrit à sa marraine, mais pas à moi. Il m'en voulait donc encore ! C'était un mot assez court, dans lequel il disait qu'il était à la frontière, qu'il ne se passait rien d'important. Il se portait bien, Henri également. Il terminait en l'embrassant très fort ainsi que Germain. Pas un mot pour moi, ni pour la famille. Rassurée de savoir qu'il allait bien, j'étais déchirée, en même temps, par une telle indifférence.

Juliette vit ma tristesse :

— Si tu veux, me proposa-t-elle, je ne te montrerai plus ses lettres.

— Si, je préfère les voir. Elles m'apportent la preuve qu'il est en bonne santé. C'est le plus important, après tout.

Elle me laissa l'adresse, et Charles, le soir même, se décida à lui écrire. Il lui donna des nouvelles de nous tous, et lui parla de notre inquiétude. Jean ne répondit jamais. Cela me fit encore plus mal, et je suppliai Charles de ne plus écrire.

Ma mère et mes beaux-parents, comme moi, s'inquiétaient. Ma belle-mère vivait en dehors du monde. Même l'annonce d'une prochaine naissance, au foyer de Georges et d'Anna, n'avait pas réussi à la ramener vers nous. Pierre se désespérait de la voir mourir lentement de chagrin, sans pouvoir la retenir ni l'aider. Ma mère essayait bien de la secouer, de temps en temps, mais Jeanne haussait les épaules, dans un geste empreint d'un complet désespoir :

— Je n'ai plus la force de vivre, Louise, disait-elle dans un souffle.

Moi qui tremblais chaque jour pour Jean, je la comprenais. Je me disais que, si je perdais mon enfant, comme elle je n'aurais plus qu'à me laisser mourir.

Au début du printemps, ma belle-sœur Anna mit au monde un fils. J'allai l'aider chaque jour, tout le temps qu'elle fut alitée. Je faisais son ménage, je préparais le repas de Georges, je lavais les langes du bébé. Je la regardais, dans son lit, heureuse et épanouie, tenant contre elle son enfant qu'elle nourrissait. Je me souvenais, avec une acuité douloureuse, de la naissance de mon propre fils, qui avait choisi de me quitter. Alors je détournais la tête pour cacher mes yeux pleins de larmes.

Georges était très fier de son fils. Il rayonnait :

— As-tu déjà vu un plus bel enfant, Madeleine ?

Je souriais, j'approuvais. La joie et la fierté que je voyais dans leurs yeux, à tous les deux, rendaient encore plus fort mon besoin de Jean.

Charles fut choisi pour être le parrain du petit. Il fut appelé Paul, et le baptême eut lieu le mois suivant. Ma belle-mère, quand elle prit son petit-fils dans ses bras, sembla, pour un instant, s'éveiller de sa tristesse habituelle.

— Je voudrais, me chuchota Anna, que cet enfant puisse la ramener à la vie.

Je le souhaitais aussi. Mais je savais la douleur de Jeanne trop profonde pour être surmontée.

La guerre continuait, et, bientôt, tout changea. En avril, les Allemands envahirent le Danemark et la Norvège, puis, en mai, le Luxembourg, la Hollande et la Belgique. Tout de suite après, ils furent en France. Le mois de mai fut un véritable cauchemar. Chaque jour, une ville tombait, prise par les Allemands. Leur avance semblait inexorable. Nous commencions à entendre l'écho des bombardements, qui réveillaient en moi une terreur que j'avais crue, à tort, oubliée.

Il y eut des files de réfugiés, qui venaient de Belgique, et du nord de la France. Nous les voyions passer, fuyant l'avance allemande, emmenant tout ce qu'ils pouvaient dans des brouettes, des baluchons, des valises. C'était une véritable cohue, qui finissait par gêner la circulation. Ils avançaient péniblement, et beaucoup, de cet exode, ne revinrent pas. En effet, les avions allemands, les Stukas, mitraillèrent et bombardèrent des centaines de réfugiés, ajoutant leur œuvre de mort à une désolation déjà grande.

Nous étions en territoire occupé. Une fois de plus, il fallait subir l'envahisseur. Des nouvelles nous parvenaient, qui nous indignaient et nous effrayaient à la fois : dans des villages voisins, à Courrières, à Oignies, les Allemands avaient incendié les maisons et fusillé une centaine d'habitants.

— Pourquoi ? Mais pourquoi ? demandai-je à Charles, lorsqu'il m'apprit la nouvelle.

— Ils se sont vengés. Ils avaient subi, la veille, une vive résistance de la part de l'armée française.

Je restai incompréhensive. Etait-ce une raison pour massacrer des femmes, des enfants ? Peu à peu, mêlée à notre terreur, une haine de l'ennemi montait dans les esprits.

Nous apprîmes qu'ils avaient conquis Paris, le 14 juin, et puis, le 17 juin, que le gouvernement français avait demandé l'armistice. Ce fut, dans le coron, une explosion de colère. Beaucoup étaient outrés, indignés.

— Nous ne serons pas allemands ! disaient-ils. Jamais ils ne pourront nous obliger à nous avouer vaincus !

J'ai vu, ce jour-là, des vieux qui pleuraient, de ceux qui avaient participé à la Première Guerre. Ils ne comprenaient pas. Et c'était Pétain, un maréchal, un survivant de l'épopée de 1914-1918, qui venait d'annoncer la capitulation ! Ils ressentaient cela comme une véritable trahison.

Le lendemain, de Londres, un général de l'armée française, Charles de Gaulle, appela tous les Français à la résistance. De ce jour, nous écoutâmes tous fidèlement Radio-Londres.

La vie devenait de plus en plus difficile. Nous eûmes des cartes de rationnement. Les avantages acquis sous le Front populaire furent annulés. La semaine de quarante-huit heures fut rétablie, et les mineurs durent travailler un dimanche sur deux.

— Vois-tu, me disait Charles, ils veulent nous faire extraire le plus de charbon possible, pour l'ennemi. Ça ne peut pas aller !

À quelque temps de là, une bombe fut lâchée par un avion allemand sur la fosse 6, à Haillicourt, et déclencha un coup de poussière dans la salle du triage. En un instant, le criblage fut transformé en brasier. Des hommes et des femmes furent brûlés vifs. Parmi les victimes se trouvait un neveu de Jeanne, le fils de son unique frère.

Cette épreuve fut, pour ma belle-mère, le coup de grâce. Je la vis revenir de l'enterrement, le regard perdu, l'air hagard. Elle semblait avoir laissé là ses dernières forces.

Peu de temps après, elle s'alita. Elle avait attrapé une mauvaise toux, et son état empira rapidement. Anna étant occupée avec son bébé, j'allai la soigner. Pierre fit venir le médecin, qui, après l'auscultation, hocha la tête avec tristesse. Il donna une potion à prendre, des ventouses à appliquer. Je le reconduisis à la porte :

— Qu'a-t-elle, exactement, docteur ? Est-ce grave ?

Il me regarda sans répondre, et je lus dans ses yeux son hésitation.

Alors j'insistai :

— Dites-le-moi franchement, je préfère savoir. Est-ce vraiment grave ?

Il soupira :

— Sa maladie par elle-même n'est pas grave, non. C'est son corps qui est usé. Elle ne veut plus vivre et, malheureusement, rien ne peut ramener à la vie quelqu'un qui préfère se laisser mourir.

Je ne répétai pas ces paroles à Pierre. Il était déjà assez perdu, et sa santé, à lui non plus, n'était pas bonne. Il s'essoufflait très vite, il devait marcher lentement, le moindre effort lui était pénible. Je retournai près de ma belle-mère et lui fis boire sa potion. Elle retint mon poignet :

— Madeleine, demanda-t-elle d'une voix tendue rauque par ses accès de toux, qu'a dit le docteur ? Je vais mourir, n'est-ce pas ?

Elle ne me laissa pas le temps de protester par un mensonge. Elle reprit, comme pour elle-même :

— C'est aussi bien, je n'en peux plus. Je vais enfin pouvoir les rejoindre, mes deux enfants. Il y a si longtemps qu'ils m'attendent. Marie surtout... Je vais la retrouver, ma petite fille, après toutes ces années, qui m'ont paru si longues...

Incapable de prononcer un mot, je luttais contre mes larmes. Elle vit mon chagrin :

— Ne pleure pas, Madeleine. Il ne faut pas être triste, je suis heureuse et soulagée de partir. Le seul problème, c'est Pierre, je le sais bien. Il restera seul... Je te le confie, Madeleine, prends bien soin de lui. Il t'aime comme sa fille, et je sais que tu seras bonne avec lui... Va le chercher, et laisse-nous seuls un instant. Ensuite, tu iras demander à Anna qu'elle m'apporte mon petit-fils. J'aurais bien aimé revoir Jean, avant de partir, mais, avec cette guerre... Embrasse-moi, Madeleine, je te remercie d'être une bonne épouse pour mon Charles...

Je me suis penchée vers elle, je l'ai embrassée, avec tendresse, avec désespoir. Elle me serra dans ses bras, un instant, puis me repoussa :

— Va, ma fille, et envoie-moi Pierre.

Je suis sortie de la chambre, suffoquant de chagrin. A Pierre, dans la cuisine, je dis :

— Allez la rejoindre, elle vous demande...

Il se leva, s'approcha, regardant mon visage baigné de larmes. Il tendit vers moi une main, d'un air désemparé :

— Madeleine, murmura-t-il, et mon nom ressemblait à une plainte.

Je me jetai contre lui, et nous nous sommes accrochés l'un à l'autre. Le premier, Pierre s'écarta :

— Je vais la voir, dit-il.

Et je l'entendis ajouter tout bas, dans un souffle :

— Ma Jeanne...

Il eut une sorte de sanglot, et je le regardai, impuissante, se diriger vers la chambre d'une allure titubante, heurtée, l'allure d'un homme malheureux et accablé par le désespoir.

Elle mourut le surlendemain. Elle partit paisible, assurée d'aller rejoindre ses deux enfants qui l'attendaient. Une dernière fois, elle m'avait confié Pierre, et, une dernière fois, avait réclamé Jean. Jean qui, quelque part sur le front, ignorait que sa grand-mère se mourait. Et même s'il l'avait su, qu'aurait-il pu faire ? Aurait-il eu seulement la permission de venir ?

Avec les voisines, je fis la toilette de Jeanne. Lorsqu'elle reposa, les mains jointes, sur le lit, je remarquai la profonde sérénité de son visage. Je ne pus m'empêcher de penser qu'elle avait réellement retrouvé ses enfants dont l'absence cruelle et définitive l'avait menée peu à peu vers la mort.

Les gens du coron défilèrent, venant rendre un dernier hommage à une femme que tous estimaient. Pierre, hébété, semblait être plus désorienté que jamais. Quant à Charles, son désespoir me fit mal. Pour la première fois de ma vie, je le vis s'effondrer et pleurer comme un enfant. Désemparée devant l'explosion d'un chagrin si intense qu'il en était inconsolable, je n'ai pu que m'approcher de lui, lui caresser les cheveux, et pleurer, moi aussi.

Toute la famille vint assister à l'enterrement, à l'exception de Jean.

Charles marchait la tête baissée, profondément abattu. Le frère de Jeanne, qui venait de perdre l'un de ses fils, âgé de quatorze ans, à la fosse 6 d'Haillicourt, avait des yeux d'halluciné, et l'attitude d'un homme qui ne parvient pas à réaliser. Pierre, que Georges soutenait, ne valait guère mieux. Il avait le regard désemparé d'un petit enfant.

Presque tout le coron était là. Quelques-uns, des femmes surtout, qui avaient bien connu Jeanne, pleuraient. Ma mère, sa meilleure amie, ne se consolait pas :

— Elle va me manquer, me disait-elle. C'était mon amie, nous nous confiions toutes nos peines, nous étions très proches. Je serai un peu plus seule, dorénavant.

Je protestai :

— Voyons, maman, je suis là !

Elle ne répondait pas, et je savais que je ne l'avais pas convaincue.

Il fallut apprendre à réorganiser notre vie, malgré l'absence de Jeanne. A tour de rôle, Anna et moi allions, un jour sur deux, nous occuper de Pierre, lui faire son ménage, lui préparer son repas. Je lui avais proposé de venir chez nous quelque temps, il pourrait loger dans la chambre de Jean, qui était absent. Mais il avait refusé :

— Non, merci. Tu es gentille de me le proposer, mais je préfère rester chez moi. C'est ici que j'ai vécu avec Jeanne. Si je partais, il me semblerait que je l'abandonne...

Il s'était détourné, essayant, avec une sorte de pudeur désespérée, de me cacher son chagrin.

Un jour du mois de juillet, je vis arriver Juliette, pâle, les yeux rougis, avec un air catastrophé. Tout de suite, elle dit :

— Il fallait que je vienne. Après tout, tu l'as aimé aussi, et moi je l'aimais tant. C'était mon frère, et, lui mort, une partie de mon enfance meurt aussi.

Je n'osai pas comprendre :

— Juliette ! Que veux-tu dire ? Est-ce que... ?

Elle se laissa tomber sur une chaise, leva vers moi un regard douloureux :

— Henri a été tué le 31 mai, près de Dunkerque. Gerda a reçu l'avis officiel, hier. Elle est comme folle, elle n'arrive pas à réaliser. Et ce sont des Allemands, des hommes de son pays, qui ont tué son mari ! Elle ne fait que pleurer. Et moi, je suis bien malheureuse aussi.

Je posai une main sur son épaule, en un geste de consolation. Je comprenais sa peine ; moi aussi, j'éprouvais une certaine tristesse. Je me souvenais du Henri de ma jeunesse, celui qui m'avait éblouie, séduisant et charmeur, l'espace d'un été.

— Pardonne-moi, dit Juliette, en s'essuyant les yeux. J'ai tant de peine ! C'est mon unique frère, tu comprends.

Je ne pouvais pas répondre. Subitement, ma gorge s'était serrée, une pensée m'était venue : et Jean ? Que lui était-il arrivé, à lui ? Il devait être avec Henri, lorsque celui-ci avait été tué, puisqu'ils étaient partis ensemble. Et si, lui aussi... ? J'eus soudain la gorge sèche.

Juliette se leva, pitoyable.

— Au revoir, Madeleine. Cette guerre est moche ! Et le pire, c'est qu'on ne peut rien faire.

Je l'embrassai avec affection, sans un mot. A quoi bon lui parler de la crainte qui, dorénavant, hanterait chaque instant de ma vie ?

Le soir même, je racontai à Charles la visite de Juliette. Je vis la même pensée inquiète assombrir son regard. J'eus peur, et ne pus m'empêcher de demander, la voix rauque :

— Charles, crois-tu que Jean, lui aussi ?...

Il haussa les épaules avec incertitude :

— Ça ne veut rien dire, Madeleine. Attendons, et espérons.

Il me tendit les bras. Nous nous sommes serrés l'un contre l'autre, essayant de puiser dans notre amour mutuel un peu de courage, de réconfort. Mais nous savions bien que, jour après jour, la peur de recevoir une mauvaise nouvelle nous ferait trembler.

Il fallut vivre ainsi, pourtant. Les jours, les semaines se traînaient, sans aucune nouvelle de Jean. Où était-il ? Je craignais toujours d'apprendre qu'il avait été tué, et, en même temps, je n'en pouvais plus de rester ainsi dans l'incertitude. Douloureuse et insupportable, l'angoisse me consumait le jour, me tenait éveillée la nuit. Je me mis à maigrir.

Cela dura cinq mois, cinq longs mois interminables, avec des alternatives d'espoir et de découragement. A travers les informations contradictoires qui nous parvenaient, nous avons compris qu'il y avait de nombreux prisonniers de guerre, et que pour eux des camps se constituaient. Comment savoir si c'était le cas pour Jean ? Ma mère était aussi inquiète que moi. Charles essayait de nous rassurer.

— Pas de nouvelles, bonnes nouvelles, disait-il avec un enjouement forcé.

Mais il ne parvenait pas à nous convaincre.

Et puis, un matin d'octobre, je reçus une carte de la Croix-Rouge. J'eus peur et hésitai un instant avant de la lire. Enfin je m'y décidai ; ma main tremblait tellement que j'eus du mal à déchiffrer les lettres. Lorsque j'y parvins, je ressentis un soulagement merveilleux : il était écrit que Jean était prisonnier dans un camp en Allemagne.

Je dus m'asseoir, les jambes fauchées par l'émotion. Ma mère arriva juste à ce moment et, apercevant la carte dans mes mains, s'affola :

— Madeleine ! Qu'y a-t-il ?

Sans répondre, je la lui tendis, et elle lut. Elle poussa un immense soupir :

— Enfin ! murmura-t-elle.

Elle me regarda, et sur tout son visage il y avait un grand bonheur.

— Il y a l'adresse du stalag où il est prisonnier, dit-elle. Il faut lui écrire.

Charles, le soir, fut du même avis. Heureux comme des enfants, nous avons passé un long moment à écrire une lettre, pleine d'amour et de tendresse. Mais, au fond de moi, un doute persistait : allait-il répondre, cette fois ?

Je me remis à attendre, chaque matin, avec un nouvel espoir. Plusieurs semaines passèrent, et j'essayai de ne pas me décourager. Puis, au début du mois de décembre, je reçus une lettre.

Fébrilement, j'ouvris l'enveloppe. J'en retirai une feuille d'un format spécial et réglementaire. Avidement, je me mis à lire. Il n'y avait que quelques lignes, dans lesquelles il disait que tout allait bien, qu'il nous aimait et pensait à nous. Et il terminait par cette phrase, adressée à moi seule : « J'ai compris beaucoup de choses, et je te demande pardon pour le mal que je t'ai fait. Je t'aime. »

Je restai là, au milieu de ma cuisine, follement heureuse. Une grande douceur descendait sur moi, une paix profonde m'envahissait, chassant des mois et des mois d'inquiétude, de tourment, de désespoir. Je regardais sans la quitter des yeux cette lettre que je tenais, et ce fut en voyant de grosses larmes tomber sur le papier que je compris que je pleurais.

Sans attendre un instant de plus, je courus jusque chez ma mère, pour lui faire partager ma joie. J'arrivai chez elle essoufflée et radieuse. Sur le moment, elle s'étonna, presque inquiète :

— Madeleine ! Que se passe-t-il ?

Je lui tendis le papier :

— Regarde, maman ! Je viens de le recevoir.

Elle prit la feuille, lut. Je vis se lever, dans ses yeux, une joie identique à la mienne.

— Ma chérie ! Je suis si heureuse pour toi.

Nous nous sommes retrouvées dans les bras l'une de l'autre, et le même bonheur ému était dans nos cœurs.

Le soir même, lorsque Charles rentra, je ne tenais plus d'impatience et de joie. Dès qu'il croisa mon regard, il comprit qu'il y avait quelque chose. L'allégresse que je ressentais devait se lire dans mes yeux. Il me dit :

— Madeleine ! Qu'y a-t-il ?

Sans un mot, en souriant, je lui tendis l'enveloppe. Il

me regarda, incertain. Je lui souris de nouveau, avec un geste d'encouragement. Alors il prit la lettre, et lut. Lentement, il releva la tête. Dans son visage encore noir de charbon, ses yeux clairs brillaient. D'une voix enrouée par l'émotion, il dit :

— Enfin, il a compris. Je te le disais bien, Madeleine, que c'est un bon petit.

Oui, il lui avait fallu du temps pour revenir vers moi, mais ce moment était arrivé. Je ne pensais plus à ces jours, ces mois passés pendant lesquels je m'étais torturée. Ils étaient oubliés, balayés par la joie intense et merveilleuse que je ressentais.

Nous lui avons répondu, et j'ai vécu dorénavant pour ses lettres. Il avait le droit d'écrire deux fois par mois, et nous apprîmes à connaître ces petites feuilles de papier blanc administratif, dans lesquelles il nous racontait sa vie.

Je passai beaucoup de temps à confectionner des colis, que nous pouvions envoyer à raison d'un colis de cinq kilos tous les deux mois et de deux colis d'un kilo par mois. Nos moyens étaient limités, car le rationnement sévissait toujours autant. Alors nous nous privions davantage.

— Comment peut-on se nettoyer avec un savon qui ressemble à un caillou ? disait Charles. Il ne mousse pas, on dirait de l'argile !

Je pris l'habitude, comme d'autres femmes dans le coron, de remplacer le savon par de la saponaire, que nous allions chercher dans les champs.

Au mois de juin, toutes les fosses du Pas-de-Calais se mirent en grève. La raison en était le manque de nourriture, l'exigence d'un salaire plus élevé. Mais, de manière plus profonde et inavouée, c'était pour les mineurs une façon de montrer leur hostilité envers l'occupant, une sorte de résistance pour ralentir la production. Ils avaient l'impression, en extrayant du charbon pour l'ennemi, de travailler contre leur propre pays, et voulaient, dans la mesure du possible, empêcher cet état de choses.

La riposte des Allemands ne se fit pas attendre. Des

affiches ordonnèrent la reprise du travail, avec des menaces pour ceux qui refuseraient ou amèneraient la perturbation. Ils décidèrent que les rations alimentaires seraient proportionnées à l'effort fourni, prenant par là les mineurs à leur propre piège, et ils procédèrent à des arrestations. Nous apprîmes qu'ils en avaient arrêté plus de trois cents dans le bassin. Certains furent déportés, d'autres emprisonnés, quelques-uns fusillés.

La haine et la terreur grandissaient. Moi qui n'aimais pas beaucoup les grèves, sachant combien elles pouvaient être dramatiques, j'étais en proie à l'inquiétude. Je disais à Charles :

— C'est de la folie de faire grève en ce moment ! Déjà en temps ordinaire, ça peut toujours tourner mal, mais ici, en pleine guerre, et en pleine occupation de surcroît !

A quoi Charles répondait invariablement :

— Mais, nous ne pouvons pas, non plus, laisser faire ! Ils nous exploiteraient sans pitié, nous feraient mourir à la tâche.

Malgré tout, les salaires furent augmentés, et le travail reprit. Mais les prix augmentant encore plus, l'amélioration fut peu sensible. Nous ne pouvions jamais suivre, car, comme le dirent par la suite les syndicats, « pendant que les salaires montaient par l'escalier, les prix montaient par l'ascenseur ».

Les denrées de base manquaient de plus en plus. Au marché noir, le kilo de beurre, qui valait jusque-là trente à quarante francs, se vendait maintenant jusqu'à cent cinquante francs. Le kilo de pommes de terre était passé de un à six francs. Cela devenait insupportable.

Le café se faisait rare. Dans le coron, les gens torréfiaient des petits pois, des châtaignes, des graines de lupin, pour les mélanger avec le café qui nous était fourni. La saccharine avait remplacé le sucre. Des objets comme le tabac, le savon, le charbon s'échangeaient contre de la viande, du beurre, des œufs. La moindre parcelle de jardin devenait précieuse, et beaucoup se mirent à l'élevage de poules ou de lapins.

Il fallait apprendre à tirer parti de la moindre chose,

apprendre à vivre en se privant sur tout. Le charbon manquait également. A l'automne, pour remédier à la pénurie, beaucoup de prisonniers de guerre qui avaient été mineurs furent libérés afin de reprendre leur ancien travail. Mais Jean, lui, ne revint pas.

Nous continuions à recevoir ses lettres, et je confectionnais toujours avec amour des colis que nous lui envoyions. Cette correspondance était le seul lien, combien précieux, entre nous. Peu à peu, au fur et à mesure que nous parvenaient ses courts messages, nous apprenions à connaître sa vie. Il était maintenant dans un commando de la Reichsbahn, dans la banlieue de Munich. Il travaillait dans une gare, à la manutention des marchandises. Sans être bien nourri, il n'était pas maltraité. Il logeait dans un baraquement, grand dortoir meublé de couchettes à double étage. Il ne se plaignait pas. Le plus dur, disait-il, était cette longue séparation qui le tenait éloigné de nous.

Je collectionnais précieusement ses messages. Je passais des soirées à les lire, les relire, jusqu'à les savoir par cœur. Il y avait toujours une phrase pleine d'amour pour moi, comme pour me faire oublier ce qu'il m'avait dit quand il m'avait quittée. Cela me faisait du bien, et en même temps m'était douloureux : plus le temps passait, et plus mon cœur de mère brûlait du désir de le revoir.

Les Etats-Unis entrèrent, à leur tour, dans la guerre. La France tout entière fut occupée.

Nous entendions parler de mesures contre les Juifs. On les obligeait à sortir avec une étoile de David sur leurs vêtements. On leur confisquait leur poste de T.S.F., on leur supprimait leur emploi. Nous n'en connaissions pas, dans le coron, mais des mesures d'une telle injustice nous révoltaient. Etait-ce une faute, d'être juif ? Quel mal avaient-ils donc fait ? Une preuve de plus nous était donnée de la cruauté et de l'oppression qu'exerçaient sur nous les Allemands.

Peu à peu, la résistance s'organisait. Beaucoup de jeunes, voulant échapper au S.T.O., le Service de

Travail Obligatoire dans des camps en Allemagne, prirent le maquis. Dans les mines, les mineurs ralentissaient la production.

— C'est notre charbon, disaient-ils, ce n'est pas possible qu'il puisse profiter aux Allemands !

Ils faisaient dérailler des wagons, ils coupaient les freins en caoutchouc, ils mettaient du sable dans les coussinets des roues. Tous les moyens étaient bons, s'ils pouvaient entraver le rendement.

Au début de l'année 1943, l'armée allemande capitula à Stalingrad. Ce fut le grand tournant de la guerre. A partir de ce moment, tout changea. Les gens prirent conscience que l'armée allemande n'était pas invincible. Contrairement à l'affirmation d'Hitler qui avait dit : « Ni le temps ni les armes ne vaincront l'Allemagne », les Allemands subirent d'autres défaites. Ils furent chassés d'Afrique du Nord, puis l'Italie, à son tour, dut capituler.

L'espoir se levait. Nous nous disions :

— Serait-ce possible de voir enfin la fin de cette guerre ? Serait-ce possible, surtout, de chasser ces Allemands de notre pays ?

Le général de Gaulle, à Alger, constitua le Comité Français de Libération Nationale. Nous voulions tous croire que la victoire devenait possible. Après le découragement, l'espérance renaissait.

La vie, pourtant, était toujours aussi difficile. Nous manquions, de plus en plus, de choses indispensables. Un matin sur deux, j'allais chez Pierre, qui vieillissait d'une façon alarmante. De gris, ses cheveux étaient devenus blancs. La maladie qui avait attaqué ses poumons le laissait sans forces. Il s'affaiblissait de jour en jour. Il était devenu d'une maigreur quasi squelettique, et seul son regard bleu vivait dans son visage décharné. Il respirait difficilement, et devait faire chaque geste au ralenti.

Bientôt, il ne put que se déplacer très lentement, et fut même incapable de lever les bras. Je dus le raser. Il en était humilié, et en même temps furieux :

— Je ne suis plus bon à rien, disait-il. Qu'est-ce que je fais encore sur cette terre ? Maintenant que Jeanne n'est plus là, à quoi bon rester, surtout dans ces conditions ?

J'essayais de protester :

— Voyons, ne dites pas cela. Nous vous aimons bien. Ne parlez pas ainsi, vous me faites de la peine.

Essoufflé d'avoir parlé, il cherchait sa respiration, et disait :

— Essaie de comprendre, Madeleine. Depuis que Jeanne m'a quitté, le temps me dure d'aller la rejoindre.

Je soupirais. Qu'aurais-je pu répondre ? De mon côté, je me languissais de plus en plus de Jean. Parfois, je pensais que je n'étais pas à plaindre, j'avais mon mari, il m'aimait, ma mère, à qui je pouvais me confier. Mais quand je voyais Anna, entourée de Georges et de son petit Paul, je ne pouvais m'empêcher de l'envier.

Quelques mois passèrent encore. Nous étions de plus en plus impatients de voir les Allemands s'en aller. Leur présence nous pesait. Ce n'était que brimades, arrestations, déportations, tortures, fusillades. Ils arrêtaient tous les Juifs maintenant, allant même jusqu'à rechercher les enfants dans les écoles. Nous n'étions pas loin de les considérer comme des monstres. Le soir, après le couvre-feu, claquemurés chez nous, nous les entendions défiler dans les rues, et leur chant me glaçait les veines :

Heidi, Heido, Heida,
Heidi, Heido, Heida,
Heidi, Heido, hahahaha.
Heidi, Heido, hahahaha.

Les bombardements n'arrêtaient pas, ils étaient un véritable cauchemar. Ils s'intensifiaient, nous faisant vivre dans une peur continuelle, qui s'ajoutait à toutes celles existant déjà.

Au mois de septembre, des résistants firent sauter, une nuit, les rails du chemin de fer qui partait de la fosse, empêchant ainsi tout transport de charbon. Les Allemands furent furieux, d'autant plus que cela venait juste après un avis interdisant toute action « terroriste ». Ils exigèrent que les coupables se dénoncent, faute de quoi ils menaçaient de prendre dix otages, au hasard, dans le village, et de les fusiller.

Personne ne vint se livrer, et ils mirent leur menace à exécution. Ils affichèrent la liste des dix noms tirés au sort. Ce fut Marcelle qui m'annonça l'atroce nouvelle :

— Madeleine ! Pierre est sur la liste !

Je laissai tomber le tricot que je tenais. Ma mère, qui était chez moi à ce moment-là, soupira :

— Oh, mon Dieu...

Je ne voulus pas le croire. Je secouai Marcelle :

— Voyons, tu t'es trompée ! Où as-tu vu ça ?

— Je ne me suis pas trompée ! Viens voir !

Sanglotant d'appréhension et d'horreur, je l'ai suivie. Et j'ai vu. Sur la liste, son nom était là, le dixième. Il n'y avait aucun doute possible : Pierre Blanchard, mineur retraité, soixante-six ans. Comme une folle je courus jusque chez lui. J'entrai, et m'arrêtai net. Deux Allemands en uniforme étaient là, de chaque côté de la porte, et, sans un mot, attendaient Pierre, qui s'habillait.

Je leur lançai un regard plein de haine et de mépris, et me jetai dans les bras de mon beau-père, en sanglotant sans retenue. Lui, calme et digne, lui qui allait mourir et qui le savait, me consolait, me tapotait le dos, murmurant des paroles apaisantes :

— Allons, c'est aussi bien ainsi.

Il me repoussa doucement, me regarda gravement, et reprit :

— Ne pleure pas sur moi. Pense aux autres, aux neuf autres, qui vont être fusillés aussi et qui, eux, sont jeunes. Moi, je suis vieux, je suis fini. De toute façon, je n'en avais plus pour longtemps, avec mes poumons foutus... Il vaut mieux que ce soit moi plutôt que Charles, ou Georges, ne crois-tu pas ?

Il me sourit, ses yeux bleus remplis de tendresse :

— Tu vois, c'est très bien ainsi. Cela m'évite une longue agonie, je mourrai plus vite et souffrirai moins longtemps. Il ne faut pas pleurer, Madeleine. Promets-moi de ne pas pleurer. Je vais rejoindre Jeanne, je suis heureux. Qu'était ma vie sans elle, alors que j'étais devenu presque impotent ? Le sort a bien fait de me choisir. — Sa voix s'enroua un peu. — Tu diras adieu de ma part à Charles, et à Georges... et à Jean, et tu embrasseras Paul pour moi.

Il me serra contre lui, avec une douceur et un amour infinis. Je n'étais plus qu'une peine immense, je ne pouvais pas prononcer un mot, je ne pouvais que le regarder, à travers un écran de larmes.

Il se tourna vers les deux Allemands qui, près de la porte, aussi impassibles que des statues, n'avaient pas bougé :

— Messieurs, dit-il, je suis prêt.

Ils l'encadrèrent, et ils sortirent. Debout sur le seuil, je les regardai partir. Dans la rue, tout le monde était dehors, et observait, dans un silence hostile, les deux Allemands qui emmenaient vers la mort un vieil homme aux cheveux blancs, qui marchait la tête haute et s'efforçait de lutter contre l'essoufflement de ses poumons usés.

Malade de douleur, de révolte, d'impuissance, j'ai appuyé ma tête dans mon bras replié contre le mur, et j'ai sangloté éperdument, incapable de vaincre l'atroce souffrance qui me déchirait et me donnait envie de hurler.

Quand Charles revint, le soir, de la mine, il savait déjà tout, et il était comme fou. Il entra dans la cuisine, à la fois accablé et furieux :

— Mon père, ils ont osé emmener mon père ! Un pauvre homme, vieux, malade, qui ne faisait de mal à personne ! Ce sont des assassins, des assassins !

Robert, le père de Marcelle, qui était entré avec Charles, fit un geste d'apaisement :

— Tais-toi, Charles, ne crie pas si fort ! Ça ne sert à rien, et s'ils t'entendaient...

Charles, outré, empli de révolte, me regarda, vit mes yeux rougis, mes lèvres tremblantes :

— Je ne peux pas supporter une telle injustice, une telle cruauté. Je vais chez François, voir ce qu'on peut faire.

François, c'était le délégué du syndicat. Il défendait les intérêts des mineurs et résolvait leurs problèmes, mais devant un problème d'une telle envergure, que pourrait-il faire ?

Charles sortit. Robert, impuissant, me regarda :

— Saloperie de guerre, murmura-t-il.

Il partit à son tour, la tête basse, le dos voûté, et je restai seule, attendant le retour de Charles.

Quand il revint, je vis le découragement dans ses yeux. Je compris qu'il ne pourrait rien faire pour sauver son père.

— J'ai vu François, il revenait du bureau de la Kommandantur. Il était parti demander la libération des otages. Ils ont refusé, et quand il a insisté, ils ont menacé de l'arrêter. Ils l'ont accusé d'être d'accord avec les résistants. « Dites à vos camarades de cesser leurs actes terroristes, et nous ne serons plus obligés de fusiller des otages. C'est vous seuls qui êtes responsables. Vous avez tout à gagner en vous montrant raisonnables. »

J'ai essayé de le consoler. Je lui ai rapporté les dernières paroles de Pierre, et je me suis efforcée de le persuader que cette mort était pour lui une délivrance. Cela, peut-être, apaisa un peu notre peine, mais ne réussit pas à apaiser notre révolte. Et notre haine envers eux, les « boches », comme nous les appelions, ne fit que s'accentuer.

Et pourtant, il y en avait qui collaboraient avec eux. Il y en avait qui acceptaient leur domination, leur cruauté, qui espéraient se faire bien voir en obéissant à leurs exigences, et même en dénonçant leurs camarades. Nous ne pouvions pas comprendre une telle attitude, à un moment où nous aurions dû, au contraire, nous montrer étroitement unis.

Catherine, la mère de Marcelle, m'avait dit :

— Tu sais, Madeleine, la grande Eugénie, qui tient l'épicerie, il paraît qu'elle reçoit des Allemands. Ses voisins ont déjà vu un officier passer la nuit chez elle, à plusieurs reprises. Si Antoine, son pauvre mari qui est prisonnier, savait ça...

Cela, après tout, ne me regardait pas, mais c'était quand même un comportement que je ne pouvais pas admettre. Trahir son mari était déjà mal, mais le faire, en plus, avec des ennemis me paraissait monstrueux. Surtout quand il s'agissait d'un mari bon et doux comme l'Antoine. Nous étions sincèrement indignés.

Et quand, à la Libération, ils lui rasèrent les cheveux, à elle et à d'autres, et la firent défiler dans les rues, il y en eut beaucoup pour trouver que la punition était encore trop faible eu égard à la faute.

L'hiver passa, difficilement. Il faisait froid, et il fallait économiser notre peu de charbon. En vidant les cendres, tous les matins, je les triais et je récupérais les morceaux de charbon qui n'étaient pas complètement brûlés, afin de les utiliser une fois de plus.

Les bombardements ne cessaient pas. Le ravitaillement manquait toujours autant. Les prix, au marché noir, atteignaient des sommes astronomiques. Très souvent, nous avions faim.

Ma mère venait fréquemment me voir. La compagnie de Jeanne lui manquait. Nous allions, toutes les deux, rendre visite à Anna. L'insouciance et le babil du petit Paul nous accueillaient et chassaient, pour un instant, nos ennuis.

Nous écoutions toujours Radio-Londres. L'espoir, tour à tour, venait et repartait. Nous connaissions tous, maintenant, l'air « Radio-Paris ment, Radio-Paris ment, Radio-Paris est allemand ». Cette année-là, apparut sur les ondes le Chant des Partisans. C'était un chant grave et lent, sur une musique russe et des paroles de Joseph Kessel et Maurice Druon. Il nous parlait des combattants des maquis donnant leur vie pour la liberté. Chaque fois que je l'entendais, je ne pouvais pas m'empêcher de frissonner. Je le trouvais d'une beauté poignante, profonde et tragique.

***

Tout doucement, malgré la guerre, le printemps s'installa. Avril était là, les arbres étaient redevenus verts, les jonquilles étaient fleuries. J'en mettais chaque jour un bouquet dans la chambre de Jean. C'était ma façon à moi de défier le sort, de me dire que, tant que sa chambre paraîtrait vivante, lui aussi vivrait, et reviendrait.

A cette époque, il y eut tant de bombardements, particulièrement dans la région lilloise, que des mineurs furent envoyés sur place pour déblayer les rues et rechercher, parmi les décombres, morts et blessés. Jusqu'ici, nous avions été épargnés, mais cela allait-il durer ? Nous vivions dans une angoisse constante.

Quelques semaines passèrent encore. J'avais ma mère, j'avais Charles, mais il me manquait mon enfant. Je gardais précieusement ses lettres, je les lisais, les relisais. Je ne vivais que pour son retour.

Et quand, le mardi 6 juin, un cri retentit, se propagea, courut dans tout le coron : « Ils ont débarqué ! Ça y est, ils ont débarqué ! », tout d'abord je n'osai y croire. Et puis, il fallut me rendre à l'évidence : c'était vrai, c'était arrivé. Enfin ! Depuis le temps que nous les attendions, que nous les espérions, ils étaient enfin venus !

— Avec leur aide, me dit Charles, le soir même, nous allons gagner la guerre.

Il régnait partout une grande effervescence. Tout le monde en parlait, c'était le sujet de toutes les conversations. Dans tous les yeux se lisait une joyeuse espérance : après avoir été occupés pendant quatre ans, nous allions enfin être libérés. Le temps de la terreur et de l'oppression allait finir, nous allions de nouveau pouvoir vivre libres !

La menace que cela représentait pour les Allemands les rendit encore plus féroces. Il y eut davantage de fusillades, d'arrestations, de déportations. Un des camarades de travail de Charles, qui, sous des dehors placides, s'occupait activement de résistance, fut arrêté et envoyé dans un camp. Lorsqu'il revint, un an plus tard, il était méconnaissable, décharné, squelettique, avec des orbites enfoncées dans lesquelles ses yeux reflétaient le monde d'horreur qu'il avait connu.

En août, le Comité départemental de Libération décréta la grève générale dans les mines, ce qui envenima les choses. Les Allemands ripostèrent par toute une série d'interdictions : il fut interdit de circuler après dix-huit heures, interdit aussi de rouler à bicyclette. Les patrouilles qui sillonnaient les rues avaient ordre de tirer sur toute silhouette dans la rue, dans les cours ou dans les jardins. Même un rai de lumière filtrant le long d'un rideau le soir, ou une fenêtre entrouverte le jour suffisaient pour déclencher leurs coups de feu. Ces mesures, bien entendu, s'arrêteraient d'elles-mêmes lorsque le travail aurait repris.

Il est inutile de dire que nous n'osions plus bouger. Le soir, nous osions à peine allumer, nous calfeutrions hermétiquement toutes les ouvertures. Ma mère, qui dormait toujours la fenêtre entrouverte, n'écouta pas mes recommandations lorsque je lui dis de tout fermer soigneusement.

— Bah ! me répondit-elle. Je ne les crains pas. Ils ressemblent à des chiens qui mordent parce qu'ils ont peur.

C'était peut-être vrai, mais, quelques jours plus tard, vers six heures du matin, une patrouille allemande qui passait devant chez elle tira quelques balles dans la fenêtre entrouverte, qui heureusement allèrent se loger dans les murs.

— Te rends-tu compte, lui dis-je, que tu aurais pu être tuée ?

Furieuse, elle se résigna à fermer ses fenêtres :

— Nous n'avons plus aucune liberté, fulminait-elle, cela devient intenable. Et nous ne pouvons rien faire !

J'étais tout à fait d'accord avec elle. Ils devenaient de plus en plus cruels. A l'autre bout du coron, une vieille femme avait été tuée, dans sa cour, à sept heures du matin, par un Allemand qui passait sur le trottoir. La peur et la haine que nous éprouvions envers eux ne faisaient que croître.

Des affiches annoncèrent des sanctions sévères. Devant de telles mesures, la reprise du travail fut décidée, et la terreur s'apaisa un peu. Les rues retrouvèrent leur animation, et nous, nous osions de nouveau respirer.

Ensuite, tout alla très vite. L'avance des Alliés les fit fuir. Nous les vîmes partir, d'abord en ordre, puis par petits groupes, et, pour finir, isolés, sur des chevaux de ferme, des bicyclettes ou même tout simplement à pied. Juliette me raconta que l'un d'eux était entré chez elle, l'avait menacée et avait tout fouillé pour trouver un vélo. N'en trouvant pas, il était reparti, furieux, l'accablant d'injures.

Nous les regardions s'enfuir, et nous avions peine à cacher la jubilation que nous ressentions.

Nous fûmes libérés le 1er septembre. Aussi longtemps que je vivrai, je me souviendrai de la joie qui explosa ce jour-là. Ce fut un indescriptible déferlement d'allégresse, d'enthousiasme, de délire. Tous les Allemands s'étaient enfuis. Des motocyclistes anglais entrèrent dans le village. Nous avons couru les voir. Comme nous, ils étaient heureux, souriants. Ils furent littéralement happés, couverts de fleurs par tous les habitants. Des femmes les embrassaient en pleurant.

Des blindés suivirent. Nous les avons regardés passer en les acclamant, en leur adressant des signes d'amitié, de victoire. Eux nous répondaient avec les mêmes signes, et une joie identique à la nôtre se lisait dans leurs yeux, dans leurs sourires. Ils criaient aussi, dans leur langue, des mots que nous ne comprenions pas, mais nous savions que c'étaient les mêmes mots que les nôtres, qui parlaient de liberté retrouvée, de victoire et de joie. Beaucoup agitaient des drapeaux aux couleurs de leur pays, auxquels répondaient des drapeaux français. La pensée de ne plus jamais voir le drapeau ennemi avec sa croix gammée honnie était à elle seule une fête.

Les cloches de l'église se mirent à sonner. La même euphorie était dans tous les cœurs : enfin, la guerre était terminée, il n'y aurait plus de bombardements, nous pourrions de nouveau vivre en paix, avoir de la nourriture, des vêtements. Ceux qui étaient prisonniers en Allemagne depuis plus de quatre ans reviendraient ; mon enfant aussi allait revenir. J'aurais enfin une vie normale, libérée de la crainte de ne jamais le revoir. Les larmes qui coulèrent sur mes joues étaient, pour cette fois, des larmes de soulagement et de bonheur.

5

UN soir du mois de décembre, Charles m'annonça :

— Il y a une réunion, entre les syndicats et la C.G.T. Tous les mineurs du Pas-de-Calais se sont engagés à prélever cinquante kilos de charbon sur les portions des mois de décembre et de janvier. Cela permettra de rassembler environ six tonnes de charbon, qui seront distribuées gratuitement aux familles des fusillés et des déportés de la région parisienne. Nous sommes les mieux placés pour le charbon, il est normal que nous fassions un geste d'entraide.

J'approuvai. Maintenant, vainqueurs mais meurtris, nous devions nous relever de nos ruines et essayer de reconstruire notre vie en nous serrant les coudes.

Ce même mois, le 13 décembre 1944, les Houillères du Nord et du Pas-de-Calais furent nationalisées. Tous les mineurs, dans le coron, en discutaient, s'interrogeant sur ce que cela allait leur apporter. L'avis général était que ce serait mieux qu'avant.

— C'est un progrès, m'expliqua Charles, nous ne dépendrons plus des compagnies qui agissaient injustement et licenciaient sans raison.

C'était un inconvénient de plus qui disparaissait. Après tant d'années noires, une clarté s'annonçait, promettait, en plus de la liberté de vivre, la liberté dans le travail. Etait-ce vraiment le début d'un monde meilleur ?

Pour la première fois depuis quatre ans, nous avons passé un Noël calme, heureux. Conformément aux instructions du nouveau gouvernement, un arbre de Noël fut organisé en faveur des enfants des écoles et des enfants de prisonniers, déportés, fusillés et victimes de guerre. Le samedi 30 décembre, il y eut une distribution de brioches et de chocolat pour ceux qui avaient moins de cinq ans. Paul, âgé de quatre ans, reçut une invitation, qui rappelait que Pierre, son grand-père, avait été fusillé par les Allemands.

Il revint, heureux, les mains et les joues barbouillées de chocolat, friandise d'autant plus appréciée qu'elle était rarissime. En le voyant, si insouciant, trop jeune pour comprendre à quoi il devait ce chocolat et ces brioches qu'il serrait contre son cœur, je me promis que je lui raconterais, plus tard, le drame qui avait bouleversé nos vies et la mort injuste et cruelle qu'avait connue son grand-père.

Avec l'année 1945 arrivèrent plusieurs changements. D'abord, des comités de libération se formèrent, et les résistants voulurent rendre justice à leurs camarades arrêtés et déportés. Les dénonciateurs, les indicateurs de la Gestapo furent emprisonnés et jugés. Certains furent fusillés, et, dans le coron, Albert Darent fut de ceux-là. Charles me l'annonça un soir :

— Albert Darent a été fusillé hier par les résistants. Ils ont établi la preuve qu'il a dénoncé plusieurs de leurs camarades, qui ont été arrêtés à cause de lui. Il est responsable de leur mort.

— Ainsi, c'est vrai, il a dénoncé... Quelle horreur ! Comment un Français peut-il, délibérément, envoyer à la mort un autre Français ? Je n'arrive pas à comprendre...

— C'était un sale type, tu le sais. Il salissait tout, il ne pensait qu'à faire du tort aux autres. Dès le début de l'occupation, il a collaboré avec les Allemands. Sa mort ne fera de peine à personne, je crois bien. C'est un acte de justice, rien d'autre.

J'étais tout à fait d'accord. Je dois même avouer que je ressentais un certain soulagement à l'idée que nous étions débarrassés de lui, et qu'il ne viendrait plus, désormais, démolir ma vie.

Notre poste de T.S.F. nous apprenait le recul des troupes allemandes en Pologne, en Autriche. Il nous apprit l'exécution de Mussolini, le suicide de Hitler qui, après avoir fait le rêve fou de dominer l'Europe, n'avait pu supporter sa défaite.

Le lundi 7 mai, ce fut la capitulation allemande à Reims. Le lendemain 8 mai, le général de Gaulle adressa un message à la France. Nous l'avons écouté, gravement, religieusement. Nous étions conscients de vivre un grand moment, qui marquait la fin du cataclysme meurtrier qui avait secoué toute l'Europe.

Ce même mois, je votai pour la première fois de ma vie, à l'occasion des élections municipales. L'année précédente, une loi avait décidé le droit de vote pour les femmes. Cela me rendit, je crois bien, plus embarrassée que fière. J'avoue sincèrement que je n'y connaissais rien et que je suivis l'avis de Charles quant au choix du candidat. Ma main trembla lorsque je mis l'enveloppe dans l'urne. Je n'arrivais pas à réaliser vraiment que nous, les femmes, nous devions donner notre avis. La politique, n'était-ce pas plutôt une histoire d'hommes ?

— Pourquoi mêler les femmes à tout cela ? avait dit ma mère, résolument rétrograde. De mon temps, les femmes ne votaient pas, et on ne s'en portait pas plus mal. Je ne voterai pas, je laisse ça aux hommes.

Je n'avais pas répondu. Je la comprenais. Mais il était bien, aussi, de nous faire participer à la vie du pays. Je pressentais obscurément que ce n'était qu'un début à d'autres progrès, que la fin de la guerre marquerait le départ d'une autre ère, plus libérale, plus riche, plus épanouie.

Depuis un mois, les prisonniers de guerre étaient rapatriés. Je vivais dans une attente fébrile, anxieuse et heureuse à la fois : mon enfant allait revenir, d'un jour à l'autre il pouvait être là. Ma mère partageait mon impatience. Charles, plus calme, souriait en disant :

— Bientôt, nous allons pouvoir le serrer dans nos bras, notre grand fils.

Chaque matin, en me levant, je me disais avec une joie tremblante :

— C'est peut-être pour aujourd'hui...

Et ce jour arriva, le mercredi 23 mai. Une journée comme les autres venait de commencer. Charles était parti pour la mine, et, vers sept heures, je vis s'arrêter devant chez moi la voiture d'Etienne, l'unique chauffeur de taxi du village, qui était aussi l'un des rares à avoir le téléphone. Je bondis à la porte, l'ouvris toute grande :

— Etienne ! Que se passe-t-il ?

— Madeleine, vite, habillez-vous ! Jean est à Lens, il est arrivé ce matin à cinq heures ! Il vient de me téléphoner, il nous attend au Centre d'accueil des prisonniers.

Pendant une seconde, un éblouissement m'a figée sur place. Puis je réalisai, et rentrai dans ma cuisine comme une folle, enlevai mon tablier, mis mon manteau, mes chaussures. Je tremblais d'énervement, de joie, et d'un bonheur presque insupportable.

Dans la voiture, j'interrogeai Etienne :

— Qu'a-t-il dit ? Comment va-t-il ?

— Il est arrivé en train, depuis Paris. A Lens, le train n'allait pas plus loin. Il a pensé à me téléphoner, afin qu'on aille le chercher.

— Il a bien fait ! Vite, vite, Etienne ! Mon Dieu, comme vous roulez lentement !

Excitée et impatiente, je trouvais le trajet interminable.

— Voyons, dit Etienne, ne vous énervez pas ! Nous y sommes bientôt.

Il se mit à me raconter les retours de prisonniers qu'il connaissait. Son propre neveu était revenu la semaine précédente. J'écoutais à peine. Tout cela ne me concernait pas. Egoïstement, mon enfant seul m'intéressait.

Il fallut encore traverser la ville de Lens, heureusement calme à cette heure, avant d'atteindre la gare. Là, une grande animation régnait. Etienne arrêta la voiture, descendit. Je le suivis. Je me sentais crispée et inquiète. Dans tout ce monde, comment retrouver Jean ?

Au Centre d'accueil, je les vis. Tous ces hommes en tenue de prisonnier, qui attendaient. Il y avait aussi des femmes, des enfants. Certains s'embrassaient, d'autres pleuraient. De nombreuses personnes, comme nous, essayaient d'avancer dans la cohue, et cela faisait une immense bousculade.

— Je vais aller me renseigner là-bas, au bureau, dit Etienne. Attendez-moi ici.

Il s'enfonça dans la foule. Je me mis un peu à l'écart. C'est alors que je l'entendis. Il criait :

— Maman !

Et le ton avec lequel il disait ce mot en faisait un chant d'amour. Je me retournai, le vis qui venait vers moi. Plus grand que la plupart des hommes présents, plus viril que dans mon souvenir, c'était mon enfant. J'étais bien incapable de faire un geste. Dans la foule, nous n'étions plus que deux. Je retrouvais ses yeux clairs, inchangés, dans lesquels je ne voyais qu'un amour infini. Un étourdissement me vint ; je me sentis vaciller. Je me retrouvai blottie contre sa poitrine, étroitement serrée dans ses bras.

L'émotion me faisait trembler, je riais et pleurais en même temps, et lui, les lèvres dans mes cheveux, d'une voix basse et enrouée, murmurait :

— Maman, maman.

Il se recula, me tenant aux épaules. J'essuyai mes larmes, et le regardai mieux. Comme il avait grandi, comme il avait changé ! Il n'était plus l'adolescent dont j'avais gardé l'image, il était devenu un homme. Les yeux dans les yeux, nous sommes restés ainsi un bon moment, unis par un immense amour.

Une voix nous ramena à la réalité :

— Vous voilà ! Je vous cherchais.

Jean se retourna, reconnut Etienne. Virilement, ils s'embrassèrent.

— Alors, tu es enfin revenu, dit Etienne. Quel effet cela te fait-il, de retrouver la France ?

Jean eut un grand geste, comme pour embrasser le monde. Avec un profond soupir, il murmura :

— Je suis heureux.

Il se tourna vers moi, et ses yeux me disaient tant d'amour...

— Venez, dit Etienne. Partons d'ici.

Nous sommes sortis. Jean me tenait le bras ; mon bonheur était si grand que je ne sentais plus tous ces gens qui me bousculaient.

Dans la voiture, je m'assis près de lui ; durant tout le trajet du retour, je le regardai, détaillant avidement chaque trait de son visage. C'était vrai, il était devenu un homme, et sa tenue de prisonnier accentuait cette impression. Et moi, je n'avais pas pu assister à cette transformation, elle s'était faite sans moi. Ces années qui m'avaient été volées, je savais ne jamais les retrouver. Je soupirai. Jean me prit la main, la serra et me sourit.

— Alors, raconte, disait Etienne. C'était dur, là-bas ?

— Le travail n'était pas facile, avouait Jean, et nous n'étions pas très bien nourris, sans compter les punaises et les blattes dans les paillasses. Mais le plus dur, pour moi, ce fut d'être séparé de ma famille. Surtout au moment des fêtes, particulièrement Noël. Mes seules joies étaient les lettres, les colis. Ce qui rendait ma vie supportable, aussi, c'était l'espoir, auquel je m'accrochais, que je reviendrais un jour.

A la maison, il entra dans la cuisine, s'arrêta un instant. Il regarda autour de lui et eut un long soupir heureux. D'une voix basse et rauque il dit :

— C'est toute mon enfance que je retrouve, toute ma vie d'avant. Oh maman, si tu savais !...

Les yeux pleins de tendresse, il continua :

— Je m'en veux de n'avoir pas compris plus tôt, de t'avoir fait souffrir. Pardonne-moi. J'avais dix-huit ans, je n'ai pas pu admettre. C'est la façon surtout dont je l'ai appris, qui m'a bouleversé...

Dans un souffle, je dis :

— Mais, Jean, qui donc... ?

Et puis, alors même que je posais cette question, un éclair se fit brusquement dans mon esprit, et je criai :

— Albert Darent ! C'est lui, n'est-ce pas ?

Je ne fus pas surprise de le voir acquiescer. Je crois qu'inconsciemment je l'avais toujours su. Pourquoi, pensai-je, cet acharnement à vouloir me faire du mal ?

— Oui, disait Jean. Il m'a arrêté alors que je revenais, un samedi. Il avait un regard plein d'une joie mauvaise, il ricanait, un mégot au coin des lèvres. Il m'a dévoilé quelque chose que j'étais loin de soupçonner. Mais il l'a présenté comme si toi, sciemment, tu avais trompé papa. Tout ce qu'il me disait était sale, horrible. J'étais horrifié de dégoût. Mais, malgré tout, j'espérais que c'était faux. Et puis, quand tu n'as pas démenti, en moi tout a craqué.

Je tendis une main vers lui :

— Oh Jean, j'aurais voulu t'expliquer, te faire comprendre.

Il dit, avec tristesse, avec regret :

— Je sais bien, mais la révélation avait été trop brutale. La moindre allusion à ton endroit me brûlait comme un fer rouge, je ne voulais plus entendre parler de toi.

Il eut pour moi un regard empli d'une supplication infinie :

— J'ai été dur, intransigeant, je le sais. Je suis parti à la guerre comme on fuit, et peut-être même y ai-je vu un moyen de mourir, de me débarrasser d'une vie qui m'était devenue insupportable. Et pourtant, c'est la guerre qui m'a mûri, qui m'a changé, peu à peu. Je me suis rendu compte que je t'aimais encore, malgré tout, que j'étais incapable de ne pas t'aimer.

Il s'arrêta un instant, et son regard sembla rechercher, au fond de lui, un souvenir à la fois plein de douceur et de souffrance. Plus bas, il reprit :

— C'est Henri, mon père, qui m'a fait comprendre, finalement. Sais-tu comment il est mort, le sais-tu ?

Je secouai la tête, comprenant qu'il y avait eu, avant le retour de mon enfant vers moi, quelque chose de grand, de beau, de douloureux.

— C'était dans un petit village, près de Dunkerque, en mai 40, juste avant que nous soyons capturés et emmenés comme prisonniers. Nous avions ordre de retarder l'avance ennemie. Le village avait été abandonné par ses habitants. Notre régiment s'y est installé, attendant les Allemands. Tout arriva d'un seul coup. Les avions, et les chars blindés. Ils attaquèrent le village, des bombes enflammèrent les maisons. Celle où nous étions, Henri et moi, fut transformée en brasier. Nous sommes sortis en courant. Dehors, les mitrailleuses crépitaient. « Attention ! » a hurlé Henri. En une fraction de seconde, j'ai vu la gueule noire de la mitrailleuse qui, en crachant la mort, se dirigeait vers moi. Je me suis senti repoussé, projeté contre un mur. Je suis tombé, et Henri est tombé sur moi. Après, en relevant la tête, j'ai vu le sang qui s'élargissait en une grande flaque, sur sa poitrine. J'ai compris qu'il s'était jeté sur moi pour me protéger, et qu'il avait reçu les balles à ma place. Les larmes aux yeux, impuissant, je l'ai regardé. Il savait qu'il allait mourir, et moi aussi je le savais. J'ai gémi : pourquoi, mais pourquoi ? Il a essayé de me sourire, a dit : c'est la meilleure chose que j'aie faite de ma vie pour toi, mon fils.

Sa voix s'enroua, et il s'arrêta. Je les imaginais, tous deux à l'abri d'un mur, avec autour d'eux la guerre, la haine, la mort. Et eux deux, dans cet enfer, comme un noyau ensoleillé au milieu des ténèbres, eux deux qu'unissait un amour immense, merveilleux, l'amour dont me parlait M. le Curé, quand j'étais petite : celui qui fait que l'on donne sa vie pour ceux qu'on aime.

— Il a cherché ma main, l'a serrée très fort. « Avant de mourir, m'a-t-il dit, je veux te dire quelque chose, que je dois t'avouer depuis longtemps. Cela concerne ta mère. Ne lui en veux pas, pardonne-lui, elle n'était pas coupable. S'il y eut un coupable, ce fut moi. Attends, laisse-moi t'expliquer... » Et il m'a tout dit, d'une voix de plus en plus faible : les sorties, les promenades en voiture, et puis le soir du bal. Et sa lâcheté, ensuite. Il m'a tout avoué, et toi, dans ce qu'il racontait, peu à peu tu n'étais plus coupable, tu devenais une victime, SA victime. Il m'a parlé de son désir de se racheter, après, de m'offrir des études, et comment tu avais refusé, puis accepté. Quand il a eu terminé, très bas, il a dit : « Fais que ma mort ne soit pas inutile. Pardonne à ta mère, et surtout, aime-la. »

De nouveau, il s'arrêta, la gorge nouée par l'émotion. Je luttais contre mes larmes. Ainsi, Henri était mort pour sauver son fils. Cet enfant dont il avait d'abord refusé l'existence, c'était comme s'il lui avait donné la vie une seconde fois.

— Alors, reprenait Jean, devant lui qui allait mourir, j'ai compris, et j'ai eu honte de mon intransigeance. Je lui ai promis de te revenir, et, incapable de parler, il a essayé de me sourire, une dernière fois. Il est mort sous mes yeux, en serrant mes mains dans les siennes... J'ai eu une peine immense, je m'étais attaché à lui, j'avais appris à le connaître, à l'aimer.

— Au moins, dis-je, il est mort en ayant ton amour. Il souffrait tellement de ne pas te connaître, alors que tu étais son fils. Sa mort n'est pas triste. Il aurait choisi de mourir ainsi, pour toi.

— Oui, c'est vrai, dit Jean, mais j'ai de la peine.

De la chaise où il était assis, il leva les yeux vers moi, avec un regard d'enfant désemparé et perdu. J'allai à lui, pris sa tête dans mes mains et la berçai contre ma poitrine, comme s'il était encore mon petit. Il m'entoura de ses bras, je posai ma joue sur ses cheveux. Alors son chagrin creva. Je le serrai davantage contre moi, et le laissai pleurer. Et ses larmes étaient un adieu, une offrande d'amour à ce père qui, après l'avoir renié, avait donné sa vie pour le sauver.

Nous sommes allés chez ma mère, sans attendre. Nous ne voulions pas la laisser plus longtemps en dehors de notre joie. Elle aussi avait souffert de l'éloignement de Jean, elle aussi serait heureuse de son retour.

Dans le coron, nous fûmes arrêtés plus d'une fois : tous ceux qui connaissaient Jean l'interpellaient, venaient lui serrer la main, lui disaient bonjour avec amitié. Certains, parmi les plus vieux, remarquaient :

— Alors, fieu ! Te voilà enfin revenu !
— Oui, enfin ! répondait Jean. Comme ça a été long !
— Ah oui, saleté de guerre ! disaient-ils, et ils crachaient avec hargne.

Nous en profitions pour nous éloigner, avant d'être interpellés par d'autres. En passant devant la maison où avaient vécu Jeanne et Pierre, Jean me serra le bras. Une autre famille s'y était déjà installée ; une maison ne restait pas longtemps inoccupée, dans le coron.

— Je suis triste de penser, dit Jean, que je les ai quittés sans me douter que je ne les reverrais jamais.

Je lui racontai l'adieu de Pierre. J'avais trié, après sa mort, les papiers, les vêtements. J'avais retrouvé, précieusement conservées, les photographies de Jean à un an, de Jean en communiant, et une mèche de ses cheveux de bébé.

— J'étais vraiment leur petit-fils, dit-il. Ils n'ont jamais su ?
— Non, ils n'ont jamais su. Et c'était mieux ainsi, pour eux.
— Oui, approuva-t-il avec gravité. Moi aussi j'aurais préféré ne jamais savoir.

Ma mère, debout sur le seuil de sa maison, nous attendait. Elle avait été prévenue de notre arrivée, les nouvelles allaient vite dans le coron ! Elle nous fit entrer, sans un mot. Je voyais sur son visage tendu l'émotion, tandis qu'elle regardait Jean, d'un regard pareil au mien, plein d'avidité, d'amour et de larmes. Il la prit dans ses bras, et ils restèrent un long moment étroitement embrassés.

— Enfin, dit-elle d'une voix tremblante, tu es revenu. J'avais si peur de mourir avant de te revoir.
— Ne dis pas ça, protesta Jean. De mes grands-parents, je n'ai plus que toi, et j'entends bien te garder longtemps !

Ils se sourirent. Et moi, près d'eux, j'étais heureuse comme je ne l'avais pas été depuis longtemps.

A elle aussi, Jean raconta la mort d'Henri. Nous lui avons dit notre vie sans lui, la mort de Jeanne, celle de Pierre. Il ne se lassait pas de demander des détails, sur eux, sur nous, sur tout. A son tour, il nous parlait de sa vie de prisonnier, et nous l'interrogions, et nous l'écoutions avec émotion.

Ensuite, nous sommes revenus chez nous. Jean a voulu faire un détour par la fosse. Devant la grille, il s'arrêta, regarda la cour, la salle de triage, les immenses roues du chevalement.

— Je me rappelle, dit-il d'une voix sourde, mes jours de travail, là, au fond, et surtout, le cauchemar de l'éboulement, alors que nous étions enfouis vivants. Sais-tu que j'en rêve encore, parfois ? Même la guerre et ses horreurs n'ont pas effacé ce souvenir de mon esprit.

Il se tut un instant, se tourna vers moi :

— Il faut que je te dise, Henri n'a pas d'enfant. Tout ce qu'il possédait, il me l'a légué. Je l'ai accepté, pas pour moi, mais pour eux.

Du menton, il me désigna la fosse, et, avec elle, tous ceux qui, dans ses entrailles, donnaient leur force, leur sueur, et parfois leur sang.

— Je veux améliorer leur sort, reprit-il, améliorer leurs conditions de travail. Je veux qu'ils puissent descendre au fond sans la crainte de ne pas remonter.

Je lus dans ses yeux une détermination, qui était en même temps une promesse pour l'avenir.

— Je vais reprendre mes études d'ingénieur, et je travaillerai avec eux.

Il me prit le bras, m'entraîna. Moi, je n'avais rien dit. Que pouvais-je dire, d'ailleurs ? Silencieusement, j'approuvais. Mon enfant était devenu un homme, il avait choisi son destin. Il n'aurait plus qu'à le suivre, ensuite, comme chacun d'entre nous.

Devant la porte, quelqu'un nous attendait. En approchant, je reconnus Marcelle. Elle s'avança vers nous :

— Bonjour, Jean, dit-elle timidement. Tu ne me reconnais pas ?

Jean regardait, étonné, cette grande fille qui lui souriait, d'un sourire tremblant. Il fronçait les sourcils, perplexe, puis son visage s'éclaira :

— Marcelle ! Tu es Marcelle !

Il la prit aux épaules et l'embrassa chaleureusement, sur les deux joues, comme un frère :

— Ma petite amie Marcelle ! Comme tu as changé ! Je ne t'aurais pas reconnue !

— J'avais huit ans quand tu es parti, dit Marcelle. J'en ai quatorze, maintenant.

— Tu es presque une jeune fille, et il me semble que tu deviens bien jolie !

C'était une constatation, faite sur un ton d'amitié toute fraternelle. Mais Marcelle rougit et baissa les yeux. Cela aurait dû me faire comprendre, déjà ce jour-là. Mais je n'ai rien vu, qu'une timidité de jeune fille.

— A bientôt, dit Jean. On se reverra ?

Elle acquiesça, encore rougissante. Elle s'enfuit jusque chez elle, vive, légère, et il y avait dans son allure quelque chose de nouveau, d'enthousiaste, qui lui donnait une démarche dansante d'elfe.

Jean, avec émotion, a retrouvé sa chambre. Je l'ai laissé refaire connaissance avec ses souvenirs. Je suis allée, dans la cuisine, préparer le repas. J'éprouvais une impatience joyeuse en attendant le retour de Charles, qui était au fond de la mine et ne savait pas encore l'heureuse surprise qui l'attendait chez lui.

Jean descendit de sa chambre avec un air rêveur. La rencontre avec ses souvenirs, avec son enfance, avait laissé dans ses yeux une nostalgie, une douceur, qui rendaient son regard plus profond, plus tendre.

— Maman, me dit-il, je voudrais aller attendre papa à la fosse. Qu'en penses-tu ?

— C'est une très bonne idée.

Il vint derrière moi, qui étais penchée devant l'évier. Il m'entoura de ses bras, posa sa joue contre la mienne :

— Tu sais, maman, là-haut dans ma chambre, j'ai repensé à ce jour, où je suis parti d'ici... Je n'ai pas oublié ce que je t'ai dit, alors. Rien n'était vrai, sais-tu ? Pardonne-moi si je t'ai fait tant de peine...

— Ce n'est rien, dis-je tout bas. Tu es là, maintenant, rien d'autre ne compte.

Je ne voulais plus penser à ce jour où il m'avait

quittée, plein de haine et de rancune. Je ne voulais goûter que le moment présent, alors qu'il était près de moi avec son amour redevenu intact.

Après m'avoir embrassée tendrement, il sortit, et je m'affairai à la préparation du repas. Je mis ma jolie nappe, la vaisselle des grandes occasions. Le retour de mon enfant était une fête.

Quand ils revinrent, tous les deux, je courus à la porte les accueillir. Je les regardai, côte à côte, et je découvris qu'ils se ressemblaient : ils avaient sur le visage le même bonheur, le même sourire heureux, et dans leurs yeux posés sur moi, la même tendresse.

— Tu vois, dit Charles, il est revenu, notre Jean... Tu es contente, Madeleine ?

Oui, j'étais contente. Par son intensité même, mon bonheur m'effrayait. J'avais invité ma mère à venir manger avec nous. Le repas se déroula dans une chaude ambiance familiale. La présence de Jean suffisait à tout rendre plus gai, plus beau, plus chaleureux.

Charles parlait à Jean de la mine, des difficultés. Lorsqu'il avait su que c'était Albert Darent qui avait insinué à Jean la vérité, il avait été comme fou :

— Le salaud ! répétait-il, furieux. Le salaud ! Ça ne m'étonne pas de lui !

Je savais que je ne lui pardonnerais jamais ce qu'il avait fait. Et je ne pouvais m'empêcher d'éprouver un grand soulagement à l'idée que, dorénavant, il ne pourrait plus me nuire.

Lorsque, après le départ de ma mère que Jean reconduisit jusque chez elle, nous nous sommes retrouvés tous les trois, comme avant, les années de séparation, d'inquiétude, furent chassées définitivement par la douceur que je ressentais. Cette nuit-là, dans le grand lit où je dormais avec Charles, plus d'une fois je m'éveillai, savourant une joie, une certitude profondes : dans la chambre voisine, qui était restée si longtemps inoccupée, de nouveau mon enfant dormait.

Je me rendis compte que Jean avait changé. Il était plus mûr, plus grave ; la guerre, la souffrance avaient fait de lui un homme.

Son besoin de réparer le mal qu'il m'avait fait était touchant. Il faisait, à ma place, les gros travaux, portait sur le feu la lessiveuse emplie d'eau pour faire bouillir le linge, préparait le chaudron pour le bain de Charles. Il allait souvent voir ma mère, et avait fait la connaissance de Paul, le fils de Georges et d'Anna. Il en devint littéralement fou. Il le promenait sur ses épaules, jouait avec lui, le faisait rire aux éclats. Il arriva plus d'une fois où je les vis, Jean à quatre pattes sur le sol et Paul à califourchon sur son dos, criant : « Hue dada ! Hue dada ! » Jean se prêtait à tous ses caprices, et Paul, ravi, le menait par le bout du nez.

Marcelle venait souvent. Je remarquai qu'elle regardait Jean avec une sorte d'adoration, mais je ne m'en étonnais pas. Il était si beau, mon fils, si charmeur comme l'avait été Henri à son âge, qu'il me semblait qu'on ne pouvait que l'aimer. En plus il était loyal, franc, sensible et bon. Je ne lui trouvais que des qualités. Je ne pouvais, moi non plus, m'empêcher de le regarder, de l'admirer. Il était grand, plus grand que moi, et je m'interrogeais sur la vie, qui faisait qu'un petit être né de moi, fragile et tendre, pût devenir cet homme auprès duquel c'était moi, maintenant, qui paraissais petite et fragile.

A la fin du mois de juin, Anna mit au monde un autre fils, qu'elle appela Bernard. Comme pour la naissance de Paul, j'allai l'aider pendant les jours où elle dut garder le lit. Le bébé était blond, comme sa mère, avec de grands yeux bleus. Paul, ravi d'avoir un petit frère, tournait autour du berceau en demandant sans cesse :

— Dis, quand est-ce qu'il sera grand ?

Je souriais à son impatience. Je pensais à Jeanne, à Pierre, qui ne connaîtraient pas cet autre petit-fils. Anna et Georges demandèrent à Jean d'être le parrain de l'enfant. A l'église, je fus frappée par la gravité avec laquelle Jean tenait contre lui le bébé. Je pris conscience que mon fils était maintenant un homme. En le voyant là, le petit Bernard dans les bras, je réalisais que bientôt viendrait le jour où lui aussi se marierait et aurait, à son tour, un enfant.

La guerre se termina au mois d'août, après que les Américains eurent lancé sur Hiroshima et Nagasaki deux bombes atomiques, qui provoquèrent la capitulation du Japon. Ce fut la fin de la deuxième guerre que j'avais connue. Elle aussi avait fait des millions de victimes, elle aussi avait détruit des existences, amené la mort, le désespoir. Et au soulagement que nous ressentions parce que tout était terminé se mêlait, malgré tout, une incompréhension : pourquoi tant de souffrances, de destructions ? N'aurait-on pas pu l'éviter ? Je pensais aux femmes qui avaient perdu leur mari, leur fils. J'avais vu comment ma mère avait vécu, après la mort de mon père. Elle n'avait plus été que la moitié d'elle-même. Pour toutes les femmes dans le même cas, la fin de la guerre n'apportait pas le retour de l'être aimé. Au lieu de se réjouir, elles ne pouvaient que pleurer.

Dans le coron, l'un de ceux qui avaient été dénoncés par Albert Darent revint. Il était réduit à l'état effrayant de squelette, et dans son visage décharné, où la peau se tendait sur les os qui saillaient, les yeux surtout faisaient mal. Ils faisaient penser à ceux d'un animal traqué, qui a été battu à mort, qui s'en souvient et qui ne parvient pas à se débarrasser de sa peur, de son désespoir. Charles, qui avait travaillé à ses côtés au fond de la mine, alla lui rendre visite. Il revint à la fois abattu et révolté :

— Si tu savais tout ce qu'il a subi ! C'est impossible à imaginer. De telles tortures ! Il n'arrive pas à oublier, il a des cauchemars toutes les nuits. Je ne sais pas s'il s'en remettra un jour, il a tellement souffert !

Nous avons pris l'habitude de le voir se promener dans le coron, très lentement, comme un grand malade qui n'ose pas croire de nouveau à la vie. Progressivement, il reprenait des forces. Parfois, son petit-fils, qui avait cinq ans, marchait à son côté, et on se demandait lequel des deux donnait la main à l'autre. Mais, lorsque le regard de l'homme se posait sur l'enfant, un sourire venait dans ses yeux et illuminait de tendresse son visage meurtri. Et l'enfant, comme s'il comprenait instinctivement que son grand-père avait besoin de lui, ne le quittait pas, cherchait, par son babil incessant, à le distraire, à le faire sourire, et y parvenait.

Je n'ai jamais osé, comme le faisaient certains, le questionner sur son année de déportation. Il me semblait qu'il valait mieux laisser ses souvenirs en paix. Le faire parler de tout ce qu'il avait subi n'aurait fait, à mon avis, que réveiller une période qu'il préférait oublier. Lorsque je le croisais, je le regardais avec pitié, compréhension, sympathie. Il était un survivant des camps de la mort, une vivante image d'une des horreurs les plus insupportables de la guerre.

Tout doucement, la vie reprenait. Les mineurs travaillaient avec plus d'enthousiasme depuis que les Allemands étaient partis. On leur demandait de redresser la France, et ils répondaient, dans un même élan. Lorsque je passais en face du cabaret des mineurs, je voyais, chaque semaine, sur la vitre, des affiches différentes. Il y eut celle qui disait : « Mineur ! Le sort de la France est entre tes mains ! » Puis, après, une affiche représentant une paire de bras et disant : « On a besoin de tous vos bras ! » Puis l'image d'une rangée de wagonnets dont les deux premiers étaient barrés, avec la légende suivante : « Chaque jour d'absence, c'est une tonne de travail en moins. » L'économie du pays avait besoin de charbon, et les mineurs étaient conscients de l'importance du rôle qu'ils avaient à jouer.

Pendant cette période, des prisonniers allemands travaillèrent au fond, avant d'être renvoyés chez eux par la suite. Un soir, Charles me dit :

— Demain, en préparant mon briquet, mets une ou deux tartines de plus.

Comme je le regardais sans comprendre, il précisa, avec un air embarrassé :

— Il y a avec moi un prisonnier allemand. Tu sais, il en bave, il travaille dur, et il n'a rien à manger, rien à boire. Je ne peux plus supporter son regard affamé lorsque je mange mon briquet devant lui.

Alors demain, mets une tartine de plus, ce sera pour lui.

J'approuvai, sans répondre. Mon Charles au grand cœur, comme j'étais fière de lui ! Envers les Allemands qui avaient fusillé son père, il n'éprouvait ni haine ni rancune. Il était prêt à aider l'un d'entre eux comme un frère. Emue, je m'approchai de lui, et sans un mot l'embrassai. Il me plaisait qu'il fût charitable envers un ennemi vaincu, qu'il ne profitât pas d'une victoire qui aurait pu le rendre, à son tour, dur et intraitable. Mon amour pour lui devenait chaque jour plus intense, plus profond.

QUATRIÈME PARTIE

(1945-1962)

LE CHEMIN À FINIR

1

NOUS avons réappris à vivre sans crainte, dans la liberté retrouvée. Peu à peu, tout se réorganisait. Il fallut du temps avant de pouvoir de nouveau trouver du ravitaillement ; nous eûmes encore, pendant longtemps, des cartes de rationnement. Il fallait relever l'économie, et, pour cela, il fallait du charbon. Il fut demandé aux mineurs de produire le plus possible.

Ce fut la « bataille du charbon », la période des cent mille tonnes. J'écoutais Charles en discuter avec des camarades de travail. Ils parlaient beaucoup, à cette époque, des « baromètres ». C'étaient des grands panneaux qui, à l'entrée de chaque fosse, indiquaient la production dans toutes les fosses. Ils éveillaient chez les ouvriers une émulation qui augmentait leur ardeur à l'ouvrage. Ce fut une période de travail intense pour tous les mineurs. Il y eut de nombreux dimanches où Charles, comme les autres, dut aller travailler, car il fallait fournir du charbon aux usines, aux cimenteries, à la S.N.C.F.

Des primes furent affectées à celui qui avait donné le meilleur rendement : selon le cas, une bicyclette, une paire de chaussures, ou bien une chemise. Comme on manquait encore de vêtements, ces primes étaient bienvenues. C'est ainsi qu'un soir, à la fin de l'hiver, Charles revint avec des boîtes de thon à l'huile.

— C'est, m'expliqua-t-il, un cadeau du ministère,

parce que près de cent mille tonnes ont été extraites par jour.

Il y eut à plusieurs reprises d'autres cadeaux du même genre ; les mineurs, qui se sentaient encouragés, qui voyaient leurs efforts récompensés, travaillaient courageusement.

Au printemps, le statut du mineur apporta pour tous le logement gratuit, l'augmentation des salaires, l'amélioration des congés payés, la gratuité des soins médicaux, et d'autres avantages encore. Charles, comme tous les autres, gardait ce précieux document dans sa poche. Ils en connaissaient par cœur les articles. Avec la Sécurité sociale minière, nous étions maintenant à l'abri des coups durs.

La silicose avait été reconnue comme maladie professionnelle. Les mineurs qui en étaient atteints pouvaient se soigner, et percevaient une indemnité. Je pensais à mon beau-père, Pierre, qui, déjà malade, avait dû continuer à aller travailler, sans jamais se soigner. Je me disais qu'incontestablement un progrès avait été fait, et que les mineurs pouvaient espérer, dorénavant, être considérés comme des êtres humains.

Ainsi, nous essayions tous de vivre mieux, nous espérions en une vie meilleure. Jean, de son côté, avait repris ses études d'ingénieur, et s'intéressait de très près à tout ce qui concernait la vie de la mine. A chaque fin de semaine, il revenait chez nous, discutait interminablement avec Charles et Georges.

— Ce qu'il faudrait, disait Jean, c'est faire quelque chose contre la poussière. Une modernisation est absolument nécessaire.

Le sujet le passionnait. Je savais que, après l'expérience douloureuse qu'il avait subie au fond, alors qu'il avait quatorze ans, et qu'il n'oublierait jamais, il consacrerait toute sa vie à l'amélioration des conditions de travail.

Je le regardais avec admiration et tendresse.

Je n'étais pas la seule à le regarder de cette façon. Marcelle, qui allait avoir seize ans, semblait éprouver pour lui la même adoration. Lorsqu'elle le voyait, elle rosissait délicieusement. Je remarquai qu'elle venait plus souvent me rendre visite lorsqu'il était là. Je ne disais rien, mais je m'interrogeais. Aimait-elle réellement mon fils ? Lui, semblait, par moments, la découvrir. Je surprenais parfois son regard qui s'attardait sur elle, avec un mélange d'étonnement, de douceur et de gravité. Mais, lorsqu'il s'adressait à elle, c'était toujours avec la même tendresse protectrice et fraternelle, et il me semblait qu'elle aurait bien voulu qu'il cessât de voir en elle une enfant.

Les fils de Georges et d'Anna grandissaient. Le petit Bernard, comme son frère Paul, adorait Jean qui passait des heures à jouer avec eux, quand nous allions leur rendre visite. Ma mère vieillissait. Elle approchait les soixante-dix ans ; si elle était toujours aussi alerte, elle se plaignait néanmoins de rhumatismes et de douleurs dans les membres. Jean, tendrement, se moquait d'elle :

— Allons, lui disait-il, tu dis ça pour te faire plaindre ! Moi, je vois bien que tu as gardé une taille de jeune fille !

Ce qui n'était pas tout à fait faux. Elle restait mince et droite, et malgré ses cheveux blancs, n'avait pas une allure de vieille femme.

Ce fut à cette époque que nous vîmes de nouveau le départ de nombreux Polonais. Cette fois, ils ne furent plus expulsés. Ils étaient rappelés par le gouvernement de leur pays qui, après la guerre, avait besoin de main-d'œuvre. Nombreux furent ceux qui répondirent à cet appel. Anna avait une amie dont le mari, Polonais également, avait choisi de partir. J'allai, avec elle, les accompagner à la gare. Contrairement à un autre départ dont je me souvenais, tout se faisait dans l'enthousiasme. Ceux qui restaient embrassaient ceux qui s'en allaient, et tous se promettaient de s'écrire. Des interpellations joyeuses fusaient, en polonais, et lorsque le train s'ébranla, ils partirent en chantant. Je comprenais leur joie ; ils allaient retrouver leur pays, leur langue, leur manière de vivre. Leur exil était terminé. Pour eux aussi, une nouvelle vie commençait.

⁂

Septembre finissait, et les feuilles des arbres peu à peu se teintaient de pourpre. Depuis plusieurs jours, le temps était splendide, doux et ensoleillé, avec un ciel uniformément bleu. Ce matin-là, dès le départ de Charles pour la mine, je fis ma lessive, et je mis le linge à sécher dans le jardin. Les hirondelles passaient au-dessus de ma tête avec de petits cris joyeux. Au loin, la lumière blonde du soleil noyait la campagne dans un poudroiement d'or. Tout était calme, paisible, heureux.

C'était samedi, et, dans l'après-midi, comme à chaque fin de semaine, Jean allait revenir pour passer le dimanche avec nous. Il fallait encore que je lave toute la maison avant son retour, que je prépare le repas et le bain de Charles. Je rentrai, et allais me mettre à laver, lorsque j'entendis Catherine, la mère de Marcelle, qui m'appelait :

— Madeleine !

Sa voix avait un accent suraigu anormal. Je me précipitai dehors. Dans la rue, elle venait vers moi, l'air complètement bouleversé. J'ai compris qu'il était arrivé quelque chose et j'ai senti mon cœur se serrer d'appréhension.

— Madeleine, dit-elle, essoufflée d'avoir couru, il est arrivé un accident à ta mère ! Elle vient d'être renversée par une voiture, en face de la ferme des Lengrand ! Il faut que tu y ailles, vite !

En proie à la panique, sans même prendre le temps de refermer ma porte, j'ai couru jusqu'à la ferme, sans voir personne. Je me rappelais que, la veille, ma mère m'avait dit qu'elle voulait faire, pour dimanche, une tarte aux pommes, car un voisin lui avait donné quelques pommes. Sans doute était-elle allée à la ferme chercher des œufs et du lait.

Dès le tournant, là où la route débouchait sur la campagne, je vis l'attroupement. En m'approchant, j'enregistrai machinalement l'air affolé des gens, la voiture en travers de la route, et plus loin, à la fois dérisoire et pitoyable, le pot à lait en fer-blanc de ma mère, renversé, avec le lait répandu dans la poussière. Un homme que je ne connaissais pas vint vers moi, éperdu, et balbutia :

— Je... je n'ai pas pu l'éviter... Elle a traversé dans le virage, au moment où j'arrivais...

Comme dans un cauchemar, je le bousculai. Et c'était bien un cauchemar que je vivais, alors que les gens s'écartaient, alors que, sans me rendre compte que je marchais, j'avançais vers ma mère que je voyais là, étendue sur le sol, les yeux clos, le visage exsangue. Je me suis retrouvée agenouillée près d'elle, essayant de lui parler, mais ma gorge bloquée était incapable de prononcer une parole. Je soulevai délicatement sa tête, essuyai la poussière qui maculait son front et sa joue. Mes larmes tombaient sur son visage, et je me mordais les lèvres pour réprimer les sanglots que je sentais venir. En même temps, j'éprouvais une sensation d'irréalité, une incrédulité qui me faisaient penser : non, ce n'est pas possible, ça ne peut pas arriver, je vais me réveiller, ça n'est pas vrai...

Une main se posa sur mon épaule, une voix dit :

— Madeleine...

Je levai des yeux égarés. Emile, le fermier, était près de moi :

— Il faut la ramener chez elle et envoyer chercher le docteur. Son pouls bat, faiblement, mais il bat.

Ils soulevèrent avec précaution ma mère toujours sans connaissance, la placèrent sur un brancard pour la transporter. Je courus en avant pour préparer son lit afin de l'y coucher. La journée si belle était devenue cauchemardesque ; la lumière du soleil elle-même n'était plus blonde, elle était maintenant sombre, menaçante.

Ils la couchèrent dans son lit. Je bassinai ses joues, son front, avec du vinaigre. Elle ne réagissait pas.

— Il vaut mieux la laisser au calme, dit quelqu'un. De toute façon, le médecin va arriver, on est allé le prévenir.

Un à un, ils s'en allèrent. Des femmes me dirent :

— Si tu as besoin de quelque chose, Madeleine, n'hésite pas, viens me chercher.

Sans les regarder, j'acquiesçai en silence. Ils partirent tous, et je restai seule avec elle. Le sentiment d'impuissance, de désespoir que je ressentais était intolérable. Je ne pouvais pas admettre ce qui était en train de se passer, c'était trop dur, trop injuste. Instinctivement, je sentais que c'était grave, et j'avais peur.

Soudain, elle eut un soupir et ouvrit les yeux. Aussitôt, elle porta les mains à sa poitrine, gémit :

— J'ai mal...

Je me précipitai, essuyai son front, essayant de la calmer :

— Ne bouge pas, surtout, ne bouge pas. Le docteur va venir, il va te soigner.

Elle me regarda, et je lus dans ses yeux une sorte de détachement, comme une délivrance. Elle me dit :

— C'est la fin, je le sens.

Affolée de douleur, je criai presque :

— Ne dis pas cela, oh non !

— Allons, Madeleine, articula-t-elle d'une voix faible, sois courageuse. Mon heure est arrivée, il faut l'accepter. — Elle s'arrêta un instant, et un sourire d'une rayonnante tendresse la transfigura. — Il est enfin arrivé, le moment où je vais aller rejoindre mon Jean. Il y a si longtemps, si longtemps qu'il m'attend...

Mes larmes coulaient, brûlantes, et tombaient sur les draps, sur elle, sur moi.

— Ne pleure pas, je t'en prie. J'ai fait mon temps, plus que mon temps. Tu as ton mari, ton enfant, tu n'as plus besoin de moi.

— Oh, ne dis pas ça !

Elle ne m'écoutait plus. Les mains crispées sur sa poitrine, en dépit de la souffrance qu'elle devait ressentir, elle avait un regard heureux, lointain, déjà dirigé vers ailleurs. Sa respiration se faisait difficile, saccadée. Un peu de mousse rose apparut au coin de ses lèvres. Tout bas, si bas que je dus me pencher pour entendre, elle dit :

— Ça fait bientôt trente ans... trente ans que j'attends… que le temps me dure d'aller le retrouver… Comme c'était long !

Et, dans un soupir, elle murmura, encore plus bas :

— Madeleine… Jean…

Incapable de repousser la douleur qui m'envahissait, je m'abattis contre elle, et je pleurai. J'étais redevenue un enfant, un enfant qui a besoin de sa mère, qui ne veut pas qu'elle le quitte, et qui a peur. J'éprouvais un chagrin immense, insupportable.

Je pleurai longtemps, contre elle, le visage dans l'oreiller. Lorsque je relevai la tête et que je la regardai, je vis ce que je savais déjà — elle avait cessé de vivre.

Elle était partie rejoindre mon père, comme elle le souhaitait tant, et ses traits avaient dans la mort une expression douce, sereine, heureuse. Lorsque le médecin arriva, il ne put que constater le décès. Ce n'était plus le vieux médecin qui nous connaissait bien, c'était un nouveau, que la mort de ma mère laissait indifférent. Il palpa le corps, dit, avec une moue :

— Elle a reçu le choc en pleine poitrine. Il y a eu une hémorragie interne, c'est ce qui a causé sa mort.

Il ne s'attarda pas. Il signa des papiers que je ne regardai même pas et s'en alla. Après son départ, des voisines vinrent aux nouvelles. En voyant mes larmes et ma mère qui reposait dans le lit, elles comprirent immédiatement. En femmes de mineurs habituées aux coups durs, elles ne s'apitoyèrent pas inutilement.

Avec leur aide, je lavai ma mère, l'habillai, refis le lit. Nous avons croisé ses mains sur sa poitrine, mis un chapelet entre ses doigts, placé une branche de buis dans un verre au pied du lit, sur une petite table. J'agissais mécaniquement, sans penser à ce que je faisais. Avec une sorte d'incrédulité, je regardais ma mère qui reposait. Je ne réalisais pas. C'était trop brutal. Sans transition, alors que, la guerre terminée, je pouvais espérer mener de nouveau une vie heureuse, la mort me prenait, une fois de plus, un être cher. Et cet être était ma mère. Abrutie de chagrin, je ressentais une sorte d'engourdissement qui me laissait complètement hébétée. Et pourtant je savais que ma souffrance était là, tapie comme une bête prête à bondir, et qu'elle allait me déchirer, me lacérer sans pitié.

Anna arriva ; la nouvelle avait fait le tour du coron. Elle resta près de moi, pour m'aider à recevoir les femmes qui venaient bénir ma mère, lui dire un dernier adieu. Cela dura toute la journée, et je savais que ce serait encore la même chose le lendemain et le jour suivant. A certains moments, la sensation d'irréalité me reprenait, et, à d'autres, je réalisais avec une acuité douloureuse, aiguë, que c'était ma mère qui était là, morte.

Le moment le plus dur fut lorsque Jean arriva, sachant déjà, le visage hagard, incompréhensif :

— Ce n'est pas possible... Que s'est-il passé ?

Je le lui racontai. Il s'effondra, et resta près d'elle, tremblant d'impuissance et de chagrin. Je voyais, à son regard perdu que, comme moi, il n'arrivait pas non plus à admettre.

Charles l'apprit en sortant de la mine, et vint directement, encore noir de charbon. Dès qu'il entra, son regard se posa sur moi, douloureux, plein de compassion, de pitié et d'amour. Sans un mot, il me serra contre lui, et dans ma détresse, je sentis que sa présence me réconfortait. Lorsque je relevai la tête, je vis que lui aussi pleurait, et ses larmes traçaient deux sillons clairs dans la poussière noire de son visage.

Ce furent des jours pénibles, douloureux. Tous les gens du coron défilèrent, et il fallut les recevoir. Ils parlaient de ma mère, et il fallait leur répondre. Chaque visite ravivait ma peine. Juliette vint me voir aussi. Elle renonça à consoler Jean, qui se murait dans un désespoir farouche.

L'enterrement eut lieu le mardi, par une journée d'automne splendide, et je me demandai comment la nature pouvait ruisseler de lumière alors que mon cœur n'était qu'une pluie de larmes.

J'eus mal, pendant très longtemps. Ce fut la tendresse de Charles qui m'aida à reprendre le dessus. Son amour fut un baume pour mon cœur meurtri. Je me disais aussi que je devais oublier ma propre peine et penser que ma mère était en paix, auprès de mon père qu'elle avait tant aimé. Mais ce ne fut, malgré tout, plus jamais pareil.

Je dus trier ses affaires, et tout emballer, afin de libérer la maison pour d'autres. Ce me fut une épreuve de plus. Chaque vêtement, chaque objet que je rangeais me rappelaient ma mère. Je classai les papiers, et, parmi eux, retrouvai les lettres que mon père nous avait envoyées pendant la guerre. Il fallut également enlever les meubles, que Charles et Georges emportèrent. Je les partageai avec Anna. La maison vide me sembla abandonnée. Je fis le tour des pièces, allai dans le jardin. Je revis le petit mur, là où Charles m'avait dit qu'il m'aimait, là où il m'avait dit aussi qu'il voulait m'épouser. Partout, chaque endroit me parlait de souvenirs, et, quand je quittai la maison définitivement, j'étais consciente d'y laisser une partie de ma vie que je savais ne jamais retrouver.

2

JEAN continuait ses études, qui lui plaisaient toujours autant. Quand il revenait, toutes les fins de semaines, il bavardait longuement avec Charles, et les autres mineurs, des problèmes qu'ils rencontraient chaque jour dans leur travail. Ensuite, il me disait :

— Je travaillerai à leurs côtés, avec eux. Je ne serai pas un ingénieur uniquement préoccupé par le rendement. Je serai un ingénieur humain, compréhensif, et je me battrai pour améliorer leurs conditions de travail.

Je ne pouvais que le regarder avec fierté. Je savais que, le jour où il exercerait son métier, les mineurs pourraient compter sur lui.

Je dus prendre l'habitude de vivre sans ma mère. J'avais ramené chez moi sa machine à coudre, et j'étais seule pour faire tous les travaux de couture. Nos conversations me manquaient, et aussi la sensation que j'avais, près d'elle, d'être comprise et aimée sans conditions. Maintenant, il n'existait plus personne dont j'étais l'enfant. Même l'amour de Charles et de Jean était différent ; c'était un amour d'hommes, plus bourru. Je ne pouvais pas, avec eux, discuter de mes petits problèmes de femme, comme je le faisais auparavant avec ma mère qui, toujours, m'écoutait avec patience. Oui, sa présence, sa tendresse, me manquèrent énormément, et je découvris que rien ne remplace l'amour maternel.

Peu à peu, les dernières cartes de rationnement disparurent, et nous avons eu l'espérance de trouver de nouveau tout ce dont nous avions besoin. Grâce au charbon, les usines tournaient de nouveau, l'industrie reprenait. Le pays revivait. C'était maintenant, adressé aux mineurs, l'appel aux cent vingt mille tonnes.

Un an s'était écoulé depuis le décès de ma mère lorsque, de nouveau, des bruits de grève circulèrent. Les syndicats n'acceptèrent pas l'éviction du gouvernement des ministres communistes qui eut lieu à cette époque. Une grève fut décidée, en novembre, et dura plus de quinze jours. C'était la première après la guerre, et je me disais avec tristesse que rien n'était changé. Il y avait de nouveau des discussions, des manifestations, et je priais pour qu'il n'y eût pas de violence. Lorsque la grève prit fin, elle n'apporta pas aux mineurs la satisfaction de leurs revendications, mais, pensai-je égoïstement, la menace s'éloignait.

Un nouvel hiver passa, l'année 1948 arriva. Elle devait amener des changements dans notre vie. D'abord, nous apprîmes qu'était créé, dorénavant, un centre de vacances spécialement réservé aux mineurs, à La Napoule. Ceux qui voulaient en faire la demande pouvaient aller passer là-bas leurs congés payés. Tout était prévu, depuis le voyage en train jusqu'à la réservation de la chambre. C'était d'autant plus tentant que ce centre était situé dans le Midi.

— Qu'en dis-tu, Madeleine ? me dit Charles. Nous pourrions y aller, une année. Peut-être quand je serai retraité... ?

J'étais heureuse comme une enfant, moi qui n'avais jamais pris de vacances. Mon imagination, très vive, m'emportait. Je regardais les photos du prospectus que Charles avait ramené de la mine. Je nous voyais, tous les deux, dans ces collines fleuries de mimosa, toutes vibrantes de soleil et du chant des cigales. Seulement, les années ont passé, et ce projet ne s'est jamais réalisé. Nous l'avons toujours reporté à l'année suivante. Et maintenant, il est trop tard.

Cette année-là également fut tourné à Liévin un film de Louis Daquin : *Le Point du jour*. Dès sa sortie, nous sommes allés le voir. C'était un film qui montrait le travail des mineurs, leur vie, leurs problèmes. Jean vint avec nous, ainsi que Marcelle et ses parents. Il y avait une séquence où un jeune garçon de quatorze ans, pris dans un éboulement, se trouvait enfoui. Ce passage me rappela cruellement que Jean lui-même avait connu la même situation. Je lui lançai un regard furtif, et je vis, à son visage tendu, que lui aussi se souvenait, et qu'il n'oublierait jamais.

Les mineurs étaient filmés en plein travail, et nous les voyions, accroupis, en train d'abattre du charbon. Certains, dans des passages vraiment étroits, étaient à moitié couchés, dans des positions plus qu'inconfortables.

— C'est vraiment bien filmé, dit Charles. J'ai l'impression d'y être, tellement ça semble réel.

Je crois que ce fut ce jour-là que je découvris ce qu'était le travail de Charles. Je n'étais jamais allée au fond, je n'avais jamais vu ce que cela représentait. Là, les images me montrèrent tout ce que je ne savais pas. J'ouvrais des yeux effarés. Dans un tel boyau, comment pouvait-on respirer ?

A un moment, un des mineurs donna un grand coup de marteau-piqueur, et l'écran fut envahi d'une poussière noire ; et, à travers cette multitude d'infimes particules de charbon, on voyait le mineur qui continuait de travailler. Moi, je sentais cette poussière entrer dans mes narines, dans mes yeux, m'obstruer la gorge, envahir mes poumons. J'éprouvais une sorte de malaise. Comment pouvaient-ils résister, dans ces conditions, jour après jour, pendant toute une vie ? A partir de cet instant, je regardai Charles avec un nouveau respect. J'eus pour lui une admiration qui ne fit qu'augmenter mon amour. Lorsque nous sommes sortis j'ai respiré profondément l'air du soir, et j'ai compris, plus que jamais, l'incessant besoin de soleil, d'air pur et d'évasion qu'éprouvaient les mineurs, après des journées d'un tel travail.

Un matin du mois d'avril, Marcelle entra dans ma cuisine, en larmes :

— Madeleine, tu es au courant ? A Courrières...

J'eus le pressentiment d'une catastrophe. La voix rauque d'inquiétude, je dis :

— Qu'y a-t-il ? Que s'est-il passé ?

Au milieu de ses sanglots, elle m'expliqua :

— A la fosse 4 de Courrières, hier... il y a eu une explosion, au fond... Mon frère aîné y travaille. Ma mère est partie, dès qu'elle a su...

Ainsi, cela recommençait. Ça ne s'arrêterait donc jamais ! Tant de souffrances imméritées... pourquoi ? J'essayai de consoler Marcelle, de lui dire de ne pas désespérer sans savoir, mais ma voix manquait de conviction. Je ne savais que trop bien que la mine ne pardonnait pas, et que, cette fois encore, il y aurait des blessés, et peut-être des morts...

Je vis Catherine le soir. Elle n'avait rien appris, son fils était toujours au fond. Une équipe de sauveteurs travaillait sans relâche. L'inquiétude de son regard était douloureuse à voir. Je la comprenais. Moi aussi, j'avais connu les mêmes affres.

Elle retourna, les jours suivants, attendre devant les grilles de la fosse. Elle dut vivre cinq longs jours dans l'angoisse avant de savoir. Le sixième jour seulement, elle revint avec sur le visage un mélange de soulagement et de souffrance. Son fils avait été remonté avec d'autres. Il avait été brûlé et était soigné à l'hôpital Sainte-Barbe. Il y avait d'autres blessés beaucoup plus graves. Certains, me dit-elle, ne respiraient plus que grâce à un tube de caoutchouc qui conduisait directement l'oxygène à leurs poumons. On disait qu'une équipe de médecins et d'infirmiers était venue spécialement de l'hôpital Foch de Paris.

Les derniers mineurs ne furent remontés qu'après vingt et un jours. Pour survivre, ils avaient rongé l'écorce des boisages, mangé du cheval décomposé, bu leur urine. L'un d'eux avait une montre, qui leur avait permis de compter le temps, Jean, lorsqu'il apprit, fut à la fois profondément peiné, révolté et furieux :

— Cela ne devrait pas se produire. Il faut absolument faire quelque chose pour leur sécurité. J'y consacrerai ma vie, s'il le faut, mais j'y arriverai ! Pense à leur angoisse, maintenant, quand ils retourneront au fond, après une telle épreuve ! Et les seize morts, qui ont été brûlés vifs ! Il faut empêcher de tels accidents, améliorer la sécurité, c'est indispensable !

Il parlait avec une sorte de fureur désespérée. Moi, sceptique, je m'interrogeais. Etait-il possible d'éviter de telles catastrophes ? Depuis mon enfance, j'en avais connu plusieurs. Inconsciemment, je finissais par croire qu'elles étaient inévitables. C'est pourquoi je vivais, avec, au fond de moi, la crainte obscure et inavouée de ne pas voir revenir Charles, jour après jour.

Au début de l'été, Juliette m'annonça son départ. Son mari allait occuper un poste d'ingénieur à Béthune, et elle préparait son déménagement. Elle vint me voir avec son fils Germain, devenu un adolescent mince et grave.

— Je te verrai moins souvent, me dit-elle, mais, dès que je serai installée, tu viendras me rendre visite. Ce n'est pas parce que je vais habiter loin de toi que nous allons nous perdre de vue, n'est-ce pas ?

J'approuvai avec énergie. Elle était mon amie depuis notre enfance, et je l'aimais sincèrement. Elle était aussi la marraine de mon fils, et il y avait entre eux deux un amour fait de tendresse et de complicité. J'avais de la peine de la voir partir.

Pour combler le vide causé par son absence, je me rapprochai davantage de Marcelle, et de Catherine, sa mère. Elles venaient souvent l'après-midi boire une tasse de café, ou c'était moi qui allais chez elles. Nous bavardions de choses et d'autres, et une chaude amitié nous unissait.

Le dimanche, lorsque nous sortions, nous le faisions tous ensemble, Catherine et Robert, Charles et moi, et bien entendu, Marcelle et Jean. Je remarquais, entre les deux jeunes gens, une entente de plus en plus visible. Bien souvent, ils discutaient, en aparté, et le regard que Marcelle levait sur mon fils était révélateur. Quant à lui, il semblait prendre beaucoup de plaisir à sa compagnie. Elle était jolie, vive, intelligente et agréable. Elle allait avoir dix-neuf ans, et j'avais l'impression que, depuis quelque temps, il ne voyait plus en elle seulement une enfant.

Un dimanche du mois de juillet, nous sommes allés tous ensemble à Douai pour les fêtes de Gayant. Nous avons d'abord assisté au défilé, qui produisait toujours sur moi la même impression d'émerveillement, et puis nous sommes allés faire un tour à la fête foraine. Dans une tente, une vieille femme prédisait l'avenir. Marcelle voulut à tout prix y entrer. Elle sortit de là les yeux brillants, les joues roses, avec, sur le visage, un air heureux. Je me revis, à son âge, avec le même espoir de promesses, et je me souvins de la gitane qui m'avait prédit qu'un grand amour ensoleillerait ma vie. Sur le moment, éblouie que j'étais par Henri, j'avais cru qu'il s'agissait de lui, mais, maintenant, je savais ce qu'elle avait voulu dire. Et je regardai, à mes côtés, mon Charles, sûr, tendre et fidèle.

Marcelle et Jean, comme deux jeunes fous, grimpèrent sur les manèges, firent des tours de chevaux de bois, tirèrent à la loterie. Je voyais Jean rire aux éclats, lui toujours grave et réservé, et je me disais que Marcelle était une petite fée, qui arrivait à le dérider et à le faire rire comme un enfant. Je les regardais avec une tendresse amusée, et aussi avec une certaine nostalgie.

Je ne fus pas surprise lorsque, quelques semaines plus tard, un samedi soir, je les vis rentrer, dans la cuisine, émus et souriants. Ils se tenaient par la main, et je sus ce qu'ils allaient me dire. En vérité, je compris même, à ce moment-là, que je l'avais toujours su.

— Maman, me dit Jean, avec une timidité que je ne lui connaissais pas, je voudrais te dire que... Marcelle a accepté d'être ma femme.

Marcelle vint vers moi, le visage rayonnant, et

m'embrassa avec affection. Je la serrai tendrement contre moi. Tout bas, elle murmura :

— Oh ! je suis si heureuse ! Je l'aime depuis si longtemps...

Jean, à son tour, vint m'embrasser. Ma gorge était nouée par l'émotion. Je parvins à dire, et ma voix était rauque et tremblante :

— Je suis heureuse pour vous, mes enfants. Et toi, Jean, tu ne pouvais pas mieux choisir.

J'étais sincère. Je savais que Marcelle l'aimait profondément. Et moi, je n'aurais pu trouver une bru plus agréable. Je la connaissais depuis son enfance, depuis ce temps-là nous étions amies. De plus, elle était, elle aussi, fille de mineur. Jean aurait, près de lui, une compagne qui le comprendrait et qui l'épaulerait dans sa lutte pour défendre les mineurs.

— Où est papa ? demanda Jean.

— Il est dans le jardin, il repique quelques salades.

— Viens, dit Jean en tendant la main à Marcelle, avec un sourire infiniment doux et de l'amour plein les yeux. Allons lui dire, à lui aussi.

Ils sortirent, et je dois avouer que j'eus un pincement au cœur. Je soupirai, à la fois heureuse et triste. Heureuse du bonheur de mon enfant, et triste parce que je n'étais plus la seule femme dans sa vie. Il me faudrait, dorénavant, le partager avec Marcelle. Et mon cœur de mère se serra un peu.

Par bonheur, cela ne dura pas. Au fil des jours, je me rendis compte que l'amour de mon enfant pour moi était demeuré inchangé. Et il venait s'y ajouter l'affection sincère qu'éprouvait Marcelle envers moi. Jean alla demander à Catherine et Robert la main de leur fille, qu'ils lui accordèrent avec des transports de joie. Il y eut, entre eux et nous, une sorte de réunion de famille, où nous avons discuté du mariage de nos enfants. Jean avait encore une année d'études à faire, avant d'obtenir son diplôme d'ingénieur, et ils se marieraient ensuite. La date fut fixée à l'été suivant.

Ce soir-là, lorsque nous fûmes couchés, Charles me dit tout bas :

— Tu es contente, Madeleine ? Il a choisi une bonne petite, qu'en penses-tu ? Il sera heureux, avec elle.

J'approuvai, et me blottis contre lui, ma tête au creux de son épaule. Charles, toujours pareil à lui-même, ne se préoccupait que du bonheur de Jean, et je savais qu'il avait raison. Avec Marcelle, mon enfant serait heureux. Sur cette pensée rassurante, serrée contre Charles, je m'endormis, le cœur en paix.

⁂

La nouvelle fit très rapidement le tour du coron. Je ne pouvais pas sortir de chez moi sans être arrêtée, interpellée :

— Alors, Madeleine, c'est vrai ? Ton fils fréquente ? Il va se marier ?

Je souriais, j'acquiesçais. Beaucoup me félicitaient avec sincérité, me parlaient de Jean, constataient que, malgré des études d'ingénieur qui le hissaient à un niveau supérieur, il restait toujours aussi simple, aussi amical.

A la fin du mois de septembre, je reçus une lettre de Juliette. Son déménagement était terminé, elle était tout à fait installée. Elle me donnait sa nouvelle adresse, et m'invitait, avec insistance, à aller la voir. Je montrai la lettre à Jean, qui me dit :

— Je vais lui écrire pour lui annoncer mes fiançailles avec Marcelle. Et nous irons la voir, comme elle nous le demande. J'irai lui présenter ma fiancée.

Nous lui avons envoyé une longue lettre, à laquelle elle répondit aussitôt en nous invitant de nouveau.

— Allons-y tous ensemble un dimanche, proposa Jean.

Nous avons prévu d'y aller le dimanche suivant, mais notre projet fut reporté car, dans la semaine, une grève éclata. Des bruits de grève et des rumeurs de mécontentement circulaient déjà depuis quelque temps. J'entendais Charles, Georges et les autres se plaindre des conditions de travail, des relations de plus en plus difficiles entre ouvriers et ingénieurs, entre syndicats et patrons. Lorsque j'essayais, timidement, de dire à Charles qu'une grève n'était peut-être pas la solution rêvée, il me répondait invariablement :

— Et quelle autre solution avons-nous, dis-moi, pour défendre nos droits ? Si nous continuons ainsi, nous travaillerons bientôt dans les mêmes conditions qu'avant 1936. Les délégations syndicales ne sont même plus reçues, on ne veut plus écouter nos revendications. Nous ne pouvons pas nous laisser faire, quand même !

Jean lui-même approuvait :

— Ils ont raison, maman, me disait-il. Ils ne veulent pas revenir vingt ans en arrière, il faut les comprendre.

Bien sûr, je comprenais. Mais ma peur de voir de nouveau des bagarres, de la violence, était la plus forte. Alors, je ne disais rien, et j'écoutais. Je les entendais parler du nouveau syndicat, Force Ouvrière, qui était le seul reçu par la direction, bien que représentant une faible minorité de mineurs. Déjà, cela les rendait mécontents. Mais, ce qui déclencha la grève, ce fut les décrets Lacoste, qui s'attaquaient au statut des mineurs et au régime de sécurité sociale minière. Là, je vis Charles furieux.

— C'est incroyable ! Maintenant, ils veulent payer un mineur à la tâche, sans tenir compte des difficultés de travail, de terrain, du toit qui se délabre, de tous les obstacles qu'on peut rencontrer... Un gars qui est faible physiquement, et qui ne sait pas très bien travailler, ne sera même pas payé au barème, s'il doit être payé pour ce qu'il fait ! Ah, je voudrais bien le voir au fond, ce Robert Lacoste, travailler au piqueur pour l'abattage du charbon, et à la hache pour le boisage ! On verrait combien il ferait, et combien il gagnerait ! C'est facile de faire des mètres avec une plume dans un bureau, mais, au fond, c'est autre chose !

Je comprenais, à voir Charles aussi indigné, lui toujours si paisible, que ces décrets étaient inacceptables. Et je les approuvais de faire grève ; ils n'avaient que ce moyen-là pour montrer leur désaccord.

Elle commença le lundi 4 octobre. Au début, tout se passa dans le calme. Il y eut quelques réunions, quelques manifestations, mais elles étaient silencieuses : tout le monde était d'accord, il fallait faire grève.

Je me sentais cependant dans un climat d'insécurité. Plus la grève durait, et plus ma vieille peur revenait. Je n'en parlais pas, je n'osais pas en parler, de crainte de paraître lâche. Mais, du fond de ma mémoire, un souvenir de bataille, de violence et d'affrontement remontait, et ne me laissait pas en paix. J'admirais Marcelle qui, comme Jean, approuvait à fond les mineurs. Avec son père et ses frères, elle avait même participé à une manifestation. J'aurais voulu être comme elle, courageuse. Tandis que, au contraire, je me disais chaque jour, avec inquiétude : comment cela va-t-il finir ?...

Du côté de l'Etat comme du côté des syndicats, personne ne voulait céder. Alors la grève s'éternisait. Quand arriva le mois de novembre, il y avait quatre semaines qu'elle durait, et ça semblait devoir continuer. Dans beaucoup de familles, l'argent manqua.

Anna vint me trouver un jour en pleurant :

— Je ne sais plus quoi faire ! Il n'y a plus un sou à la maison ! Qu'allons-nous devenir ?

— Fais comme moi, dis-je, puise dans tes économies.

Elle me regarda, les yeux pleins de larmes, avec impuissance :

— Mais c'est que justement je n'en ai plus ! J'avais déjà dû en prendre une grande partie pour habiller de neuf les enfants, pour la rentrée des classes. Ils grandissent tellement vite ! Il leur faut chaque année de nouveaux vêtements, de nouvelles chaussures ! Et, depuis le début de la grève, j'ai utilisé ce qui restait. Comment vais-je m'en sortir ?

Je la regardai avec pitié. Je savais que Charles ne laisserait pas les enfants de son frère souffrir de la faim. J'allai chercher, sur la cheminée, la boîte en fer-blanc qui contenait nos économies. J'en donnai une partie à Anna :

— Tiens, prends, c'est pour Paul et Bernard. Je ne veux pas, moi non plus, qu'ils aient faim.

Avec confusion, elle prit l'argent :

— Je te le rendrai, c'est promis. Et je te remercie, du fond du cœur.

Elle vint à moi et m'embrassa avec affection. Je la regardai partir, maintenant rassérénée, et la même pensée occupait toujours mon esprit : où cela allait-il nous mener ?

Anna n'était pas la seule à manquer d'argent. Beaucoup de familles se trouvèrent dans la même situation. Cela devint si dramatique qu'il y eut des mineurs qui organisèrent le ravitaillement. Ils allèrent chez les commerçants, dans les campagnes, et distribuaient ensuite ce qu'ils avaient réussi à obtenir. Certains allèrent faire des collectes aux portes des usines, dans toute la région, et même jusque dans la région parisienne. Ensuite ils ramenaient l'argent, qu'ils distribuaient également.

Il y eut aussi la création des bons Lecœur. C'étaient des bons de cinq francs, distribués dans les mairies, pour le soutien de tous les mineurs grévistes. Tout cela nous aida. Mais la grève ne semblait pas vouloir se terminer. Elle prenait des proportions qui m'inquiétaient.

Ce fut après la quatrième semaine que nous avons vu arriver les C.R.S. Je les regardai, avec appréhension, défiler dans le coron, se masser devant la grille de la fosse, et observer ce qui se passait dans un silence menaçant. Ils empêchaient les réunions, et, me dit Charles, surveillaient toutes les manifestations.

Après six semaines de grève, une dissension se fit parmi les mineurs. La grande majorité était toujours pour la grève, mais certains désiraient reprendre le travail. Ils étaient à bout de forces, à cause du manque d'argent. Ils voulaient de nouveau pouvoir au moins nourrir leurs enfants. Alors les problèmes commencèrent. Des fanatiques, partisans de la grève à outrance, allèrent jusqu'à déposer des charges d'explosifs sous les fenêtres de ceux qui étaient pour la reprise du travail.

— A quoi cela les avance-t-il ? Ça ne va pas arranger les choses, elles sont déjà assez difficiles comme ça !

— Je sais bien, me répondait Charles, et je ne les

approuve pas. Mais, pour gagner, il faut que nous soyons tous d'accord !

Pourtant plus les jours passaient, plus le nombre de ceux qui voulaient retourner au travail augmentait. Les piquets de grève les repoussaient, et empêchaient qui que ce fût de pénétrer. Alors Jules Moch, le ministre de l'Intérieur, envoya la troupe. Et moi, je ne connus plus un seul jour de repos.

Je vis des tanks arriver, cheminer dans le coron silencieux, et se diriger vers la mine. Là, ils enfoncèrent le mur, entrèrent dans le carreau et arrêtèrent les grévistes présents. Partout, sur tous les carreaux de fosses, des mineurs furent arrêtés. Ils furent emmenés et emprisonnés à Béthune. Les manifestations dégénéraient en affrontements. Une fois de plus, la violence était là. Les C.R.S. étaient haïs, les mineurs supportaient difficilement leur présence, d'autant plus qu'ils n'hésitaient pas à frapper.

— Tu te rends compte, Madeleine, me disait Charles, révolté. Tout se passait bien avant qu'ils n'arrivent. Maintenant qu'ils sont là, on se bat sans arrêt. Et tout ça, c'est le « matraqueur (1) » qui en est responsable !

Plus rien n'allait. Les mineurs étaient à bout de patience. La violence s'exacerbait. Je ne dormais plus. Un cauchemar, jusque-là oublié, revenait hanter mes nuits : devant mes yeux horrifiés, des hommes se battaient, des chevaux tombaient, le sang coulait. Parfois, je disais à Charles :

— Ne serait-ce pas plus raisonnable de reprendre le travail ?

— Alors tout ce que nous avons fait jusqu'ici serait inutile ! Non, nous devons tenir bon !

Peut-être, mais au prix de quelles souffrances ?...

Un matin de cette période troublée, je reçus une lettre de Juliette. C'était un véritable appel à l'aide. Lors d'une manifestation, Bertrand, son mari, avait

(1) Jules Moch, qui avait envoyé la troupe et les C.R.S., fut surnommé par les mineurs *le Matraqueur*.

voulu calmer les mineurs excités par la présence des C.R.S., et avait été blessé.

« Viens, m'écrivait-elle, j'ai besoin de te voir. Bertrand est couché, je suis seule pour le soigner. En plus, ici je ne connais personne. J'ai besoin d'une présence amie, j'ai besoin de toi. Ne refuse pas, je t'en prie. Sinon, je crois que je deviendrai folle. Je suis à moitié morte d'angoisse. Peux-tu venir jeudi ? Je t'attendrai à la gare, il y a un train en début d'après-midi. »

Lorsque je montrai la lettre à Charles, il m'encouragea à y aller. Ce fut ainsi que je me retrouvai, le jeudi après-midi, en gare de Béthune, cherchant des yeux Juliette qui devait m'attendre. Je ne la vis pas. Je descendis du train et, irrésolue, restai sur le quai, dans l'espoir de la voir arriver. Autour de moi, tous les gens se hâtaient vers la sortie. Bientôt, je demeurai seule. Je me mis à marcher de long en large, incertaine sur la conduite à suivre. Valait-il mieux rester là, ou essayer d'aller à sa rencontre ? Mais dans quelle direction ? Je ne savais pas du tout où elle habitait, et je risquais de me perdre. Il me sembla qu'il valait mieux attendre.

Serrant mon sac contre moi, je me remis à faire les cent pas. Un machiniste passa, me lança un regard intrigué. Plus loin, un train démarra, à grands renforts de bruit, de poussière et de fumée. J'attendais toujours. J'essayais de rester calme, de me dire que Juliette avait été retardée, mais je m'inquiétais. Et puis, au moment où je commençais à désespérer, je la vis arriver, échevelée et courant, tout essoufflée. J'allai vers elle. Frénétiquement, elle me serra dans ses bras :

— Comme je suis contente de te voir ! Si tu savais... C'est affreux, affreux ! Toutes ces grèves, ces manifestations, ces bagarres !... Bertrand est blessé, et moi, je ne vis plus !

Un faible sourire monta dans ses yeux et en chassa, pour un instant, l'inquiétude :

— Ta présence me fait du bien, tu es si calme !

Je lui souris sans répondre. Pouvais-je lui dire que ma placidité n'était qu'extérieure, et que mon inquiétude, pour être soigneusement cachée, n'en était pas moins vive que la sienne ?

Elle reprit :

— Pardonne-moi mon retard. J'ai dû faire un détour pour éviter une nouvelle manifestation qui se prépare. Nous allons essayer de l'éviter de nouveau. Il faut nous dépêcher ; Germain est seul à la maison avec Bertrand.

Bras dessus, bras dessous, nous sortîmes de la gare. Tout en marchant, elle m'expliqua qu'elle venait d'apprendre que les mineurs avaient organisé une marche sur Béthune, pour réclamer la libération de leurs camarades prisonniers.

— Viens, me dit-elle, passons par ici. Ce n'est pas très loin, mais il vaut mieux éviter les rues principales.

Elle m'entraîna, marchant très vite. En même temps, elle me racontait son isolement, la façon dont elle s'était trouvée perdue en arrivant dans une ville où elle ne connaissait personne. De nature réservée, elle n'osait pas s'imposer aux autres. Elle se sentait horriblement seule. De plus, les manifestations, qui, jusque-là, ne la touchaient pas directement, avaient valu à son mari d'être blessé.

— Est-ce grave ? demandai-je.

— Non, heureusement. Il a reçu plusieurs coups sur la tête. Il a dû rester couché plusieurs jours. Maintenant, il va mieux. Mais je crois qu'il a été traumatisé. Il n'aurait jamais cru que ses propres mineurs puissent se retourner contre lui.

— Ils ne sont plus eux-mêmes, Juliette ! Leurs revendications sont refusées, ils ont l'impression que leur grève devient inutile. De plus, la présence des forces de l'ordre n'arrange rien. Alors, il suffit de très peu de chose pour les rendre furieux.

Elle soupira, ne répondit pas. Je savais que, comme moi, elle se demandait comment tout cela finirait. Nous étions arrivées à un carrefour. Elle s'arrêta :

— Il y a encore cette rue à traverser, et nous y sommes.

Nous nous dirigions vers le carrefour lorsque, en tournant le coin de la rue, nous fûmes rejointes par des groupes de mineurs qui allaient dans la même direction.

— Passons le plus vite possible, dit Juliette, nous prendrons la première rue à gauche.

Les mineurs remontaient la rue vers la place que j'apercevais tout au bout. D'instant en instant, ils devenaient plus nombreux. Ils criaient :

— Tous à la sous-préfecture ! Pour la libération de nos camarades prisonniers !

Juliette me serrait le bras. Je vis sur son visage l'appréhension que je ressentais moi-même. Nous allions dans le même sens que les manifestants, et il y en avait, autour de nous, de plus en plus. Nous étions entraînées par le flot. Vainement Juliette essayait de bifurquer vers la gauche. Il nous était impossible de nous dégager. Sans pouvoir résister, nous nous sommes retrouvées sur la place, au milieu de toute une masse de mineurs farouchement résolus à obtenir satisfaction.

Nous nous serrions l'une contre l'autre. Je vis quelques rares femmes qui manifestaient aux côtés de leurs maris. Soudain se produisit une bousculade. Je me sentis brutalement poussée vers l'avant. Je m'accrochai à Juliette. Entraînées une fois de plus par la masse, nous ne pouvions que nous laisser emporter. Je voyais autour de moi des visages tendus, résolus, je sentais la foule me forcer à avancer. L'affolement me gagnait, je regardais autour de moi comme une bête prise au piège, et je ne voyais aucune issue. Il y eut, à l'avant, loin devant nous, des cris. Puis un nouveau remous, et une nouvelle bousculade. Une rumeur parcourut les rangs, parvint jusqu'à nous. J'entendis les mots : le sous-préfet, au palais de justice. J'interrogeai quelqu'un, près de moi. Il haussa les épaules, il ne savait rien, lui non plus. Un autre, devant, qui avait entendu ma question, se retourna et expliqua :

— Ils conduisent le sous-préfet au palais de justice ; il a repoussé nos revendications, au sujet de nos camarades prisonniers.

Inévitablement, nous allions dans la même direction.

J'échangeai avec Juliette un regard chargé d'angoisse et d'impuissance. La foule, autour de nous, se faisait de plus en plus compacte. Je sentis un sanglot de terreur me monter dans la gorge lorsque je vis, là-bas, devant l'immeuble où arrivaient les premiers manifestants, les casques de nombreux C.R.S. Nous étions tous arrêtés maintenant devant le palais de justice. Sur le moment, je n'ai pas compris ce qui a déclenché la bagarre. Je ne l'ai su qu'après. Les C.R.S. avaient demandé aux mineurs de libérer le sous-préfet, et ceux-ci refusèrent. Alors les C.R.S. foncèrent dans la foule.

A l'arrière, nous eûmes d'abord conscience d'une grande bousculade. Je reçus des coups de coude, ceux qui étaient devant moi reculèrent en me marchant sur les pieds. Et puis j'aperçus les C.R.S. qui, brutalement, entraient dans la foule. Ce fut une mêlée confuse. Il y eut un mouvement de reflux. Certains essayèrent de faire demi-tour et de s'enfuir, d'autres au contraire se portèrent en avant pour empêcher les C.R.S. d'avancer. Nous fûmes bousculées, violemment heurtées de tous les côtés. Un coup plus brutal que les autres faillit me faire tomber, et je fus séparée de Juliette. J'essayai de me raccrocher à elle, mais une masse de mineurs qui fonçaient vers l'avant me repoussa encore plus loin. J'étais ballottée d'un côté, puis de l'autre, je recevais des coups de coude, des coups de pied. Je faillis perdre mon sac. Et je ne voyais plus Juliette.

Les C.R.S. se mêlaient aux manifestants. Horrifiée, je m'aperçus qu'ils se battaient sauvagement. Des mineurs, matraqués, avaient le visage en sang. J'éprouvai une sensation de terreur animale. Je voulais m'enfuir, et je ne pouvais pas, entourée de cette foule où régnait une violence qui me paralysait d'horreur. J'étais au centre d'un cauchemar vivant. Je fus une fois de plus déportée vers la droite, et me trouvai près d'un mur. A quelques pas, un C.R.S., désarmé, faisait face, impuissant, à plusieurs mineurs qui se mirent à le matraquer sans pitié, avec une violence féroce. D'autres manifestants, alors, repoussèrent leurs camarades, et firent, de leur corps, un rempart pour protéger le C.R.S. qui, blessé, avait, lui aussi, le visage en sang.

— Laissez-le-nous, crièrent les plus acharnés, il paiera pour les autres !

— Reculez, allez-vous-en ! leur dit un mineur plus âgé. N'avez-vous pas honte de vous acharner sur un homme sans défense ? Ce n'est pas cela que nous voulons, la violence n'amènera rien de bon !

Malade d'horreur et de dégoût, je me détournai. Des animaux féroces, voilà ce qu'ils étaient devenus, tous. Comment peuvent-ils en arriver là ?

Plus loin, la bataille se poursuivait toujours. Des blessés, aussi bien parmi les mineurs que parmi les C.R.S., gisaient sur le sol. Je vis un policier tituber et tomber lourdement, mains en avant. J'aurais voulu me boucher les oreilles pour ne plus entendre les cris, fermer les yeux pour ne plus voir les hommes se battre. Je réussis, en longeant le mur, à m'éloigner de la place. Devant moi, un jeune mineur, qui pouvait avoir dix-huit ou vingt ans, était emmené par ses parents qui le soutenaient et l'aidaient à marcher. Il avait été blessé et pleurait bruyamment. Du sang coulait dans son cou, d'une plaie au cuir chevelu, et ses plaintes me faisaient mal.

Je dus m'arrêter et m'appuyer contre un mur. Je sentis que tout tournait autour de moi. J'eus peur de m'évanouir. Je serrai les dents et fis un effort pour me remettre à marcher. A ce moment, j'entendis mon nom :

— Madeleine ! Madeleine !

Je me retournai. Juliette accourait vers moi, les cheveux dans les yeux, une manche de sa veste arrachée. Je réalisai que mon aspect ne devait pas être plus engageant.

— Madeleine, me dit-elle, je te cherchais partout ! C'est affreux, n'est-ce pas ?

Elle me prit contre elle, et je me rendis compte que je tremblais sans pouvoir me dominer.

— Viens, allons chez moi.

Incapable de m'arrêter de trembler, je la laissai m'entraîner.

Comme une somnambule, je la suivis jusque chez elle. A la porte, Germain nous attendait, le visage inquiet. Il se précipita à notre rencontre :

— Vous voilà enfin ! Je me demandais... Mon Dieu, que vous est-il arrivé ?

— Nous avons été prises dans la manifestation, dit Juliette. Entrons vite ! Germain, va tenir compagnie à ton père. Nous allons essayer de nous rendre un peu plus présentables.

Elle m'emmena dans la cuisine, où je me laissai tomber sur une chaise.

— Si j'avais pu prévoir, je ne t'aurais pas demandé de venir !

Je frissonnais encore nerveusement, je serrais mes mains pour essayer d'arrêter leur tremblement.

— Tu n'es pas responsable. C'est que... vois-tu, la violence me fait peur. J'ai été marquée par une scène semblable, lorsque j'avais six ans, et je ne l'ai jamais oubliée...

— Je sais bien, c'est horrible ! C'est dans une manifestation identique que Bertrand a été blessé. Lui aussi, ça l'a marqué profondément.

Tout en parlant, elle enleva sa veste :

— Elle est toute déchirée. Enlève la tienne, elle est déchirée aussi !

J'ôtai ma veste et vis, sur mon coude, à l'endroit où le tissu avait été arraché, une trace de sang séché.

— Mon Dieu, dit Juliette, tu es blessée ?

Je regardai, avec une sorte d'hébétude, le sang sur mon bras. Je me souvenais, j'avais été projetée contre le mur, et mon coude l'avait heurté violemment.

— Attends, je vais te panser.

Délicatement, elle nettoya le sang. Il y avait une large éraflure, que j'ai gardée longtemps par la suite. Juliette me mit un pansement, brossa ma veste, me tendit un peigne pour me recoiffer. Mes bas aussi étaient déchirés, et mes pieds portaient la trace de nombreux coups. Je me lavai le visage et les mains. Ensuite Juliette fit chauffer de l'eau :

— Tu trembles encore. Je vais te faire une infusion de tilleul, ça te calmera.

Nous avons bu, toutes les deux, une tasse de tilleul bien chaude et bien sucrée. Cela me fit du bien, et mon tremblement s'atténua. Il ne disparut pas complètement, pourtant. Il resta intérieur, et s'il ne se remarquait plus, moi je le sentais encore.

Juliette me regarda avec affection :

— Ça va mieux ? Tu as les joues un peu plus roses.

Elle s'arrêta un instant, reprit :

— Ça t'étonne si je ne dors plus ? Nous sommes mal placés, ici : au centre de toutes les manifestations, de toutes les bagarres. Et depuis que Bertrand a été blessé, j'ai peur chaque jour... Viens, allons le voir.

Je la suivis au salon. Son mari était là, dans un fauteuil, le front bandé. Il se leva pour m'accueillir. Je remarquai, dans ses yeux, une sorte de hantise que je ne comprenais que trop bien. Germain, à côté, avait un air malheureux. Son attitude, le regard qu'il posait sur Bertrand, disaient clairement qu'il ne comprenait pas comment on avait pu s'en prendre à son père. Avec l'intransigeance de la jeunesse, il en voulait aux mineurs qui étaient responsables, et, de là, à tous les mineurs. Et ses yeux, quand il me regardait, étaient pleins d'un reproche inavoué.

Nous avons parlé, et Juliette, résolument, a écarté le brûlant sujet de la grève et de ses conséquences. Elle m'interrogea sur Jean, sur Marcelle, sur leur prochain mariage. Elle exigea des détails, me demanda si j'étais satisfaite.

— J'espère, me dit-elle, que je le verrai bientôt, avec sa fiancée.

— Oui, assurai-je, ils viendront te voir.

Elle me parla aussi de Germain, qui avait l'ambition de devenir médecin. Il ne voulait pas entendre parler de mine, de charbon, et encore moins de mineurs. Il se refusait à faire le métier de son père, et, depuis que celui-ci avait été blessé, c'était pis encore.

— Il faut le comprendre, disait Juliette, pour l'excuser.

Oui, bien sûr, je le comprenais. Mais, d'un autre côté, ce n'était pas en fuyant que les problèmes seraient pour autant résolus. Je ne disais rien, mais je préférais de loin, à la réaction de Germain, celle de Jean qui affrontait les difficultés et se tenait aux côtés des mineurs dans les moments de crise, au lieu de se diriger vers un autre métier.

Il fut bientôt l'heure de mon train. Juliette, chaleureusement, m'embrassa :

— Je suis contente que tu sois venue. Bavarder avec toi m'a fait beaucoup de bien. Quand cette grève sera finie, il faudra que tu viennes plus souvent. Et moi, j'irai aussi te voir de temps en temps.

A moi aussi, notre conversation avait été bénéfique. C'était si reposant de parler et d'entendre parler d'autres choses que de la grève, des difficultés, des manifestations, des affrontements.

Nous nous sommes quittées sur la promesse de nous revoir souvent. Germain vint m'accompagner jusqu'à la gare ; seule, j'aurais été bien incapable de retrouver mon chemin. Dans les rues, le calme était revenu ; il n'y avait plus un seul mineur. La troupe et les policiers occupaient plusieurs artères de la ville, mais, heureusement, nous ne les avons vus que de loin.

Germain m'accompagna jusqu'au train. Je l'embrassai affectueusement. J'aurais voulu effacer l'ombre qui, par instants, voilait son regard. Après tout, il était le cousin de mon fils. Mais il était fait, comme Juliette et Henri, pour l'insouciance et non pour les difficultés. Il n'était pas préparé à une vie dure ; il n'avait pas derrière lui, comme Jean, comme moi, toute une lignée d'ancêtres qui, à force de sueur, de sang et de larmes, avaient réussi à survivre.

Je me retrouvai chez moi avec plaisir. Plus d'une

voisine, dans le coron, en voyant mes bas arrachés et salis, ma veste déchirée, m'interrogea. Lorsque j'eus expliqué ce qui m'était arrivé, je fis aussitôt figure d'héroïne. Elles voulurent toutes connaître ce qui s'était passé, et je voyais, dans leurs yeux, un mélange d'admiration et d'envie. La plupart auraient bien voulu se trouver à ma place. Et moi, je me disais : si elles savaient ! Si elles pouvaient savoir combien moi, au contraire, j'aurais mieux aimé rester chez moi !

Marcelle exprima ouvertement son regret de n'avoir pas été là.

Je la regardais en souriant avec indulgence. Elle saurait, bien mieux que moi, soutenir Jean lorsqu'il y aurait des problèmes. Elle n'avait peur de rien, elle était prête à se lancer partout, sûre de son bon droit.

A Charles, je racontai tout. Aussitôt ses yeux, graves et compréhensifs, se chargèrent d'inquiétude :

— Madeleine, dit-il, ma chérie ! Tu as dû avoir très peur ?

A lui, je pouvais l'avouer. Il me serra contre lui, soupira :

— Je n'approuve pas cette violence. Elle ne résoudra pas les problèmes.

Ses paroles ressemblaient à celles du mineur que j'avais vu alors que, de son corps, il faisait un rempart pour protéger un adversaire, un C.R.S. blessé. Pourquoi cet avis n'était-il pas celui de tous ?...

Le samedi, comme toutes les semaines, Jean revint, et lui aussi s'inquiéta, lorsqu'il sut.

Il me prit contre lui, et ma tête arrivait au niveau de son épaule. Je compris que pour lui j'étais petite et fragile, et une grande douceur me vint quand je me dis que je lui étais précieuse, parce qu'il m'aimait.

Le dimanche qui suivit, Anna et Georges, avec leurs enfants, vinrent dîner chez nous. Jean et Marcelle étaient là. Les hommes se mirent à parler de la grève. Pendant que je faisais la vaisselle avec Anna, je regardais Marcelle qui jouait avec les enfants, Paul et Bernard. Ils avaient un jeu de cubes, et faisaient chacun une pyramide, en empilant les cubes les uns sur les autres. Celui qui réussissait la plus haute pyramide sans faire tomber les cubes avait gagné. Marcelle, avec patience, aidait Bernard, qui n'avait que trois ans et était encore malhabile, à bien placer ses cubes. J'observais sa douceur, sa gentillesse envers le petit garçon. Je me disais qu'elle ferait une bonne mère pour les enfants de mon fils.

Les hommes étaient en pleine discussion. Georges parlait de sa décision de reprendre le travail :

— Chaque jour le nombre des mineurs qui descendent augmente. Il faut admettre que c'est trop long, cette grève. Après sept semaines, qu'avons-nous obtenu ? Rien, à part des bagarres, qui nous retombent dessus.

— Ça, dit Jean, c'est beaucoup à cause des C.R.S. et de la troupe. Et s'ils n'avaient pas arrêté les piquets de grève, personne ne pourrait reprendre le travail et nous serions plus forts. Tandis que là, si certains recommencent à travailler, ça va démolir tous les efforts consentis jusqu'ici.

— Mais, reprit Georges, ceux-là n'ont plus rien pour vivre. Et combien de temps cela va-t-il encore durer ? J'ai deux enfants, moi aussi, et si la semaine prochaine tout est encore au même point, je redescends, comme eux. Je ne vais pas laisser mes enfants mourir de faim en restant là les bras croisés, quand même !

Anna me confia :

— N'en parle à personne, Madeleine, mais Georges, par moments, en a assez du métier de mineur. Il trouve que c'est trop dur, et des périodes comme celle que l'on vit en ce moment le découragent.

— Mais, Anna, c'est la même chose pour tout le monde !

— Je sais bien, mais c'est vrai que c'est dur, aussi. Cette grève n'arrange pas les choses, tu ne peux pas dire le contraire. Il y a des cas qui deviennent dramatiques. Hier, je suis allée porter un peu de soupe à Lucie, ma voisine, car je sais qu'ils n'ont plus rien. Je l'ai trouvée en train de pleurer, assise devant sa cuisinière vide faute de charbon et de ravitaillement. Elle n'en pouvait plus. Elle ne supporte plus de voir ses enfants se plaindre du froid, de la faim. Et ils sont six ! Son père, qui vit avec eux, et qui est très vieux et malade, ne quitte plus son lit, pour essayer d'avoir moins froid, et grelotte à longueur de journée... Sais-tu ce qu'elle faisait, quand je suis arrivée ? Elle donnait à son bébé un biberon d'eau sucrée parce qu'elle n'a plus de lait. Son mari a décidé de reprendre le travail demain. Peut-on lui en vouloir, dis-moi ?

Je hochai la tête en silence. Oui, c'était vrai, la grève durait trop.

Chaque jour plus nombreux, les mineurs reprirent le travail. Les plus acharnés résistèrent encore une semaine, puis la reprise fut décidée pour tous. La grève avait duré huit semaines, elle avait été longue et douloureuse. Elle avait apporté la faim, la peur, la violence et les bagarres. Elle avait blessé beaucoup d'entre nous, physiquement ou moralement.

Mais au moins les décrets Lacoste ne furent pas appliqués.

3

VINT le mois de décembre, vint Noël. Nous avons passé un réveillon heureux et paisible, en famille. Cette année, Marcelle était avec nous, ainsi que ses parents. Elle était assise près de Jean, et la façon dont ils se regardaient, dont ils se souriaient, prouvait à elle seule combien ils s'aimaient.

Après le repas, Anna nous annonça, en rougissant, qu'elle attendait un troisième enfant, pour le mois de juin. Tout le monde les félicita chaleureusement, elle et Georges.

— Ça s'arrose ! dit Charles, en sortant la bouteille des grandes occasions.

Anna me chuchota, en confidence :

— J'aimerais bien une fille, cette fois-ci. Après mes deux diables de garçons, elle serait la bienvenue.

Je la comprenais. J'espérais, pour elle, que son vœu deviendrait réalité. Moi aussi, j'avais rêvé autrefois d'une petite fille, à Charles et à moi, qui n'était jamais venue. J'étais heureuse pour Anna, à qui il était donné de réaliser un tel désir.

Le 1er janvier, j'eus quarante-neuf ans. Charles, lui, en avait cinquante et un et n'était plus qu'à quelques années de la retraite. Peu à peu, nous vieillissions, et l'amour qui nous unissait, d'année en année, se faisait plus solide, plus profond. Nous avions toujours été très proches, et il nous suffisait d'échanger un simple regard pour deviner nos pensées respectives. J'étais heureuse de l'avoir, mon Charles, je savais qu'il m'aimait toujours autant, et pas une seule fois je n'avais regretté de l'avoir épousé. Maintenant que Jean allait bientôt nous quitter pour se marier, j'aurais davantage besoin de lui, de sa présence, de son amour.

Les mois passèrent. Jean terminait sa dernière année d'études, Marcelle préparait son trousseau. Le mariage avait été fixé au mois d'août.

— C'est le mois le plus agréable, m'avait dit Marcelle. Ce sera l'été, il fera beau. Et puis c'est l'époque où les enfants sont en vacances. Et moi, je veux du soleil pour mon mariage, beaucoup de soleil.

J'essayais de me souvenir. Avais-je eu du soleil, moi, pour mon mariage ? Je ne savais plus. J'avais dû me marier au mois de novembre, et il faisait déjà froid. Même si je n'avais pas eu de soleil ce jour-là, cela n'avait pas empêché mon mariage d'être heureux, et c'est ce que je dis à Marcelle. Mais elle resta butée sur son idée, comme une enfant :

— Je veux un soleil radieux, disait-elle. Et elle ajoutait, en riant : — S'il n'y a pas de soleil, je ne me marie pas !

Je souriais de sa jeunesse, de son enthousiasme. Plus les jours passaient, plus elle devenait fébrile.

— Je n'arrive pas à réaliser, me confiait-elle, que je vais vraiment épouser Jean. Je crois que je ne réaliserai qu'après notre mariage !

Elle acheta du tissu blanc, choisit le patron d'un modèle, et m'apporta le tout :

— Tiens, Madeleine ! Mets ton talent de couturière à mon service. C'est pour ma robe de mariée. Mais attention ! Que Jean ne la voie pas, n'est-ce pas ?

Dans les flots de tissu blanc, je taillai, coupai, épinglai. Elle venait très souvent pour le simple plaisir de me voir coudre, et d'essayer la robe. Je la regardais avec tendresse. Elle rayonnait de bonheur, d'espoir, de joie de vivre, d'impatience.

Au début de l'été, nous sommes allés voir une pièce de Simons. Simons était, à l'époque, une célébrité parmi les gens du Nord. Il écrivait des pièces, des sketches, le plus souvent humoristiques, qu'il jouait avec sa partenaire, Line Dariel. Ils tenaient le rôle d'Alphonse et de Zulma, deux époux absolument irrésistibles. Et ces pièces avaient une particularité qui, pour nous, était savoureuse : elles étaient jouées dans notre patois du Nord, et très bien jouées.

Je ne les avais jamais vus sur scène. Je les avais entendus à la radio, j'avais lu les sketches ou les poèmes de Simons dans la revue *Nord-France* que nous recevions chaque semaine. Ce soir-là, je les vis dans deux pièces qui s'appelaient *Les carottes sont cuites* et *Zulma*. Je fus conquise. C'était joué avec tant de naturel et de drôlerie que je fus transportée. Toute la salle, comme moi, était enthousiasmée. Charles et Jean, à mes côtés, riaient de bon cœur. Nous avons passé, grâce à Alphonse et à Zulma, une soirée magnifique. Et à partir de ce jour j'ai eu, dans un coin de mon cœur, une place pour eux, pour leur gentillesse, leur talent, leur don pour émouvoir et faire rire le public. Je ne les ai jamais oubliés. Et je ne fus pas la seule. Dans toute la région, ils étaient énormément appréciés, et très aimés.

A la fin du mois de juin, Anna mit au monde la fille qu'elle souhaitait. Une fois de plus, j'allai l'aider. Le bébé était adorable, une véritable poupée. Elle était toute petite, mais faite à la perfection. Un léger et doux duvet blond couvrait sa tête, et ses petites mains fines avaient des ongles roses. Dès que je la vis, je l'aimai. Elle n'était pas bruyante comme l'avaient été ses frères à leur naissance. Elle reposait dans le berceau, sage.

Les deux garçons, Paul et Bernard, qui avaient neuf et quatre ans, se tenaient de chaque côté du berceau, et la regardaient avec un réel émerveillement. Je leur demandai :

— Vous êtes contents d'avoir une petite sœur ?

— Oh oui ! me répondirent-ils avec une ferveur et une gravité qui me firent sourire.

Anna, en souriant elle aussi, déclara :

— Je crois qu'elle ne tardera pas à les mener par le bout du nez !

Georges était fou de sa fille. Il tint à l'appeler Marie-Jeanne, en souvenir de sa mère et de sa sœur. Son meilleur ami, Alexandre, mineur de fond lui aussi, fut le parrain, et ils demandèrent à Marcelle d'être marraine. Bien entendu, elle fut ravie.

— Quelle jolie petite fille ! me disait-elle. J'aimerais bien en avoir une semblable, plus tard !

Intérieurement, je la remerciai pour ses paroles. Elles venaient de me faire comprendre que, cette petite fille que je n'avais pas eue, Jean pourrait me la donner.

Les jours passèrent ensuite très rapidement. La date du mariage approchait, et il fallait tout prévoir, tout organiser. Charles et Jean s'achetèrent un costume ; je me fis une nouvelle robe. Nous avons entièrement repeint et retapissé la maison ; le repas de noces aurait lieu chez nous. Je dus aussi m'acheter un sac, des gants, des chaussures et un chapeau. Je voulais être belle et élégante pour conduire mon fils à l'autel. J'étais heureuse de le voir se marier, surtout avec Marcelle qui était une bonne petite fille, mais en même temps une nostalgie m'étreignait le cœur, qui me disait que rien, ensuite, ne serait plus jamais pareil.

Jean termina ses études et reçut son diplôme d'ingénieur. Comme nous fûmes heureux, Charles et moi ! Je revois encore la fierté qui brillait dans les yeux clairs de Charles lorsqu'il le félicita :

— Mon grand, lui dit-il, je suis fier de toi !

Jean, lui, était surtout satisfait :

— Maintenant, je vais enfin pouvoir m'occuper activement de tous les problèmes concernant les mineurs.

J'espérais que son enthousiasme ne serait pas refroidi. Il s'attaquait, me semblait-il, à une tâche ardue et difficile. Je souhaitais de toutes mes forces qu'il réussît.

Le mois de juillet passa très vite, parmi les préparatifs. Un dimanche, nous sommes allés voir Juliette, tous ensemble, afin de l'inviter au mariage. Elle nous accueillit avec joie et nous promit de venir, avec Bertrand et Germain. Elle me dit, confidentiellement :

— Jean a bien choisi. Elle semble être une brave petite, et en plus, elle paraît l'aimer beaucoup.

Puis ce fut le mois d'août. J'étais consciente de vivre les derniers jours avec mon fils. Plus le temps passait, plus je souffrais de me dire que, bientôt, il ne serait plus là.

Le matin du mariage arriva. Comme l'avait souhaité Marcelle, il faisait un soleil radieux. Réveillée très tôt, je sortis dans la lumière blonde de l'aurore. Là-bas, à l'horizon, une brume dorée s'étendait sur les champs. Au-dessus de moi, dans le ciel déjà tout bleu, une alouette montait en chantant. Une onde de gratitude et de joie gonfla mon cœur : c'était aujourd'hui le mariage de mon enfant, et la Nature elle-même était en fête.

Je suis allée, dans le matin ensoleillé, mettre des fleurs sur la tombe de ma mère, et sur celle de mes beaux-parents qui était aussi celle de mon amie Marie et de son frère Julien. Je regrettais qu'ils ne fussent plus avec nous, mais aucune amertume ne se mêlait à mes regrets. J'éprouvais l'étrange certitude que, là où ils étaient, ils nous voyaient, et c'était leur amour que je ressentais dans la chaleur du soleil.

Sereine et heureuse, je revins à la maison. Jean et Charles étaient levés, à leur tour. J'avais tout préparé la veille, si bien que nous n'eûmes pas à nous bousculer. Lorsque je vis Jean habillé de son costume sombre, plus beau que jamais, mon cœur fondit. Il vit les larmes dans mes yeux, et me dit, affectueusement bourru :

— Allons, maman ! Je ne veux pas te voir pleurer aujourd'hui. Ce n'est pas un jour triste, bien au contraire !

Je souris derrière mes larmes. Je m'habillai, moi aussi, avec soin. Quand l'heure arriva, nous sortîmes pour nous rendre au domicile de Marcelle. Dans la rue, une grande partie des habitants du coron était rassemblée pour assister au départ du cortège. Chez elle, Marcelle, revêtue de la robe de mariée que je lui avais confectionnée, nous attendait. Une grande effervescence régnait. Tous les invités étaient là. Il y avait beaucoup de monde, et la maison de Robert et Catherine ressemblait à une immense ruche bruissante.

En voyant Marcelle, Jean s'arrêta et la regarda, émerveillé. Elle leva les yeux vers lui. Un long moment ils restèrent ainsi, les yeux dans les yeux, sans parler, graves et émus, seuls au monde malgré les gens qui se bousculaient autour d'eux.

Elle était si belle qu'elle en paraissait irréelle. Le voile blanc, qui l'entourait d'un nuage de tulle, rendait ses cheveux plus dorés, son teint plus rose, son regard plus brillant. Autour de son front, la traditionnelle couronne de fleurs d'oranger. Elle venait à Jean intacte, et, en la voyant si radieuse et si pure, je regrettai, une fois de plus, de ne pas être venue ainsi à Charles. Jean continuait à la regarder avec un air d'adoration et des yeux éblouis. Je soupirai. Bien sûr, il pouvait la vénérer, elle n'était qu'à lui seul. Elle ne lui apportait pas, comme je l'avais fait pour Charles, l'enfant d'un autre. Leur vie commençait sur de bien meilleures bases. Au moins, Marcelle ne connaîtrait pas mes problèmes, dus à cette unique et lourde faute dont j'avais toujours subi le poids.

Quand vint l'heure de partir, Jean et moi prîmes la tête du cortège. J'étais émue, mon cœur battait très fort. Des deux côtés de la rue, les habitants du coron nous regardaient passer. Les interpellations fusaient, des cris, des félicitations, et même des réflexions égrillardes qui s'adressaient à Jean. Celui-ci les accueillait avec un sourire amusé, sans répondre. Des enfants faisaient éclater des pétards, en criant « Vif' mariache ! », selon la coutume.

La cérémonie fut belle et émouvante. Lorsque j'entrai dans l'église avec Jean à mon bras, je réalisai que c'était pour aller le donner à une autre. Je dus respirer un bon coup, et j'avançai dans un monde brouillé par mes larmes. Lorsqu'il me lâcha le bras pour aller se placer dans le chœur, à l'endroit où Marcelle viendrait le rejoindre, j'eus la sensation d'un véritable arrachement. Je gagnai ma place en tâtonnant, aveuglée par mes larmes qui maintenant coulaient sur mes joues. J'aperçus, comme en rêve, le visage de Charles, tendu par l'émotion. Je savais que Jean m'avait interdit de pleurer, mais c'était plus fort que moi, je ne pouvais m'en empêcher. Je pleurai pendant toute la messe. Et quand, à la fin, je les vis s'en aller vers la sortie, tous les deux droits, jeunes et beaux, vers leur vie commune où je n'étais pas, je pleurai encore plus.

La journée fut gaie, pourtant. Le repas se déroula dans une chaude ambiance, entrecoupé de chansons et de danses. Je dansai avec Charles, et il y avait si longtemps que cela ne m'était pas arrivé que je me sentais comme intimidée.

— Tu es heureuse, Madeleine ? Il a épousé une brave petite fille, non ?

Oui, elle était bonne et douce, la femme qu'il avait choisie, et le plus important pour moi était qu'elle le rendît heureux.

Je dansai avec Robert, le père de Marcelle, avec Georges, et aussi avec Jean. Il me serra contre lui, me regarda dans les yeux :

— Alors, ma petite maman, ça va mieux ? Tu as osé pleurer, tout à l'heure, malgré ma défense ! Ne crois pas que je ne t'ai pas vue ! Pourquoi m'as-tu désobéi, dis-moi ? Es-tu triste, parce que je me marie ? J'espère bien que non !

Je secouai la tête en souriant, sans répondre. Je ne voulais pas être égoïste. Pourtant, comme il m'était dur, après tant d'années pendant lesquelles je l'avais eu à moi seule, de le laisser partir !...

— Ne crains rien, reprit-il, comme s'il avait deviné mes pensées. Je serai toujours là pour toi. Même marié, je resterai ton fils aimant. Marcelle t'aime sincèrement aussi. Alors, tu vois bien qu'il est ridicule de pleurer !

Ses paroles m'apportèrent une grande douceur. Je fus rassurée. Pourquoi avais-je eu l'impression de le perdre alors que, au contraire, comme il venait de me le dire, j'aurais deux enfants désormais pour me chérir ?... Les réjouissances durèrent une bonne partie de la nuit, et puis, un à un, les invités partirent. Juliette vint me dire au revoir et m'embrassa chaleureusement :

— Sais-tu ce que je souhaite ? Que Germain, plus tard, trouve une jeune fille comme Marcelle. Elle semble avoir toutes les qualités !

Je ne pouvais qu'approuver. Ils furent les derniers à nous quitter, et ils emmenèrent Jean et Marcelle. Bertrand s'était acheté une voiture l'année précédente, une 203 Peugeot ; il l'avait mise à la disposition des mariés, qu'il déposerait dans leur nouveau logement, une maison pour ingénieur que les Houillères avaient accordée à Jean sur sa demande. C'était à quelques kilomètres de chez nous, suffisamment proche pour que nous puissions nous voir souvent. De l'extrémité du coron, on apercevait, au-delà des champs, le terril de la fosse où il travaillerait, et j'étais rassurée de savoir que mon enfant ne serait pas trop éloigné de moi.

Ils m'embrassèrent tous les deux, lui et Marcelle, avec tendresse et amour. Sur le seuil, près de Charles, je les regardai monter dans la voiture et partir. Je les regardai jusqu'à ce que les feux arrière eussent complètement disparu. Puis je rentrai, avec Charles, dans la maison où, dorénavant, nous ne serions plus que deux.

J'éprouvais une étrange sensation, un peu comme s'il me manquait quelque chose. Dans notre cuisine, désemparée, je me suis tournée vers Charles. Il m'a ouvert les bras, sans parler, en un geste silencieux d'amour et de réconfort. Je me suis blottie contre lui, et me suis sentie apaisée. J'ai compris, plus que jamais, ce que m'apportaient sa bonté, sa tendresse, sa compréhension, et j'ai su que son amour, une fois de plus, m'était une nécessité.

Finalement, tout fut facile. L'amitié qui me liait à Marcelle, depuis si longtemps, fit que je ne pus jamais voir en elle une rivale. Au contraire, toutes les deux nous aimions Jean, et ce même amour nous rapprochait, nous rendait complices. Jean lui-même, lorsqu'il nous voyait ensemble, prit l'habitude de nous taquiner gentiment :

— Voilà, disait-il, les deux femmes de ma vie !

Marcelle, comme moi, sans aucune jalousie, nous

riions. Il y avait place pour nous deux, après tout, dans le cœur de Jean. Et son amour pour sa femme ne diminuait en rien son amour pour moi. Quant à Marcelle, elle était si douce, si gentille, qu'on ne pouvait que l'aimer.

Depuis son enfance, elle m'avait toujours tutoyée ; elle continua. Simplement, au lieu de m'appeler Madeleine, elle m'appela maman. Je gagnai, à partir du jour où elle fut la femme de Jean, la fille que je n'avais jamais eue.

J'allais souvent l'aider, dans l'installation de la maison où elle vivait avec Jean, mais uniquement quand elle me le demandait. Je ne voulais pas être importune. C'était une grande maison, avec un rez-de-chaussée et deux étages, entourée d'un grand parc. Elle était bien trop grande pour eux seuls.

— Elle ne sera pas trop grande longtemps, disait Jean, une étincelle malicieuse dans les yeux. Nous avons l'intention de la peupler de beaucoup d'enfants !

Je fis des rideaux, des doubles rideaux, je passai des heures à coudre. Ensuite, avec Catherine, je partais, en début d'après-midi, à pied, en empruntant les sentiers à travers champ — les « voyettes », comme nous disions dans notre patois —, et nous arrivions chez Marcelle qui nous attendait. Et nous installions, nous nettoyions, nous frottions. En peu de temps, la maison prit un air habité et pimpant.

Jean était heureux de voir ce que nous faisions. Il parlait très peu de son travail, et répondait évasivement si on l'interrogeait. Une fois, Marcelle me confia :

— Il n'aime pas beaucoup en parler, les débuts sont difficiles. Il est nouveau, et les mineurs sont méfiants. Ils ne le connaissent pas encore suffisamment. Mais ça s'arrangera, à la longue...

Je l'espérais aussi. C'était si important, pour Jean, son métier. Il était impensable qu'il fût déçu.

Je pris l'habitude de voir mon fils marié, de voir une autre femme s'occuper de lui. Chaque dimanche, nous nous réunissions, avec Jean, Marcelle et ses parents, chez l'un ou l'autre à tour de rôle. Nous discutions, nous bavardions. J'aimais voir le bonheur évident de mon fils, la façon dont son regard cherchait celui de Marcelle. J'étais heureuse et rassurée de les voir s'aimer autant.

Parfois, Anna et Georges nous tenaient compagnie. Quand ils venaient avec nous, les dimanches où nous allions chez Jean, les deux garçons, Paul et Bernard, passaient leur après-midi dans le parc. Il était si grand, avec des allées et des arbres, si différent de nos petits jardins du coron, qu'il représentait pour eux un vrai paradis. Jean disait :

— Au moins, nos enfants auront de l'espace pour jouer !

Mais lui-même, et moi dans mon enfance, à défaut de parc, nous avions eu tout le coron comme terrain de jeux, le terril, les champs alentour. Nous ne manquions pas d'espace. Et nous n'étions pas malheureux, loin de là.

Marie-Jeanne grandissait. Elle devenait un bébé rose et potelé, toujours souriant. Elle avait les cheveux blonds et les yeux bleus de sa mère. Tous tant que nous étions, nous en étions fous. Georges, surtout, était gâteux devant elle. Lui qui, avec ses fils, était sévère, et même parfois dur, fondait devant son petit bout de fille.

Il m'arrivait d'envier Anna d'avoir pu donner à son mari un tel trésor, qu'il adorait aussi visiblement. Lorsque je voyais mon beau-frère jouer avec sa fille, il me venait, de nouveau, le regret de n'avoir pas donné une fille à mon Charles bien-aimé. C'était un regret douloureux, enfoui au plus profond de moi, dont je ne parlais jamais. Il me serrait le cœur lorsque, parfois, Charles me disait :

— Tu as vu, Madeleine ? Marie-Jeanne a des fossettes quand elle sourit, et je crois bien qu'elle a les yeux de ma sœur. Ne crois-tu pas ?

Alors, je l'observais, essayant de déceler sur son visage, dans son regard, l'ombre d'un regret. Mais je n'y voyais que l'attendrissement qu'il éprouvait envers sa petite nièce. Et, pour un instant, j'étais rassurée.

Au Nouvel An suivant, j'eus cinquante ans.
— Bon anniversaire, maman ! me dit Jean. Te rends-tu compte que tu as un demi-siècle ?
Marcelle et lui m'offrirent, à moi qui adorais lire, des livres de prix. Charles, à son tour, m'embrassa, et je vis son amour rayonner dans ses yeux clairs.
— Joyeux anniversaire, ma chérie, dit-il tout bas. Voilà mon cadeau, j'espère qu'il te plaira.
Dans ses mains calleuses de mineur, il tenait un écrin qu'il me tendit. Je le pris, indécise et ravie :
— Charles ! Qu'est-ce que... ?
J'ouvris l'écrin avec précaution. Sur le velours bleu nuit reposait un pendentif en or, en forme de cœur. Je n'avais jamais possédé un bijou aussi luxueux. Je levai les yeux, émue :
— Oh, Charles !... C'est... c'est trop beau !
D'une voix basse et grave, il dit :
— Laisse-moi te le mettre. Je veux que tu le gardes toujours sur toi, afin qu'il te dise, à chaque moment de ta vie, que mon cœur est à toi depuis toujours.
Avec des doigts maladroits, il m'attacha la chaîne autour du cou. Je prenais, une fois de plus, conscience du fait que Charles m'aimait réellement, profondément, même s'il ne me le disait pas souvent. Son amour était présent, fidèle, dans chacun de ses regards, dans chacun de ses gestes envers moi.

4

AU début du printemps, la mine tua, une fois de plus. Ce fut, cette fois, un accident isolé. Alexandre, le meilleur ami de Georges, qui était le parrain de Marie-Jeanne, fut frappé de plein fouet par une berline, et tué sur le coup. La peine de Georges fut immense. Il aimait Alexandre comme un frère. Sur le moment, il cria sa révolte, son indignation devant tant d'injustice. Et puis, après l'enterrement, il resta sombre, maussade, taciturne. Charles, parfois, essayait de le raisonner, mais il haussait les épaules et secouait la tête, ne voulant rien entendre.

Anna, un jour, me dit :

— Georges m'inquiète, Madeleine. Je ne sais plus que faire. La mort d'Alexandre l'a terriblement frappé. Il part chaque jour au fond avec l'attitude d'un condamné à mort. Après s'être révolté, il semble maintenant tout subir, avec une sorte de fatalisme. Seule sa fille parvient encore à le faire sourire. Quant à moi, c'est à peine s'il s'aperçoit que j'existe. Que puis-je faire, dis-moi, pour l'aider ?

— En as-tu parlé avec lui ?

— Non, je n'ose pas. Son regard hanté me fait peur. Je crains qu'il ne me repousse.

— Aie le courage de lui parler, Anna. Peut-être n'attend-il que ça ? Tu ne dois pas le laisser dans sa solitude, il est malheureux, il a besoin que tu l'aides.

— Oui, dit-elle en soupirant. Tu as raison, je lui parlerai ce soir.

Elle seule pouvait l'aider. Je souhaitais de toutes mes forces qu'elle y parvînt. Je l'aimais bien, moi aussi, Georges, le petit frère pour qui Marie avait donné sa vie. Je me rappelais que, au début de mon mariage avec Charles, c'était lui qui était venu m'ouvrir les yeux, et me dire que Charles était malheureux. Qui sait ce qui se serait passé, sans son intervention ?

Georges, maintenant, était comme Charles à cette époque : il traînait les pieds en marchant et tenait la tête baissée comme un vaincu. Il maigrissait, des rides d'amertume se creusaient autour de sa bouche. Pourtant, entre Anna et ses enfants, il était heureux. Quels souvenirs l'accident d'Alexandre avait-il réveillés en lui ? Et comment, si là était le problème, Anna parviendrait-elle à l'aider ?

Le dimanche suivant, ils vinrent à la maison. Anna, les yeux brillants, me chuchota :

— J'ai longuement discuté avec lui. J'ai fini par comprendre qu'il ne supportait plus la mine. Alors, je crois que nous avons trouvé une solution...

Le petit Bernard, en appelant sa mère, nous interrompit. Je regardai Georges. Il me parut, en effet, moins tourmenté, moins sombre.

Nous avons dîné, et, après le repas, Anna a posé sa main sur celle de son mari :

— Allons, dis-leur, maintenant. Ils doivent savoir, puisque ta décision est prise.

Charles, surpris, a relevé la tête :

— Ta décision ? Quelle décision ?

Georges le regarda bien en face et dit, en détachant ses mots :

— J'ai décidé de quitter la mine.

Charles a sursauté.

— Comment ? Que dis-tu ? Quitter la mine ?

Moi, je n'étais pas surprise. Ainsi, voilà une solution qu'ils avaient trouvée, tous les deux. Si elle était capable de ramener la paix à Georges, pourquoi pas ?

Georges essayait d'expliquer :

— Il y a un bout de temps que j'en ai assez, mais je ne m'en rendais pas clairement compte. Pendant la grande grève, il y a deux ans, j'ai éprouvé le même sentiment que maintenant, mais en moins fort. L'accident qui a coûté la vie à Alexandre m'a ouvert les yeux. Depuis des années, je suis un bagnard, et un bagnard volontaire ! Je subis mon travail, sans chercher à m'en évader. Je ne peux plus continuer, et je ne veux plus...

Charles, encore surpris, objecta :

— Mais, Georges... que veux-tu faire ? Tu n'en as jamais parlé !

— Non, dit Georges, et j'ai eu tort. Tout s'est accumulé, peu à peu.

— Mais, où vas-tu aller ? Ici, tu as ton logement ! Tu vas quitter la mine, alors que maintenant on a obtenu le statut, et la sécurité sociale minière et tous les avantages ?

— Il y a des avantages ailleurs aussi, dit Georges, dans d'autres métiers. Pourquoi ne pas parler, plutôt, des inconvénients ? Et ils ne sont pas minces, tu ne peux pas dire le contraire ! Je ne veux plus être mineur, j'en ai assez, c'est un métier trop dur et trop dangereux. Vois, il a tué notre père à petit feu. As-tu oublié ses souffrances ? Il a tué notre frère Julien, en pleine jeunesse. Et il vient de tuer mon meilleur ami. Et combien d'autres ! Et combien en tuera-t-il encore ? Je ne veux pas exposer mes fils à une mort permanente. Et moi-même, je ne me sens plus le courage de continuer.

Charles regarda son frère comme s'il le découvrait :

— Mais... tu n'as jamais rien dit ! Je ne me doutais pas... Je croyais que, comme moi, tu aimais ton métier ?

— Mais non ! reprit Georges avec violence. Comment pourrais-je l'aimer ? Est-ce que je l'ai choisi ? On ne m'a pas demandé mon avis. À douze ans, on m'a envoyé à la mine, un point c'est tout. Je ne critique pas, à l'époque c'était normal. Mais maintenant, voilà trente ans que j'y suis, et je suis à bout.

— Mais... que vas-tu faire ? Ne crois-tu pas qu'il vaudrait mieux réfléchir encore ?

— C'est tout réfléchi, je ne changerai plus d'avis. Nous avons répondu à une annonce qui demande un couple de gardiens, pour une propriété sur la côte du Nord. Nous verrons bien si nous sommes acceptés. Nous serons logés également ; moi j'aurai l'entretien du jardin, qui est grand, et Anna celui des pièces de la maison. Nous aurons notre petit pavillon, près de la grille d'entrée. Ça me plairait bien, tu sais. Et, au moins, je travaillerai dehors, à l'air pur, et non dans une galerie souterraine comme si j'étais un fouan (1) !

Il s'arrêta, regarda Anna. Ils se sourirent, et leur sourire disait leur certitude d'avoir bien choisi, d'avoir pris la bonne décision.

— Eh bien... dit Charles, complètement désorienté, eh bien... si je m'attendais à ça ! Tu vas me manquer si tu pars !

— Alors, viens avec moi. Fais comme moi, pourquoi pas ? Ça ne te tente pas ?

Je vis mon Charles hésiter un instant, puis secouer la tête avec gravité :

— Non, vraiment non ! Je n'ai plus que trois ans à faire pour ma retraite. Pourquoi partirais-je si près de la fin ? Depuis si longtemps, j'exerce ce métier. Il fait partie de ma vie, il me colle à la peau ! Contrairement à toi, il ne me déplaît pas. Il est dur, d'accord, il est dangereux, d'accord, mais aucun métier n'est facile, et le danger existe partout.

— Pas autant, dit Georges. Le métier de mineur est, quand même, le plus dangereux. Et quand je pense qu'il m'a pris, successivement, mon père, mon frère, et mon meilleur ami, je ne suis pas loin de le haïr, c'est plus fort que moi.

Ils discutèrent encore longtemps, chacun défendant son point de vue. Je comprenais que Georges était fermement décidé à partir, et je lui trouvais une ardeur, un enthousiasme qu'il n'avait pas auparavant. Pendant que nous faisions la vaisselle, je dis à Anna :

(1) *Fouan* : en patois, une taupe.

— Il a l'air transformé ! Je suis heureuse pour toi !

— Nous avons discuté longtemps. Il s'était résigné, et il était malheureux. C'est moi qui lui ai suggéré de changer de métier. Et quand j'ai vu l'espoir qui s'est levé dans ses yeux, j'ai compris que j'avais proposé la bonne solution.

Ainsi, ils allaient partir. Ils nous manqueraient, c'était certain. Anna, depuis toutes ces années, était pour moi une sœur. Et les enfants ! J'eus de la peine en pensant que nous ne verrions plus notre petite Marie-Jeanne que nous aimions tant.

Le soir, après leur départ, Charles me demanda :

— Qu'en penses-tu, Madeleine ?

— Ils ont raison, si cela permet à Georges d'être plus heureux.

— Oui, évidemment. Mais nous, nous sommes heureux ici, n'est-ce pas ?

J'ai acquiescé. Oui, nous étions bien, chez nous. Là était notre vie, et je fus contente de voir que l'avis de Charles s'accordait au mien.

Lorsqu'il apprit la décision de Georges, Jean approuva :

— Il a raison, dit-il à Charles qui, lui, n'arrivait pas à comprendre totalement. S'il n'aime pas son métier, s'il en est arrivé à le haïr, pourquoi continuerait-il à l'exercer à contrecœur ? Moi, j'ai réagi de la même façon, après être resté prisonnier cinq jours au fond, lors de l'éboulement... je ne voulais pas y retourner non plus. Je sais ce qu'il éprouve, et je pense qu'il fait bien de partir pendant qu'il est encore temps pour lui.

Dans la semaine, Anna accourut pour nous montrer la lettre qu'ils avaient reçue, en réponse à leur candidature. Ils devaient se présenter le dimanche suivant, à l'adresse indiquée. D'autres couples s'étaient proposés aussi, et ils sauraient si, oui ou non, ils étaient choisis.

— Oh, dit Anna, nous avons un trac fou, encore plus que lorsque nous avons passé notre certificat d'études !

Je souris devant son inquiétude.

— Voyons, il ne sert à rien d'avoir peur. Georges est un excellent jardinier, et toi, Anna, question ménage et entretien, tu ne crains personne.

— Je le sais bien, soupira-t-elle, pas convaincue. Mais les autres, ceux qui demandent la place également, comment sont-ils ? Peut-être sont-ils mieux que nous ?

Ils partirent le dimanche matin, par le train. Ils avaient mis leurs plus beaux vêtements, et ils étaient touchants dans leur désir de faire bonne impression. Ils nous avaient confié leurs enfants, et nous sommes allés tous ensemble passer la journée chez Jean et Marcelle. En voyant les deux garçons, Paul et Bernard, galoper et jouer dans le parc, je pensai que, si le vœu de Georges se réalisait, ses fils auraient bientôt, autour de leur propre maison, un parc encore plus grand à leur disposition.

Anna m'avait confié la clé de sa maison. Le soir, en attendant leur retour, Charles et moi nous sommes allés coucher les enfants. En baignant et en déshabillant la petite Marie-Jeanne, qui était un beau bébé potelé, je m'efforçai de chasser la tristesse que j'éprouvais en pensant que, bientôt peut-être, elle partirait. Comme son sourire, son gazouillement, ses fossettes et ses yeux bleus nous manqueraient, à Charles et à moi !

Les enfants couchés, nous avons attendu le retour des parents. Lorsqu'ils revinrent, je vis tout de suite, à l'air heureux de Georges, au sourire d'Anna, que tout allait bien pour eux. Contente de leur joie, je questionnai :

— Alors ? Ça s'est bien passé ?

— Ça y est ! explosa Georges. Nous sommes engagés ! Si tu avais vu, Madeleine, la propriété ! Et le pavillon où nous allons habiter ! Il a quatre pièces, il est grand, spacieux, c'est autre chose que notre petite maison ici ! Et l'espace, autour de nous ! C'est immense ! Nous avons tellement l'habitude d'être serrés les uns sur les autres, dans le coron, que là-bas nous allons trouver une énorme différence ! Mais c'est formidable, n'est-ce pas, Anna ?

Anna, qui enlevait son manteau, ses chaussures,

sourit de l'enthousiasme de son mari. Elle alla voir ses enfants endormis, et Georges continua ses explications. Je me disais, en regardant l'étincelle qui brillait dans ses yeux, en entendant l'excitation qui faisait vibrer sa voix, qu'il était complètement transformé. Ce n'était plus le Georges abattu, malheureux, des semaines précédentes. C'était un autre homme, pour qui se levait l'espoir d'une vie nouvelle, d'une vie meilleure.

— Nous avons été choisis, disaient-ils, parce que les autres couples ne convenaient pas. Deux étaient trop âgés ; chez un autre la femme ne savait pas faire la cuisine. Et il faut savoir, parce qu'il faut aider quand il y a des réceptions, mais ça n'arrive pas souvent. Les propriétaires ne sont là qu'en été ; le reste du temps ils viennent parfois le dimanche. Je crois que nous serons bien.

Anna revint dans la pièce. Elle aussi avait de la joie dans les yeux. Je regardai Charles, qui souriait à son frère, d'un sourire un peu triste, et je soupirai. Ils étaient contents de s'en aller, et nous, nous ne devions pas être égoïstes. Mais nous avions de la peine de les voir partir.

Ils partirent le mois suivant, impatients et joyeux comme des enfants. Nous sommes allés les accompagner à la gare. Nous les avons embrassés, les larmes aux yeux, comme si nous n'allions jamais les revoir. Marie-Jeanne, qui allait avoir un an, tendait vers nous ses petits bras en souriant.

— Comment me faire à l'idée de ne plus la voir ? dit Charles avec tristesse.

— Allons donc ! répliqua Georges en donnant une bourrade à son frère. Bientôt Jean te donnera une petite-fille !

— Et puis, vous viendrez nous voir, dit Anna, lorsque nous serons tout à fait installés. Vous viendrez passer un dimanche avec nous de temps en temps.

Lorsque le train s'ébranla, les emportant tous loin de nous, j'ai lutté contre mes larmes. Charles et moi, nous n'étions plus que deux maintenant. Son seul frère venait de partir, et moi, je n'avais ni frère ni sœur. Heureusement, Jean et Marcelle nous restaient.

Ils étaient mariés depuis bientôt un an, et, chaque semaine, j'espérais que Marcelle m'annoncerait enfin qu'elle attendait un enfant. Mais les semaines passaient et mon espoir était toujours déçu. Je n'osais pas poser la question, j'avais peur d'être indiscrète. Par moments, je m'inquiétais : et s'ils n'avaient pas d'enfants ? Charles et moi, nous n'en avions pas eu, alors que j'avais souhaité une petite fille...

Un jour, je fis part de mon inquiétude à Charles, qui sourit :

— Allons, Marcelle est jeune, elle n'a que vingt ans. Elle a tout le temps !...

J'eus envie de dire que, à la naissance de Jean, moi aussi je n'avais que vingt ans. Mais je me retins. Et je continuai à espérer en silence, chaque semaine, une annonce de Marcelle qui ne venait pas.

Jean, de son côté, se donnait à fond à son métier. Le dimanche, avec Charles, il avait des discussions passionnées. Son sujet préféré était, pour le moment, la modernisation. Je l'entendais parler de perforatrices à eau qui, en supprimant les poussières, diminuaient sensiblement les risques de silicose. Il parlait aussi de l'électrification, qui résolvait le problème du bruit des marteaux-piqueurs, mais apportait le danger d'électrocution ou d'explosion que pouvait provoquer une simple étincelle électrique. Et lui, il aurait voulu supprimer tous les risques. Charles, avec philosophie, protestait doucement :

— Ce n'est pas possible, il y aura toujours des risques !

— Mais moi, rétorquait Jean, je voudrais que les mineurs puissent descendre en étant sûrs qu'ils remonteront. Je voudrais que leurs femmes n'aient jamais plus la crainte de ne pas les voir revenir.

Marcelle me chuchota :

— Jean est mieux accepté, mais certains mineurs sont encore réticents. Ils ont du mal à admettre qu'un ingénieur est avec eux, et non contre eux.

J'espérais, de tout mon cœur, qu'il réussirait. Il avait

mis tout son espoir dans son métier, et il était profondément sincère. Il était heureux dans sa vie conjugale avec Marcelle, et je voulais qu'il fût heureux, également, dans sa vie professionnelle.

Cet été-là, Jean prit des cours de conduite, et s'acheta une voiture, une 4 CV Renault.

— Bien sûr, dit-il, c'est une petite voiture, mais c'est un début ! Par la suite, quand nous aurons des enfants, nous en achèterons une plus grande !

Dans le parc de sa maison, la voiture, toute neuve, étincelait. Charles et moi, nous regardions, admiratifs et presque intimidés. Jean, fier et heureux comme un enfant, nous fit monter et nous emmena faire un tour.

— C'est formidable, ne trouvez-vous pas ?

Je souriais. Mes souvenirs me reportaient des années en arrière ; je revoyais une autre voiture, celle que conduisait Henri. Maintenant, c'était mon fils qui conduisait, et il me demandait, avec le même regard câlin :

— La promenade te plaît-elle ?

Il me fallait le temps de m'habituer. Près de moi, Charles ne disait rien. C'était la première fois qu'il montait dans une voiture ; il regardait tout avec des yeux d'enfant. Jusque-là, notre seul moyen de locomotion avait été le train. Nous commencions à découvrir qu'une voiture personnelle offrait de nombreux avantages, comme de partir de chez soi au lieu d'aller à pied jusqu'à la gare, et de partir, en plus, à l'heure qui nous convenait.

Aussi, cet été-là, avons-nous fait beaucoup de promenades. Chaque dimanche, Jean nous emmenait. Nous avons assisté à toutes les fêtes des environs, nous sommes allés plusieurs fois au cinéma. Nous avons vu *Les Deux Orphelines* et *Les Misérables,* et j'ai pleuré. Nous sommes allés aussi à Béthune, à Lille, voir des opérettes, et j'ai découvert la magie du théâtre.

Au début de l'automne, tous les quatre, nous avons rendu visite à Georges et Anna, qui nous avaient invités dès le départ de leurs patrons. Nous sommes partis très tôt, à l'aube, et nous sommes arrivés dans le milieu de la matinée. Ils nous attendaient, joyeux et impatients. La propriété dont ils s'occupaient était située dans la forêt du Touquet, au milieu d'autres propriétés du même genre, et je restai stupéfaite devant l'étendue du terrain. On aurait pu y loger facilement la moitié du coron. La maison elle-même était immense. Le pavillon à leur disposition, près de la grille d'entrée, était charmant et coquet. Anna nous fit visiter toutes les pièces, et ses yeux brillaient de bonheur et de fierté. En souriant, je lui dis :

— Tu es heureuse ?

— Oh oui ! Nous sommes si bien, ici ! Regarde comme Georges a bonne mine, maintenant.

Je l'avais déjà remarqué. Mon beau-frère avait le visage hâlé de quelqu'un qui travaille toujours dehors. On lisait dans ses yeux sa certitude heureuse d'avoir trouvé sa voie. Il était très différent du mineur qui, pendant des années, avait subi son métier en silence.

Les enfants poussèrent des cris de joie en voyant les bonbons que je leur apportais. La petite Marie-Jeanne hésita avant de nous reconnaître, et cela me rendit triste. Loin de nous, elle nous oublierait. Comment pouvait-il en être autrement ?

Nous avons passé une bonne journée, bavardant comme des pies. Nous avions tant de choses à nous raconter ! L'après-midi, Anna nous montra, à Marcelle et à moi, l'intérieur de la maison, qu'elle devait tenir propre et impeccable. Il y avait tant de pièces, tant de meubles, que l'on eût dit un château. Je ne pus m'empêcher de remarquer :

— Ma pauvre Anna ! Tu ne dois jamais avoir un instant de répit ! Il y en a, des vitres à nettoyer et des meubles à épousseter !

— Mais non, dit-elle en souriant. Quand la maison est inoccupée, rien ne se salit. Je fais un nettoyage tous les quinze jours, ça suffit !

Nous nous sommes promenés dans le parc. Pour Georges également, son entretien demandait du travail. Il y avait des haies à tailler, des massifs de fleurs à soigner, des pelouses à tondre. Il s'occupait aussi d'un potager, qui était à eux, derrière leur pavillon, et dans lequel il faisait pousser les légumes dont ils avaient besoin.

Ils semblaient heureux de leur sort. Un instant, j'essayai de m'imaginer à leur place, avec Charles. Je n'y parvins pas. J'avais tellement l'habitude de vivre dans le coron, où j'étais née, qu'il m'était impossible de penser à vivre ailleurs. Dans le coron, les maisons étaient proches les unes des autres ; ici, leur pavillon était isolé, entouré seulement d'arbres et de verdure. A la place d'Anna, je me serais sentie seule, et perdue, et désorientée. Il m'aurait manqué la chaleur et l'amitié des autres. Il m'aurait manqué, aussi, l'immuable décor du chevalement de la mine, avec ses deux grandes roues qui, lorsqu'elles tournaient, racontaient la descente et la remontée des hommes qui depuis toujours faisaient partie de ma vie — les mineurs.

Nous les avons quittés en promettant de revenir souvent, maintenant que Jean avait une voiture. Je fus heureuse, en rentrant, de retrouver ma maison, et Charles exprima tout haut ma pensée lorsqu'il me dit :

— Ce n'est pas mal, là où ils sont. Mais nous, notre vie est ici, et nous y sommes bien, n'est-ce pas, Madeleine ?

J'ai hoché la tête avec gravité. Cette maison était celle où je vivais avec Charles depuis notre mariage, elle gardait tous nos souvenirs, elle faisait partie de notre vie. Et j'étais heureuse que Charles, lui aussi, s'y trouvât bien et n'en voulût pas changer.

Les mois passèrent ; Jean se passionnait toujours pour son métier, et moi j'attendais toujours la venue d'un petit-fils ou d'une petite-fille. Charles, comme moi, tout doucement vieillissait. Ses cheveux devenaient gris, et des rides creusaient son visage. Mais ses yeux étaient toujours les mêmes, clairs, inchangés ; ils gardaient leur jeunesse et leur candeur en dépit des épreuves.

Sa retraite approchait, et il en éprouvait à la fois du soulagement et du regret. Soulagement à l'idée de pouvoir bientôt goûter un repos bien mérité, regret parce qu'il ne participerait plus activement à la vie de la mine, qu'il serait, une fois pour toutes, en dehors. Car, contrairement à son frère Georges, mon Charles aimait son métier et faisait corps avec lui.

Jean nous emmena, au cours de nos sorties du dimanche, rendre visite à sa marraine Juliette. Elle nous accueillit avec joie. Elle s'habituait mieux, maintenant, et semblait heureuse entre son mari et son fils. Ils vinrent également chez Marcelle et Jean, qui les invitèrent et leur montrèrent, avec une fierté touchante, leur maison. Dans le jardin, alors que Jean marchait devant nous avec les autres, et que je suivais en donnant le bras à Juliette, celle-ci me chuchota :

— Regarde, Madeleine ! Regarde Jean. Il a exactement la stature et la démarche de mon frère !...

Je m'aperçus qu'elle disait vrai. Il se tenait droit et fier comme Henri, avait la même taille, les mêmes épaules. A côté de lui, Charles me sembla voûté, tassé sur lui-même, et je regrettai une fois de plus que Jean ne fût pas vraiment son fils.

5

DE nouveau, l'hiver fut là. Charles était à quelques mois de la retraite. Egoïstement, je me réjouissais à l'idée qu'il serait bientôt toujours avec moi, qu'il ne descendrait plus chaque jour au fond de la mine. Car, même si je ne voulais pas me l'avouer, la crainte d'un éboulement, d'un coup de grisou, d'une explosion, d'une catastrophe quelconque était tapie au fond de ma conscience. Ce demeurait une inquiétude latente, que j'essayais d'ignorer, mais qui, à mon insu, me tendait les nerfs, me mettait aux aguets, sur le qui-vive. Je n'en prenais pas toujours conscience, mais quand, chaque soir, Charles rentrait, avec son amour pour moi dans ses yeux clairs, la joie et le soulagement que je ressentais étaient révélateurs.

A chacun de ses retours, il faisait déjà noir. Je l'attendais dans notre cuisine chaude et intime, où le feu chantait, où tous nos souvenirs vivaient. J'avais fait chauffer l'eau pour son bain, j'avais tiré les doubles rideaux sur la nuit, sur les vitres constellées de gouttes de pluie. J'avais préparé le repas, que nous prenions tous les deux en bavardant de tout et de rien. Même le silence, entre nous, ne me gênait pas : c'était un silence complice qui, loin de nous séparer, nous unissait davantage, riche de tant d'années passées ensemble.

Depuis plusieurs jours, Charles était enrhumé. Ce soir-là, ses quintes de toux m'effrayèrent, tant elles étaient violentes et prolongées. Il vit mon inquiétude, essaya de me sourire :

— Ce n'est rien, dit-il, ça va passer !

Après le repas, il voulut absolument fumer, comme d'habitude. J'essayai de l'en dissuader, mais il refusa de m'écouter. Il prit son paquet de tabac gris, se mit à rouler une cigarette, et je voyais les efforts qu'il faisait pour s'empêcher de tousser. Il en tira deux bouffées, et puis dut s'arrêter, car il fut secoué par une quinte de toux tellement forte qu'elle lui arracha des larmes. Lorsqu'il fut calmé, il dut se rendre à l'évidence.

— Il n'y a rien à faire, Madeleine ! La fumée me pique la gorge.

— Tu fumeras lorsque tu iras mieux. Pour le moment, il faut te soigner.

Je lui badigeonnai la gorge, lui appliquai des compresses de vinaigre, lui fis boire du sirop de radis noir. C'étaient, habituellement, les remèdes que nous utilisions, et ils nous réussissaient. Mais, pendant la nuit, il toussa encore beaucoup. Le lendemain matin, il n'allait pas mieux.

Il partit néanmoins travailler. Il avait été habitué, très tôt, à être dur avec lui-même, et n'aurait pas pensé à rester à la maison pour se soigner. Même moi, à ce moment-là, je n'étais pas encore inquiète. Il nous arrivait de nous enrhumer, l'hiver, et Charles, plus que moi, avait la gorge irritable, à cause des poussières de charbon qu'il respirait à longueur de journée. Mais un simple rhume finissait toujours par disparaître, et je n'imaginais pas, cette fois encore, qu'il pût en être autrement.

Pourtant, quand Charles rentra, son état avait empiré. Il avait pris froid alors que, en sueur, il attendait dans un courant d'air glacé l'arrivée de la cage pour remonter. Il frissonnait et toussait encore plus que la veille.

— A chaque fois que je tousse, ça me brûle ici, m'expliqua-t-il en mettant sa main sur sa poitrine.

Je le soignai comme la veille, et, en plus, appliquai sur sa poitrine et sur son dos des cataplasmes de farine de moutarde. Il les garda le plus longtemps possible, et lorsque je les retirai, la peau était si rouge que j'en fus effrayée.

— Cela m'a fait du bien, reconnut-il. Je me sens soulagé.

Il s'endormit paisiblement, mais cela ne dura pas. Pendant la nuit, la toux revint, plus violente. Je lui donnai du sirop, qui ne sembla faire aucun effet. A la fin, il se leva :

— Il est inutile que je reste couché. C'est encore pire quand je suis allongé. J'ai l'impression d'avoir un feu qui me brûle la poitrine.

Je commençais à être inquiète. Lorsqu'il fut l'heure pour lui de se préparer pour se rendre à la mine, je lui suggérai de rester et de se soigner.

— Voyons, Madeleine, je ne suis pas une femmelette ! Ce n'est pas un petit rhume qui m'empêchera d'aller travailler !

Il mit sa veste, prit sa mallette contenant son « briquet ». Je tâtai son front, qui me parut brûlant. J'insistai encore :

— Ce n'est pas prudent, Charles. Tu es malade ! Je t'en prie, n'y va pas.

Il haussa les épaules en souriant :

— Veux-tu que l'on dise de moi que je prends de l'avance sur ma retraite, alors que je n'ai jamais eu un seul jour d'absence ? Allons, Madeleine, je n'ai plus que six mois ; laisse-moi les faire. Ensuite, tu m'auras tout à toi.

Avec un sentiment de catastrophe, je l'ai laissé partir. Toute la journée, j'ai vécu dans l'anxiété. Et lorsqu'il revint, le soir, je compris tout de suite, en le voyant, que j'avais eu raison d'être inquiète.

Il tremblait de fièvre, et semblait ne tenir debout qu'à grand-peine.

Il prit son bain, parcouru de frissons, claquant des dents. En dépit de sa résistance, je le fis mettre au lit et prendre sa température. Il avait plus de quarante degrés.

Je lui appliquai des cataplasmes, des compresses

d'eau froide sur son front, dans l'espoir de faire baisser la fièvre. Au contraire, elle sembla augmenter. Ses yeux clairs étaient étrangement brillants, et par moments il ne me reconnaissait plus. Ses quintes de toux devenaient si fortes qu'elles lui déchiraient la gorge.

A l'aube, épuisé, il s'endormit un peu, d'un sommeil agité et superficiel. Je m'habillai rapidement, sortis et traversai la rue. En face, à Catherine et à Robert, j'expliquai que Charles était malade.

— Ça ne m'étonne pas, dit Robert. J'avais bien remarqué, hier, qu'il paraissait mal en point.

Je demandai à Catherine d'aller prévenir le médecin de venir le plus vite possible. Puis je rentrai, en proie à l'angoisse.

Charles dormait toujours, et il toussait même en dormant. Il avait deux taches rouges sur les pommettes, sa respiration était sifflante et difficile. Je le regardais avec tout mon amour, consciente de mon impuissance. Je me sentais mal à l'aise, désorientée : je n'avais jamais vu Charles malade ; pour moi, il était indestructible, il était le roc sur lequel je m'appuyais depuis plus de trente ans. Je n'arrivais pas à admettre qu'il pût être, lui aussi, en proie à la maladie, à la souffrance. Et, de tout mon amour, je l'appelais pour qu'il revînt vers moi. Mais il ne m'entendait pas.

Je fis rapidement le ménage, mis un peu d'ordre dans la maison. Charles se réveilla et se remit à tousser. Je lui soulevai la tête, lui fis boire du sirop. Je vis, avec un sentiment d'angoisse et de souffrance, qu'il ne me reconnaissait pas.

Je restai près de lui, tenant sa main brûlante de fièvre dans les miennes. Lorsque le médecin arriva, j'éprouvai une sorte de délivrance. Lui, au moins, saurait soigner mon Charles.

Il l'ausculta, le palpa, posa son oreille sur sa poitrine, regarda dans sa gorge, dans ses oreilles, avec une petite lampe. Il me demanda gravement :

— Depuis quand est-il ainsi ?

Avec difficulté, je répondis :

— Depuis hier soir, surtout, ça s'est aggravé. Mais avant, il était déjà malade...

Il dit, sévèrement, et sa voix était lourde de reproches :

— Pourquoi ne m'avez-vous pas appelé plus tôt ?

— Je... Il ne l'a pas voulu. Il a même tenu à aller travailler, hier.

— Il est allé travailler dans cet état ! Je comprends, maintenant !

Avec des gestes rageurs, il rangea ses instruments, ferma sa trousse. Puis il me regarda dans les yeux :

— Je ne vous cacherai pas qu'il est très, très malade. Il a une broncho-pneumonie, dans sa forme la plus aiguë. De plus, les poussières de charbon qu'il a respirées pendant toutes ses années de fond contribuent à l'infection et forment un obstacle certain à la guérison. J'espère, néanmoins, qu'il n'est pas trop tard. Je vais essayer de le sortir de là.

Atterrée, je ne répondis pas. Une nouvelle fois je vivais un cauchemar, dans lequel mon Charles, mon amour, mon compagnon de tant d'années, était en danger. Je regardai, en dehors de la réalité, le médecin remplir une feuille, je l'écoutai m'expliquer les soins à donner : les cachets, les sirops, les cataplasmes, les ventouses... J'ai dû dire oui, j'ai dû acquiescer à tout ce qu'il expliquait, mais je ne m'en souviens plus.

— Je reviendrai ce soir, annonça-t-il en sortant.

Catherine, qui l'avait vu partir, vint aux nouvelles. Elle me trouva prostrée, assise à la table de la cuisine, regardant sans la voir l'ordonnance du docteur.

— Eh bien, Madeleine ? Qu'est-ce qu'il a dit ?

Sans répondre, j'ai levé vers elle un regard qui disait mon désarroi, ma douleur, mon impuissance. Elle comprit. Dans ses yeux vint une grande pitié, et elle dit :

— C'est grave ?

Je hochai affirmativement la tête, incapable d'émettre un seul mot. Dans un geste d'amitié et de réconfort, elle me serra l'épaule :

— Il faut bien le soigner, Madeleine. Il s'en sortira, il

est costaud, ton Charles ! Donne-moi la feuille, je vais aller te chercher les médicaments.

Elle prit l'ordonnance et sortit. Comme un automate, je montai l'escalier et retournai voir Charles. Il était toujours dans son monde, où l'isolait la fièvre, et me regarda sans me voir. Ses yeux, qui habituellement se posaient sur moi avec tant d'amour, étaient aujourd'hui atrocement vides. Cela me fit si mal que la carapace dont je m'étais entourée pour résister aux paroles du docteur se brisa d'un coup, mettant ma douleur à nu et me laissant désarmée. Alors je me suis jetée à genoux près du lit et j'ai pleuré, comme un enfant désespéré. Et, au-delà de mon chagrin, au-delà de mes larmes, je voyais toute notre vie ensemble, je voyais son amour jamais démenti, sa gentillesse envers moi, sa fidélité, sa tendresse immuable au long des jours. Je revoyais les moments douloureux que nous avions vécus, et le réconfort que m'avait apporté sa présence. Je comprenais que, pour la première fois depuis que nous étions mariés, je ne pouvais plus compter que sur moi : c'était à moi d'être forte, c'était à moi de le ramener vers nous, vers la vie. Et je me suis sentie aussi vulnérable et faible qu'un petit enfant.

Catherine revint m'apporter les médicaments, et je commençai aussitôt à soigner mon pauvre amour malade. Je fis dissoudre les cachets, le fis boire, lui donnai des cuillerées de sirop. Je lui mis des cataplasmes, les maintenant sur sa poitrine à l'aide de mes deux mains posées à plat, car il remuait et toussait sans cesse. Je pleurais en le soutenant pendant ses quintes, je fermais les yeux pour refuser l'horreur qui m'envahissait, et j'avais mal pour lui lorsque ensuite, épuisé, il se laissait retomber, haletant et brisé. De toutes mes forces, j'essayais de lui envoyer mon amour, mais je me rendais compte, avec un déchirement douloureux, qu'il n'était même pas conscient de ma présence.

Je passai toute la journée à son chevet, le quittant le moins possible. Lorsque, entre ses accès de toux, il reposait plus calmement et semblait dormir, je restais près de lui, essayant de lui insuffler mes forces, mon énergie, ma santé.

Plusieurs voisines vinrent me voir et me proposer leur aide. Je les remerciai gentiment, mais je voulais être seule pour soigner Charles. L'une d'elles fit mes courses, l'autre s'occupa de mon feu, me prépara un repas auquel je ne touchai pas. Catherine, dans l'après-midi, m'apporta une pleine cafetière et je bus, coup sur coup, deux tasses de café bien fort qui me revigorèrent. Tous ces gestes d'amitié m'étaient doux, m'apprenaient que je n'étais pas seule, que d'autres participaient à mon inquiétude et m'aidaient dans la mesure de leurs moyens.

Vers le soir, Jean et Marcelle, prévenus par Catherine, arrivèrent. Le regard inquiet de mon fils rencontra le mien :

— Maman, dit-il, oh maman ! Que se passe-t-il ?

Je le lui expliquai, et, au fur et à mesure que je parlais, je voyais ses yeux clairs s'assombrir. Marcelle, à ses côtés, ressemblait à une enfant perdue. Lorsque, dans un sanglot, je m'arrêtai de parler, Jean secoua la tête, la releva avec une sorte de défi :

— Nous allons t'aider à le guérir. Il faut qu'il s'en sorte, il le faut !

Derrière moi, ils grimpèrent l'escalier, entrèrent dans la chambre. Dans le lit, Charles, les yeux clos, la respiration sifflante, luttait contre la fièvre. Jean s'approcha, se pencha sur lui :

— Papa ! dit-il d'une voix sourde. C'est moi, Jean.

Les yeux de Charles s'ouvrirent, son regard vague fit un effort, sembla vouloir chercher, par-delà la frontière qui le séparait de nous, celui qui l'appelait. Mais il n'y réussit pas. Ses paupières retombèrent, et de nouveau il ne fut plus là.

Jean me regarda, malheureux.

— Il ne nous reconnaît pas ! Il a beaucoup de fièvre ! Si seulement la fièvre pouvait baisser...

Il resta près de lui, et, avec Marcelle, je redescendis.

Elle m'aida à préparer le repas, car ils avaient décidé de rester avec moi.

Le médecin revint, et ausculta Charles de nouveau. Jean et moi, nous le regardions, la même question anxieuse dans les yeux. Il fit une moue :

— Il ne va pas plus mal, mais il ne va pas mieux non plus. Je vais lui faire une piqûre.

Il ordonna de continuer le traitement, et promit de revenir le lendemain matin.

La soirée, pourtant, fut moins triste. Je n'étais plus seule, mes enfants étaient près de moi. Pour la première fois de la journée, en leur présence je mangeai un peu.

Catherine et Robert vinrent nous dire bonsoir. Sans raison, l'air placide de Robert me rassura. Lui ne semblait pas inquiet.

— Allons, me dit-il, il s'en sortira. Je le connais, je travaille avec lui depuis assez longtemps ! Crois-moi, Madeleine, c'est un dur, et il ne se laissera pas abattre !

Je me sentais réconfortée, j'éprouvais, envers eux tous, une gratitude qui me faisait chaud au cœur. Jean et Marcelle voulurent occuper la chambre de Jean. Moi, de toute façon, je resterai dans le fauteuil, au chevet de Charles, près de lui, attentive à sa lutte pour respirer, pour survivre. Je voulais être là, afin qu'il me vît près de lui dès qu'il retrouverait sa lucidité. C'était mon amour, il était en danger, et je ne voulais pas le quitter un seul instant.

Je lui ai posé un cataplasme, je lui ai fait prendre ses médicaments. Puis, torturée par ses quintes de toux, j'ai pris place dans le fauteuil, et ne lâchai pas sa main. Ainsi, j'avais l'impression que je le retenais près de moi. Il a fini par s'endormir, d'un sommeil moins agité. Je le regardais intensément, détaillant chaque trait de son visage, dont les rides et les cheveux blancs me racontaient le chemin que nous avions parcouru ensemble. Je revoyais le garçon de mon enfance, qui déjà m'aimait et me défendait avec ardeur, puis l'adolescent trop tôt mûri par le travail de la mine, puis le jeune homme qui, amoureux de moi, m'avait acceptée avec l'enfant d'un autre. Je revivais chaque instant de notre vie, et partout, toujours, son amour était présent. Alors, moi qui ne priais jamais, je suppliai Dieu de me laisser mon Charles, de ne pas permettre que, brutalement, tout cet amour me fût enlevé.

J'ai dû sommeiller quelques instants, vaincue par la tension nerveuse et la fatigue. Un murmure m'a réveillée :

— Madeleine...

D'un seul coup, j'ai ouvert les yeux. Charles, le visage tourné vers moi, me regardait. Et cette fois-ci il me voyait !

J'ai sauté sur mes pieds, je me suis penchée sur lui :

— Charles, oh Charles ! Tu vas mieux ? Comme je suis heureuse !

Son regard était las, lourd de toute la souffrance supportée. Il demanda, dans un souffle :

— Madeleine... J'ai été très malade, n'est-ce pas ?

— Oui, mais, Dieu merci, tu vas mieux ! C'est merveilleux ! Oh, Charles...

Mes lèvres tremblaient, et des larmes de soulagement coulaient sur mon visage. J'ai tâté son front, il n'était plus brûlant ; la fièvre était partie. Je l'embrassai tendrement. Je vis qu'il avait fermé les yeux, de nouveau, et qu'il semblait dormir. Sans faire de bruit, j'ai repris ma place dans le fauteuil. Je sentais une immense joie gonfler mon cœur : Charles allait mieux, Charles allait guérir.

Il dormit paisiblement jusqu'à l'aube. Ce fut une quinte de toux qui le réveilla. Penché en avant, les deux mains comprimant sa poitrine, il toussait violemment, sans pouvoir s'arrêter. Une fois de plus, j'eus mal pour lui. Je lui mis de nouveau un cataplasme, lui fit prendre ses médicaments, boire du sirop. Sa respiration était haletante, et, bien qu'il ne dît rien, je voyais qu'elle lui causait une véritable douleur.

On frappa à la porte. Jean et Marcelle entrèrent. Dès qu'il vit Charles, Jean s'écria :

— Papa ! Tu vas mieux ?

Charles les regarda. Sur son visage fatigué passa un sourire, et dans ses yeux brilla fugitivement une étincelle :

— Que croyais-tu donc ? Espérais-tu déjà être débarrassé de moi ?

Jean, à son tour, sourit franchement :

— Puisque tu plaisantes, c'est que tu vas mieux, en effet ! Je suis bien content, papa !

— Et moi aussi, dit Marcelle. Comme j'ai eu peur !

Moi, je ne disais rien. Je regardais mon Charles revenir à la vie, et je renaissais en même temps que lui. J'éprouvais un bonheur tremblant, je n'osais pas me réjouir trop vite. J'avais eu, moi aussi, tellement peur !

A midi, Charles but un peu de bouillon, puis dormit d'un sommeil paisible et profond. Il n'avait plus de fièvre, mais il toussait encore et semblait très affaibli.

Quand il se réveilla, il se sentait beaucoup mieux. Il insista pour se lever et se mettre dans le fauteuil, disant qu'il en avait assez d'être au lit. J'hésitai :

— Mais, Charles... Est-ce prudent ?

Il soupira, avec un peu d'impatience :

— Allons, Madeleine, ne me dorlote pas comme un bébé ! Tu sais que je n'aime pas ça ! Ce n'est pas en restant au lit que je vais reprendre des forces rapidement !

— Si tu le veux vraiment... dis-je. J'en profiterai pour changer les draps.

Je l'aidai à se lever, à s'installer dans le fauteuil. Il était furieux contre la faiblesse qu'il ressentait. Il appuya sa tête contre le dossier du fauteuil et ferma les yeux un instant. Inquiète, je le regardai. Il rouvrit les yeux et me sourit :

— Ne t'inquiète pas, Madeleine... Ça va aller...

Je mis une couverture sur ses genoux, lui en entourai les jambes :

— Ne prends pas froid, surtout, Charles... Tu sais ce qu'a dit le médecin.

Il me laissait faire en souriant, et je retrouvais son regard aimant posé sur moi.

— Madeleine, ma chérie... dit-il, en tendant la main et en me caressant tendrement les cheveux.

Quelque chose d'intense et de douloureux éclata dans ma poitrine, et j'eus envie de pleurer. Je posai ma joue contre sa main, et avouai, tout bas :

— Oh, Charles, si tu savais... J'ai eu si peur ! J'ai cru que...

Je m'arrêtai, la gorge nouée de sanglots. Il reprit pour moi :

— Tu as cru que j'allais te quitter pour toujours ? Madeleine, ma chérie, cela me serait impossible ! Je t'aime tant que, même si je mourais, je ne te quitterais pas, je serais toujours près de toi, même si tu ne le vois pas... Du plus loin que remontent mes souvenirs, je t'ai toujours aimée. Il m'était impossible d'imaginer ma vie sans toi.

Les larmes à présent coulaient sur mes joues, sur la main de Charles que je tenais contre moi. J'ai levé la tête, lui offrant mon visage bouleversé ; j'ai vu, dans ses yeux posés sur moi, tout ce qu'il venait de me dire ; et j'ai eu envie de le remercier, à genoux, pour cet amour qui avait été présent à chaque jour de ma vie.

Le soir, Jean revint, et fut agréablement surpris de voir Charles assis dans son fauteuil. Robert et Catherine vinrent également lui dire bonsoir. Charles, entouré de toute notre affection, souriait. Robert a donné des nouvelles de la mine et a rapporté à Charles les messages d'amitié de nombreux camarades. Les yeux de Charles brillèrent de joie et d'émotion.

Et puis, la conversation devint générale, Robert et Jean se mirent à discuter, tandis que Catherine me parlait des gens qu'elle avait rencontrés et qui, tous, demandaient des nouvelles de Charles. Je l'écoutais lorsque, soudain, je pris conscience du changement de Charles. Il serrait de toutes ses forces les accoudoirs de son fauteuil et se penchait en avant, la respiration haletante. Son visage était gris, cendré, et de grosses gouttes de sueur perlaient à son front, à ses tempes. Son regard tourné vers moi était un véritable appel à l'aide.

D'un bond, je fus debout, j'allai à lui :

— Mon Dieu, Charles, qu'as-tu ?

Les autres, à leur tour, s'aperçurent que quelque chose n'allait pas.

— Nous l'avons trop fatigué, dit Robert. Recouche-toi, mon vieux, reprit-il en s'adressant à Charles, nous allons te laisser reposer.

Ils partirent aussitôt. Avec Jean, j'aidai Charles à se mettre au lit. Son visage tendu me faisait peur. Il semblait avoir énormément de mal à respirer. Presque plié en deux, il essayait de lutter contre la douleur qui lui comprimait la poitrine.

— Charles, oh mon Dieu ! Que se passe-t-il ?

Il fut incapable de me répondre. Le regard qu'il eut vers moi, à ce moment-là, était déchirant. Il criait au secours, il contenait une immense douleur. Epouvantée, je me tournai vers Jean.

— Je vais chercher le médecin, dit-il. Il ne faut pas perdre un instant.

Il sortit, et je restai près de Charles, avec Marcelle qui semblait aussi effrayée qu'une petite fille. Le visage de Charles était livide, son nez se pinçait, il respirait de plus en plus difficilement. Je lui pris la main. Il me regarda, avec une impuissance pleine de désespoir. Consciente de ne rien pouvoir faire pour apaiser sa douleur, je me sentais devenir folle d'angoisse. Les minutes passaient avec une lenteur impitoyable. Je ne pouvais que regarder mon amour lutter contre sa souffrance et souffrir avec lui.

Lorsque Jean revint avec le médecin, je me tournai vers lui, et toute mon attitude était une supplication. Sans perdre de temps, il se pencha vers Charles, mit sa poitrine à nu, écouta le cœur, les poumons. Je vis son visage devenir grave. Rapidement, il prit une seringue, l'emplit de liquide, fit une piqûre. Puis il se tourna vers moi :

— Apportez un bassin. Il faut que je fasse une saignée.

Avec la sensation d'évoluer dans un cauchemar, j'allai chercher le récipient demandé, le lui apportai. Une saignée, je savais ce que cela voulait dire. Ça ne se pratiquait que dans les cas graves, les cas extrêmes. Que s'était-il donc passé ? Pourquoi ça, maintenant, alors que Charles commençait à aller mieux ?

Je me forçai à ne pas regarder. Jean tenait le bassin ; moi, je n'aurais pas pu. Je serrais les montants du lit et m'y appuyais pour ne pas tomber. Je sentais mes oreilles bourdonner, j'étais au bord de l'évanouissement. Je rassemblai mes forces pour surmonter le malaise que je sentais venir. Etait-il possible que mon Charles fût, de nouveau, en danger de mort ?... Une sueur froide me couvrait le visage. Marcelle s'aperçut de mon état. Sans un mot, elle approcha le fauteuil et m'y fit asseoir. Les jambes en coton, je m'y laissai tomber. Je tremblais nerveusement, la peur me serrait la gorge.

Ce fut Jean qui raccompagna le médecin. Dans un état second, je les entendais parler, et des mots me parvenaient, que mon esprit repoussait : œdème pulmonaire aigu... très grave... considéré comme perdu... repasserai demain matin... Un cri montait, du plus profond de mon être, et explosait silencieusement au-dedans de moi : NON ! NON !... Ce n'était pas possible, ce n'était pas de Charles qu'il parlait, ce ne pouvait pas être de lui.

Marcelle prit le bassin rempli de sang et sortit. Seule avec Charles, je le regardai, les yeux noyés de larmes. La saignée semblait l'avoir soulagé, et son visage était moins gris. Sa respiration, aussi, était moins sifflante. Sous mon regard, il ouvrit les yeux. Dans un effort, il tendit une main vers moi, et murmura, péniblement :

— Madeleine...

Je compris, avec une certitude cruelle, qu'il sentait une force irrésistible l'emporter, et il m'appelait. Cette main tendue, était-ce pour se cramponner à moi, ou était-ce, au contraire, un adieu ?... Je la pris, la serrai de toutes mes forces. Loin, très loin, son regard essayait de me parler, avec une douceur bouleversante, et me disait, en cet ultime instant, son amour. Mon cœur se brisa. Je m'abattis contre lui en sanglotant. Mes larmes trempaient nos mains réunies, et je savais, avec un instinct sûr et inexplicable, que Charles allait me quitter. Des vagues de souffrance envahirent brutalement mon cœur, le meurtrissant de leurs flots furieux et déchaînés. L'impuissance me ligotait. Je n'étais plus qu'un immense désespoir.

Il voulut parler, me dire quelque chose, et n'y parvint pas. L'effort qu'il fit amena une nouvelle quinte de toux, et elle fut si longue et si douloureuse que je ressentais sa souffrance. Ensuite, les yeux clos, le visage crispé, il employa toutes ses forces à essayer de respirer. En même temps, de ses mains il se griffait la poitrine, comme pour repousser la douleur. Et moi, inutile avec tout mon amour, je ne pouvais pas l'aider.

Jean et Marcelle revinrent dans la chambre. Je levai sur mon fils un regard désemparé. Il vint vers moi, passa un bras autour de mes épaules et, sans un mot, me serra contre lui. Je ne me trompai pas sur la signification de ce geste ; il voulait dire : « Courage ! Je suis avec toi, nous sommes là. » Je serrai les dents pour ne pas hurler ma détresse.

Tous les trois, nous sommes restés à son chevet. Tard dans la soirée, j'ai envoyé Jean et Marcelle se coucher, et je suis restée seule avec lui, mon amour de toute une vie.

Je l'ai regardé. Je l'aimais comme jamais encore je ne l'avais aimé. Sans dire un mot, je lui ai parlé. Je lui ai raconté notre vie ensemble, je lui ai dit mon amour et ma tendresse, je l'ai remercié de m'avoir rendue heureuse. Je lui ai demandé de ne pas me quitter, car sans lui je serais désespérée. J'ai approché le fauteuil du lit, je me suis penchée et ai posé ma tête près de la sienne, sur l'oreiller. Et je suis restée ainsi, sans bouger, très longtemps.

Les minutes, les heures ont passé. La nuit était uniquement occupée par la respiration de Charles. Par moments, il semblait étouffer. J'avais fermé les yeux, luttant avec lui. J'écoutais sa respiration qui, parfois, semblait s'arrêter, puis reprenait, à chaque fois plus faiblement.

Et puis, il y eut le moment où elle s'arrêta. Et il y eut le silence, un silence atroce, horrible, épais, palpable et menaçant, un silence qui, par son intensité, me disait ce que je redoutais, ce que je refusais de tout mon être.

J'entendis un cri aigu, interminable, et je me rendis compte que c'était moi qui hurlais. Je me jetai sur lui, je suppliai :

— Charles ! NON ! NON !

J'eus vaguement conscience que Marcelle et Jean entraient, affolés, dans la chambre. Contre Charles, je sanglotais, à demi folle de douleur et de désespoir. Il était parti, il m'avait laissée, et je pleurais sur tous les jours de ma vie où, dorénavant, je serais seule.

6

TOUT se confond ensuite dans mon esprit, tout n'est plus que chaos. Je ne peux pas raconter les heures, les jours qui suivirent. D'abord parce que cela m'est cruel de me les rappeler, ensuite parce qu'il me serait impossible de dire clairement ce que je fis. J'étais dans un brouillard, à la fois anéantie de stupeur et écrasée de douleur. Je vivais et je ne vivais pas. J'agissais mécaniquement, je marchais et parlais, et en même temps j'étais en dehors du monde où continuaient de vivre les autres. L'acuité de ma souffrance m'isolait, dans un univers de ténèbres et de désespoir. Une plainte incessante hurlait en moi, avec tant d'intensité que je m'étonnais qu'elle ne s'entendît pas. J'avais atrocement mal, et je savais qu'à une telle détresse il n'existait aucun apaisement.

Quelques images me sont restées, irréelles et imprécises. Je revois les gens du coron défiler devant le lit de mort de Charles, et je me souviens que certains de ses compagnons, pourtant habitués à être durs, pleuraient, alors que dans leurs regards se lisaient incompréhension et incrédulité.

Je me revois, sanglotant éperdument dans les bras de Georges et d'Anna qui, hébétés, désemparés, ne parvenaient pas à réaliser, eux non plus. Ils avaient été prévenus par un télégramme que leur avait envoyé Jean. Le choc avait été rude.

La douleur de Georges a été profonde, violente. Lorsqu'il a su ce qui s'était passé, il a dit, avec rancune :

— C'est la mine, encore, qui m'a pris le dernier frère qui me restait ! Indirectement, peut-être, mais elle est responsable !

Juliette, prévenue aussi, accourut et pleura avec moi. Et je comprenais qu'elle pleurait à la fois sur Charles et sur moi, car elle n'ignorait pas ce qu'il avait fait pour moi, ce qu'il représentait dans ma vie, et elle savait toute l'étendue de mon chagrin.

Je revois, enfin, comme une horrible image fixée dans mon esprit, le cercueil qui descend dans la terre, et il m'était impossible d'admettre que c'était de Charles qu'il s'agissait. Je refusais, de toutes mes forces, l'atroce réalité.

Après l'enterrement, je me suis retrouvée dans ma maison, et je ne la reconnaissais pas. Ce n'était plus le chaud foyer où j'avais vécu avec Charles ; maintenant je m'y sentais étrangère. Jean et Marcelle s'occupèrent de tout. Moi, je ne pouvais rien entreprendre. Hébétée, amorphe, l'esprit vide, j'étais complètement brisée. J'étais au-delà du chagrin.

Ensuite, je me retrouvai seule. Tous les autres s'en allèrent, vers leur vie qui continuait et que rien n'avait détruit. Anna et Georges, et Juliette, et Catherine et Robert ; Jean et Marcelle me proposèrent de rester, mais je refusai : à quoi bon ?... Il faudrait bien que je m'habitue à être seule ! Ils me proposèrent alors d'aller chez eux, pendant quelque temps, mais, là aussi, je refusai. Je ne voulais pas quitter la maison où j'avais été heureuse avec Charles. Ici, je le retrouvais partout, tous nos souvenirs me parlaient de lui, il était présent dans chaque pièce de la maison. « Je ne te quitterai pas, je serai toujours près de toi, même si tu ne le vois pas... »

Alors ils partirent, inquiets malgré tout, me promettant de revenir dès le lendemain, et tous les autres jours. Et je suis restée seule. Avec la sensation d'évoluer dans un univers hostile et irréel, j'ai fermé la maison, je me suis déshabillée, je me suis couchée. Dans le grand lit où nous avions si longtemps été deux, la réalité brutale et insupportable s'est imposée à moi. La pensée atroce que je m'efforçais de repousser envahit brusquement mon esprit, me rappelant avec cruauté que plus jamais Charles ne serait là, près de moi, et que je serais seule, interminablement, impitoyablement, définitivement seule.

Alors l'espèce d'insensibilité qui suit un grand choc et qui, jusque-là, m'avait aidée à tenir disparut et laissa place à un désespoir brûlant et amer, qui était en même temps un profond refus de ce qui était arrivé. J'eus une violente crise de larmes, la première d'une longue série, enfouissant ma tête dans l'oreiller pour étouffer mes sanglots. Et ma révolte était d'autant plus douloureuse qu'elle se savait inutile.

Ce fut la période la plus noire de ma vie. Même les années de guerre, les années de souffrance pendant lesquelles j'avais été séparée de Jean, et les épreuves endurées, n'avaient pas été si atroces à supporter, n'avaient pas eu, surtout, ce caractère cruel du définitif. Charles ne reviendrait pas. Rien n'était plus intolérable que cette pensée.

Tout au long des semaines, des mois qui suivirent, je vécus avec, en moi, une continuelle sensation de vide, de désespérance, d'impuissance ; avec l'impression de me retrouver dans le néant, de crier sans être entendue, de vivre sans espoir, d'errer sans but, d'être perdue et solitaire dans un monde incompréhensif et indifférent.

Même mes enfants, malgré tout leur amour, ne pouvaient se rendre compte de l'immensité de mon chagrin. Et moi, avec une pudeur instinctive, j'essayais de le leur cacher, réservant pour les moments où j'étais seule mes crises de désespoir.

Pourtant, il m'arrivait parfois de pleurer en leur présence, malgré mes efforts pour me retenir. J'étais deux fois plus malheureuse ensuite parce que je les voyais désolés, et impuissants à me consoler. Jean soupirait, et Marcelle, les yeux pleins de larmes, ne savait que faire. Et c'était ça, je crois, le plus dur : il n'y avait rien à faire, il fallait subir et accepter, et je ne le pouvais pas.

Je n'étais bien nulle part. Par moments, je ne supportais plus de rester chez moi. Alors je sortais, je partais, n'importe où. Le dimanche, Jean et Marcelle venaient me chercher, et j'allais passer la journée chez eux. Mais, même avec eux, tout le jour je me sentais mal à l'aise car je savais que, le soir venu, je devrais retourner dans ma maison où Charles, jamais, ne serait plus. Si c'étaient eux qui venaient, j'appréhendais le moment où ils partiraient, et où je me retrouverais avec ma souffrance.

Juliette vint, à plusieurs reprises, m'apporter sa tendresse, son affection. Avec elle, je parlais de Charles. Comme moi, elle l'avait connu dès son enfance, et elle savait qu'il m'avait aimée inconditionnellement. Elle me disait souvent :

— C'est à cela que tu dois penser, Madeleine, à cet amour immense qu'il avait pour toi.

Je sanglotais :

— Mais cet amour, je l'ai perdu, maintenant.

— Malgré tout, tu l'as eu, pendant de nombreuses années, et tu ne dois pas l'oublier.

Je comprenais bien que je devais raisonner ainsi, mais je ne pouvais pas, pas encore. C'était trop dur.

Anna, de son côté, m'envoyait de longues lettres. Ils ne pouvaient pas venir me voir comme ils l'auraient souhaité, mais ils ne m'oubliaient pas. Georges avait beaucoup de peine. La mort de son frère l'avait marqué, et il sous-entendait que Charles serait encore là s'il avait, comme lui, quitté la mine.

Les moments les plus pénibles étaient le matin et le soir. Le matin, parce que, devant moi, s'étendait une journée interminable, grise et terne, remplie de chagrin. Et le soir, parce que je me retrouvais seule, alors que les gens qui étaient venus me voir dans la journée étaient rentrés chez eux, dans leurs foyers chauds et unis, avec ceux qu'ils aimaient.

La nuit, seule dans le grand lit vide, j'avais des crises de larmes, longues, amères, violentes. Ensuite, à bout de souffrance, épuisée, je m'endormais, pour très peu de temps. Je me réveillais bien vite, écoutant pleurer mon désespoir. J'en ai passé, des heures ainsi, à crier silencieusement vers mon amour perdu. Où était-il ? M'entendait-il ? « Je serai toujours près de toi, même si tu ne le vois pas... »

J'ai passé de longs mois dans cet état d'esprit, en dehors du monde réel, refusant de vivre dans un univers où Charles n'était plus. Il me fallut près de deux ans pour l'admettre. Admettre que je restais seule, et accepter de vivre quand même. Et seulement alors, ce fut plus facile.

Je ne dis pas que je fus consolée, que tout alla mieux. Non, simplement, je cessai de me révolter et de me faire mal inutilement. J'avais enfin compris que je n'y pouvais rien changer. Alors, j'ai essayé de reprendre pied dans la réalité, de recommencer à vivre sans Charles. Mais je savais que rien, jamais, ne serait plus pareil. Charles me manquerait toujours d'une manière insupportable. Privée de sa présence, de la chaude atmosphère que son amour créait autour de moi, j'aurais continuellement froid. Je le savais. Je savais aussi que mon existence sans lui ne serait plus désormais qu'une lamentable survie et une attente incessante du jour où j'irais le rejoindre. Je le savais et je l'acceptai. Alors seulement je pus sortir de mon enfer.

Je me remis à la couture, que j'avais abandonnée. Cela, en même temps, m'occupa et me fit du bien. Je recommençai à m'intéresser à ce qui m'entourait, ce que je n'avais plus fait depuis longtemps parce que tout me semblait sans importance.

Jean fut heureux de me voir revenir à la vie. Il ne me le dit pas, mais je le compris. Je m'apercevais que lui me restait ; il était là, il m'aimait. C'était mon enfant, et il représentait toute ma vie.

C'était un bon fils. Il s'était occupé de tout, après la

mort de Charles. J'avais reçu une avalanche de papiers, et, trop perdue dans ma détresse, je n'avais même pas cherché à les comprendre. Jean avait répondu partout, et m'avait donné des explications que je n'avais pas écoutées. C'était principalement pour la retraite. Charles était décédé six mois avant sa retraite normale, et il y avait eu des tas de feuilles à remplir. Je m'étais reposée sur Jean, et il avait tout fait.

Avec Marcelle, ils ne savaient qu'inventer pour me faire plaisir. Un jour, ils m'apportèrent un petit chien. C'était, dans les mains de Marcelle, une petite boule de poils fauve et hirsute.

— C'est pour toi, maman, me dit Jean. En veux-tu ?

Surprise et en même temps réticente, je dis :

— Mais... pourquoi ? D'où vient ce chien ?

— Nous l'avons trouvé hier dans notre jardin, expliqua Marcelle, devant la maison. Il avait été abandonné. J'ai eu pitié de lui, je l'ai ramassé. Et puis, nous avons pensé à te le donner, afin que tu sois moins seule. Tu auras un petit compagnon. Le veux-tu ?

Je n'ai pas dit oui immédiatement. J'ai vu, d'abord, les marques des griffes sur les portes, les traces de boue sur le sol, les poils partout. Voyant mon hésitation, Marcelle me le plaça dans les mains. Jusque-là, il dormait. Dans mes bras, il a ouvert un œil, et, avec une adorable petite langue rose, s'est mis à me lécher. Il était irrésistible.

— Il t'a adoptée, dit Jean. Prends-le, ne refuse pas. Il te tiendra compagnie.

Je l'ai regardé, qui me léchait avec application, et je l'ai aimé tout de suite. J'ai posé ma joue contre sa petite tête ronde et douce, et j'ai dit :

— D'accord, je le garde. Merci à vous deux.

Et je ne l'ai pas regretté. Il a été, dès le début, mon compagnon de tous les instants. Je le baptisai Pompon. Il me suivait partout ; le soir, il se blottissait sur mes genoux et s'y endormait, tandis que je lisais ou cousais. Il me devint indispensable. Jean et Marcelle avaient eu raison : avec lui, je n'étais plus seule. Il y avait un être vivant qui était près de moi, qui avait besoin de moi et qui m'aimait sans conditions. Sans le savoir, ce petit chien m'a aidée, lui aussi, à revivre.

Un nouveau printemps fut là, un autre printemps que Charles ne verrait pas. Je regardais la nature s'éveiller une fois de plus, selon le même rite immuable. Et j'éprouvais comme une sorte d'étonnement de voir qu'autour de moi rien n'était changé, alors que la mort de Charles avait détruit ma vie.

Il faisait beau. Marcelle m'avait invitée à aller passer la journée avec elle. Je me mis en route en fin de matinée, prenant le raccourci à travers champs. Pompon, autour de moi, folâtrait et gambadait comme un petit fou, aboyant et poursuivant les papillons. Son exubérance m'amusait. J'aurais bien aimé être comme lui, sans soucis et heureux de vivre.

Dans le ciel bleu, les alouettes chantaient. Par-dessus les murs des jardins, les branches des lilas ployaient sous le poids de leurs grappes en fleur, et exhalaient, dans l'air tiède, leur ineffable et doux parfum.

En approchant de la maison, je vis Marcelle qui m'attendait, près du portail. Je pressai le pas, et lui fis signe en souriant. Mais elle ne souriait pas. Elle vint au-devant de moi, de l'angoisse plein les yeux :

— Oh maman ! me dit-elle, avec une précipitation fébrile. Il vient d'y avoir un éboulement, ce matin ! Il paraît que des mineurs sont emprisonnés ! Jean est allé aider les sauveteurs. Oh, mon Dieu, comme je suis inquiète !

Un sentiment de catastrophe m'envahit. Encore, pensai-je, encore une fois ! Ça ne finira donc jamais... A Marcelle, qui me regardait comme une enfant affolée et perdue, je dis :

— Allons-y, allons voir. Viens, ne perdons pas de temps.

Je lui ai pris le bras et nous sommes parties, après avoir enfermé dans la maison Pompon dont nous n'avions que faire. Comme s'il avait compris, le chien s'était calmé, et nous regarda partir avec une sorte de supplication dans le regard. Une fois de plus, je me retrouvai devant les grilles de la fosse, au milieu d'autres femmes au visage tendu par l'angoisse.

J'appris que presque tous les mineurs avaient pu remonter. Seuls quelques-uns étaient restés bloqués en bout de galerie. Nous ne pouvions qu'attendre, et nous essayions de voir ce qui se passait. Mais nous ne voyions rien, et nous restions là, dans l'ignorance, avec notre anxiété, notre peur.

Après un long moment, il y eut un cri :

— Ils remontent ! Ils remontent !

En effet, nous les avons vus sortir et se diriger vers nous, plusieurs mineurs qui clignaient des yeux dans le soleil, et dont les regards traduisaient une incrédulité, comme s'ils ne pouvaient pas croire à leur chance d'être vivants, sains et saufs. Et ce fut, autour de nous, des cris de joie, des pleurs, des embrassades, lorsqu'ils eurent rejoint les femmes qui les attendaient. Je les regardais, les larmes aux yeux, en pensant que j'aurais donné n'importe quoi pour pouvoir, comme ces femmes, prendre dans mes mains le visage de mon mari...

A ce moment, Marcelle cria :

— Jean !

Elle se précipita en avant, bousculant tout le monde, et je la suivis. Au-delà des grilles, Jean s'éloignait. Il entendit le cri de sa femme, se retourna, nous vit. Il vint vers nous. Je le regardai avidement : il avait une combinaison, un casque de mineur, et il était noir de charbon.

— Jean ! cria de nouveau Marcelle. Où vas-tu ?

Il s'approcha et ne répondit pas tout de suite. Je sentis un étau d'angoisse me serrer la poitrine. Que se passe-t-il donc ?

— Ce n'est pas fini ? dit Marcelle. Ils ne sont pas tous remontés ?

Mon fils nous regarda, comme s'il voulait savoir ce que nous étions capables d'entendre.

— Eh bien, insista Marcelle, réponds, Jean !

Il soupira :

— Non, ils ne sont pas tous remontés. Il y a encore un adolescent de quatorze ans. Il est coincé, et pour le dégager c'est très difficile. Dès qu'on essaie de déblayer, tout risque de s'effondrer. Je vais tâcher d'aller jusqu'à lui en rampant, et essayer de le libérer de cette façon.

— Jean ! cria Marcelle. Non ! N'y va pas ! C'est trop dangereux !

Je n'intervins pas, mais instinctivement mon cœur avait crié la même chose. Pourtant, je savais que c'était inutile. J'avais compris que Jean avait pris sa décision.

Il regarda Marcelle, puis moi, et ses yeux clairs étaient emplis d'amour, de supplication :

— Essaie de comprendre. Il faut que j'y aille, je ne peux pas faire autrement.

Marcelle dit, dans une plainte :

— Jean ! Oh Jean !...

Un homme, au fond de la cour, l'appela. Jean se tourna vers lui, puis nous regarda de nouveau, malheureux :

— Je descends. Ils ont besoin de moi.

Je le vis se détourner, partir, s'éloigner de moi, de nous. Sa silhouette devenait de plus en plus floue à cause des larmes qui brouillaient ma vue. Marcelle, près de moi, s'effondra sur mon épaule :

— Oh, maman, maman ! gémit-elle. Pourquoi est-il parti ? Comment as-tu pu le laisser partir ?

Je caressai ses cheveux blonds. Comment lui faire comprendre que je n'avais pas accepté, moi non plus, et que, tout comme elle, je craignais qu'il ne fût tué ? Et pourtant, si nous l'avions empêché, il ne nous aurait jamais pardonné. Je soupirai en serrant Marcelle contre moi. Pauvre enfant ! Il lui fallait connaître ces moments atroces et douloureux, où l'on craint pour la vie de l'être aimé... Elle aussi, comme nous toutes, dépendait de la mine.

Nous avons donc attendu, longtemps, soudées l'une à l'autre, dévorées par l'anxiété. Je repoussais l'image qui, de temps en temps, dansait devant mes yeux : Jean rampait jusqu'à l'adolescent, et puis, subitement, tout s'effondrait sur lui. Je secouai la tête pour la chasser, je ne voulais pas penser à une telle chose. Je croyais avoir touché le fond du désespoir lorsque Charles était mort, mais je découvrais que si mon enfant, à son tour, m'était enlevé, ce serait bien pis.

Nous étions de plus en plus inquiètes à mesure que le temps passait. Autour de nous, les femmes, les mineurs s'étaient dispersés. Quelques-uns attendaient encore. Plus loin, les mains accrochées à la grille, une femme en noir attendait, elle aussi, et l'anxiété était tellement visible sur son visage que je me sentis proche d'elle. Etait-elle la mère de cet adolescent, que mon fils était parti sauver au péril de sa vie ?

Serrées l'une contre l'autre, Marcelle et moi ne vivions plus. Nous n'étions plus qu'un bloc d'angoisse.

Enfin, après un temps interminable, nous avons vu un mouvement se faire, là-bas, au bout de la cour. Et des mineurs sont arrivés, portant un brancard sur lequel gisait un adolescent qui avait le visage en pleurs. Ils s'approchèrent, et la femme en noir qui attendait près de nous se jeta sur l'enfant en sanglotant. L'un des mineurs expliqua :

— Il a été blessé, mais ce n'est pas grave. Il est sauvé, Dieu merci ! Nous avons eu si peur !

Marcelle et moi, nous nous sommes regardées, et la même question se lisait dans nos yeux. Elle s'approcha du mineur le plus âgé, et demanda avec une sorte de crainte :

— Alex, dites-moi... Et Jean ?

L'homme se retourna, nous aperçut. Il sourit à Marcelle, et son visage noir rendit son sourire encore plus lumineux :

— Il arrive, ne craignez rien. Vous pouvez être fière de lui, il a sauvé ce petit. C'est quelqu'un de courageux, votre mari !

Dans les yeux de Marcelle, je vis le soulagement et la fierté que je ressentais moi-même. Elle dit, dans un souffle :

— J'ai eu si peur !

— Le voilà !

Il venait vers nous, tout sourire, radieux. Alors qu'il s'approchait, la mère de l'adolescent se jeta sur lui et l'embrassa en pleurant. Lui, gêné, la repoussait doucement, disant qu'il n'avait fait que son devoir. J'étais fière de mon fils. Il avait rendu un enfant à sa mère ; que pouvait-il y avoir de plus beau ?

Il nous rejoignit, nous prit toutes les deux dans ses bras :

— Alors, demanda-t-il d'une voix rauque, ça va mieux ?

— Oh, Jean, gémit Marcelle. Comme j'ai eu peur, si tu savais !

— Il ne fallait pas avoir peur. Tu le vois bien, je suis là.

Il aperçut mes larmes, me gronda doucement :

— Allons, ma petite maman, ne pleure pas ! Ton grand fils est là, c'est fini maintenant.

Tout bas, je dis, comme un reproche :

— J'ai eu tellement peur, moi aussi. Oh, Jean, fallait-il vraiment que tu y ailles ? Te rends-tu compte que tu as risqué ta vie ?

Il me regarda avec gravité. Ses yeux me parurent plus clairs, comme délivrés d'une hantise.

— Je n'aurais pas pu le laisser. Lorsque j'ai vu son regard plein d'épouvante, j'ai su avec certitude ce qu'il éprouvait, car je l'avais vécu. Je me suis retrouvé à quatorze ans, prisonnier des ténèbres, et j'ai ressenti la même angoisse qu'alors, la même panique impuissante et désespérée. Il m'a été impossible de l'abandonner, comprends-le, c'était lui et moi que je sauvais en même temps.

Je n'ai pu que le serrer contre moi, avec tout mon amour de mère.

— Tu sais, lui murmurai-je, mon Charles serait fier de toi.

Il me regarda dans les yeux, et répliqua, sur un ton de confidence :

— Veux-tu que je te dise ? C'est pour lui aussi que je l'ai fait.

A partir de ce jour, Jean fut accepté totalement par les mineurs. Tous l'admiraient, ils avaient compris qu'il prenait réellement part à leurs difficultés. Il en fut heureux, il les aimait, il voulait améliorer leur vie, leur travail.

— Cet éboulement, expliquait-il, est un accident qui n'aurait pas dû se produire. Nous prévoyons l'installation d'étançons métalliques, ce qui diminuera de beaucoup les risques.

Ce que je voyais, moi, c'était que mon enfant était heureux, passionné par son métier, vivant avec le souvenir constant de Charles, dirigeant toute son existence en fonction de lui. Il n'était pas rare de l'entendre me dire :

— Papa aurait fait ceci... Il aurait approuvé que je fasse cela...

Il m'était doux de voir mon fils réagir ainsi. Je me rassurais : tant que le souvenir de Charles régnerait dans nos cœurs, il ne mourrait jamais tout à fait.

Ma solitude, pourtant, était encore bien dure à supporter. Mon chien était un bon compagnon, mais il ne restait qu'un animal. Il ne pourrait jamais remplacer Charles. Les moments de fêtes, d'anniversaire, étaient douloureux, car je ne pensais alors qu'à lui, à son absence insupportable qui m'empêchait d'éprouver la moindre joie. Lorsque, au cimetière, je fleurissais sa tombe, je sentais trembler, au fond de moi, une révolte incomplètement éteinte.

Les soirées d'hiver, surtout, étaient les plus dures. Elles s'étendaient, interminables. Je m'en plaignis un jour à Catherine, qui dut en parler à Marcelle et à Jean. Là encore, je pus voir combien mon fils était bon pour moi. Le jour de mes cinquante-cinq ans, pour mon anniversaire, il m'offrit un poste de télévision. Devant ma surprise, mon incrédulité, il me dit :

— Ça t'aidera à passer les soirées, lorsqu'elles sont trop longues.

Il m'en montra le fonctionnement, le fit marcher dans la journée. Je ne voulais pas accepter un cadeau aussi coûteux. Mais ils insistèrent, tous les deux. Alors je m'inclinai. Comme Pompon, le poste de télévision fit bientôt partie de ma vie. Et il était vrai qu'il m'aidait à supporter les longues soirées.

Bien souvent, d'ailleurs, Catherine et Robert, ou d'autres voisins, venaient me tenir compagnie afin de voir, avec moi, un film ou une émission. Au mois d'avril, nous avons tous regardé le reportage en direct réalisé par Igor Barrère et Pierre Tchernia, au fond du 12 de Lens. Je faisais figure de privilégiée, dans le coron. Rares étaient, à cette époque, ceux qui possédaient déjà la télévision. Grâce à ce somptueux cadeau de mon fils, je fus, il est vrai, beaucoup moins seule. Mais je ne pouvais m'empêcher d'imaginer combien il aurait été merveilleux de regarder toutes ces émissions avec Charles à mes côtés.

7

JE survivais. J'avais surmonté ma détresse, mais il y avait encore des moments où le cafard me prenait, où je me sentais victime d'une injustice insupportable.

Une nouvelle loi fut votée pour les congés payés. Ils furent portés à un jour et demi par mois, au lieu d'un jour. Il y avait eu aussi, à Berck-Plage, à quelques kilomètres du lieu où vivaient Georges et Anna, la création d'un centre de vacances pour les mineurs. Je pensais aux prospectus que Charles m'avait montrés, un jour, en disant : « Quand j'aurai ma retraite, Madeleine, nous irons, qu'en penses-tu ? » Et je ne pouvais pas m'empêcher de pleurer.

De temps en temps, Anna et Georges venaient me voir avec les enfants. Paul, l'aîné, était devenu un bel adolescent. Il avait quitté l'école, et aidait son père dans son travail. Il faisait de petits travaux, parfois, pour les propriétaires voisins, et c'était une vie qui lui plaisait.

— Et au moins, disait Georges, il n'est pas mineur.

En vieillissant, Georges ressemblait de plus en plus à Charles. Quelquefois, il avait tellement les mêmes gestes, les mêmes expressions, que je revoyais Charles, et cela m'était à la fois doux et amer.

Leur second fils, Bernard, était vif et facétieux, heureux de vivre. La petite Marie-Jeanne allait sur ses six ans. Elle était calme et sage, d'une gravité au-dessus de son âge. Ils formaient une famille unie, et j'avais chaud au cœur lorsque je les voyais.

Juliette, aussi, venait me rendre visite, plus souvent depuis que j'étais seule. Son fils avait terminé ses études de médecine, et venait d'ouvrir un cabinet.

— Lorsque je le vois, disait Juliette en souriant, avec sa blouse blanche, son stéthoscope autour du cou et son air sérieux, c'est plus fort que moi, il m'impressionne !

Quand elle venait, elle me faisait du bien. Elle m'apportait sa légèreté, son insouciance, et la continuelle tristesse qui pesait sur mon cœur depuis la mort de Charles était, pour un instant, moins lourde à porter.

Un nouveau problème obscurcissait la vie des mineurs. Les stocks de charbon s'accumulaient : le transport en revenait trop cher. Il était de plus en plus question de fermeture des puits. La crainte du chômage sévissait.

— Le problème, expliquait Jean, soucieux, c'est qu'il y a d'autres sources d'énergie. L'électricité, et le pétrole... Même nous, au fond de la mine, nous utilisons des locomotives Diesel, pour tirer les berlines !

Elles remplaçaient les chevaux, et je repensais, parfois, à Tiennou, le cheval pour qui mon père, chaque jour, emportait un morceau de sucre. Il n'y avait plus de « cafus », non plus. Le charbon, m'avait expliqué Jean, était trié automatiquement. Un détecteur interceptait tout ce qui était étranger à la houille. Je pensais à mon amie Marie, à ses mains gercées sur lesquelles je l'avais vue pleurer tant de fois, quand elle travaillait au criblage.

— Il faut se battre, me disait Jean, contre les projets de fermeture des puits. Les mineurs les acceptent très mal. Il y a dix ans, après la guerre, on les a appelés à l'aide, et maintenant, on cherche à leur faire croire qu'ils sont inutiles !

Ce fut à cette époque qu'un autre problème, plus personnel, rendit celui-là secondaire.

Tout commença, pour moi, un dimanche. Je faisais la vaisselle avec Marcelle, dans sa cuisine. Jean, dans la salle à manger, devant son poste de télévision, regardait les sports. J'essuyais les assiettes que Marcelle lavait lorsque, subitement, elle se mit à pleurer. J'avais déjà remarqué, en arrivant le matin, qu'elle avait les yeux rougis, mais je n'avais rien dit, ne voulant pas être indiscrète. Et là, sans prévenir, elle fondit en larmes, se laissa tomber sur une chaise et continua à pleurer, la tête dans les bras.

Sur le moment, interdite, je ne sus que faire. Je posai mon torchon, m'approchai de Marcelle, caressai ses cheveux :

— Marcelle, ma petite fille... dis-je tout bas. Qu'y a-t-il ? Tu es malheureuse ? Puis-je faire quelque chose ?

Elle releva son visage mouillé de larmes, me regarda avec impuissance :

— Non, oh, non, tu ne peux rien faire... Et moi, je n'en peux plus !

Elle se remit à pleurer. Indécise, malheureuse, je ne comprenais pas.

— Mais... dis-je de nouveau, que se passe-t-il ? C'est à cause de Jean ? de moi ?

Elle secouait la tête en signe de dénégation. Je passai un bras autour de ses épaules, l'attirai à moi :

— Ne veux-tu pas me dire ce qu'il y a ?

Elle hésita un instant, et puis, d'un seul coup, se décida. Les lèvres tremblantes, elle dit :

— Il y a si longtemps que j'attends... Ça va faire sept ans que nous sommes mariés, et nous n'avons toujours pas d'enfant ! Depuis sept ans, chaque mois je suis déçue ! Peut-être suis-je incapable d'en avoir ?...

Son regard, levé vers moi, était un appel au secours. Je ne savais pas quoi dire pour la consoler, pour la rassurer.

— Tu comprends, continua-t-elle, Jean est malheureux, aussi. Il désire avoir beaucoup d'enfants, il me l'a toujours dit. Et maintenant... maintenant, il n'en parle plus !

Elle reprit plus bas :

— Nous sommes allés voir le médecin, tous les deux, il y a un an. Il a confirmé qu'il n'y avait rien d'anormal, qu'il suffisait d'attendre. Mais je n'en peux plus, d'attendre ! C'est toujours en vain !...

Elle enfouit son visage dans ma poitrine et, de nouveau, se mit à pleurer. Je la berçai contre moi, souffrant avec elle de son chagrin. Je la comprenais. Je m'imaginais, à sa place, espérant, chaque mois, avoir la confirmation d'attendre enfin cet enfant tant désiré, et devant faire face, chaque mois, à la même cruelle déception. Je savais ce qu'elle éprouvait. Moi aussi, j'avais souffert de n'avoir pas d'enfant de Charles. Mais moi, j'avais déjà Jean, ce n'était pas pareil. Et, comme Marcelle, je souhaitais que mon fils pût, à son tour, avoir des enfants.

Si le médecin l'avait dit, rien n'était perdu. Je lui recommandai de ne pas se décourager, de ne pas y penser sans cesse, de ne pas en faire une obsession. J'étais malheureuse pour elle, et d'autant plus malheureuse que je comprenais que je ne pouvais pas l'aider. Et pourtant, son souhait était aussi le mien.

Ce fut au cours de la nuit qui suivit que l'idée me vint. Une fois de plus je ne dormais pas, et le visage en pleurs de Marcelle revenait constamment me hanter. Je me rappelai alors ce que Marthe, une des femmes du coron que je connaissais bien, m'avait raconté. Son petit-fils, qui n'était qu'un bébé, avait failli mourir d'une méningite. Pendant deux jours, il avait eu beaucoup de fièvre, et sa tête, son cou étaient devenus tout raides. Le médecin, appelé trop tard, avait annoncé que l'enfant était perdu. Le fils de Marthe n'avait pas voulu admettre un tel verdict. Il connaissait une femme qui, disait-il, dans un village voisin, soignait les gens avec un secret, et réussissait des guérisons spectaculaires. Il avait déclaré qu'il allait lui amener immédiatement son enfant. Le médecin avait haussé les épaules, avec l'air de dire : à quoi bon ? Ça ne servira à rien, mais, après tout, si ça peut vous faire plaisir...

Le père avait enveloppé son enfant dans une couverture, et était allé voir cette femme aussitôt. Et elle avait sauvé le bébé. Elle avait dit, en posant les mains sur lui :

— Oui, il y a une menace de méningite, mais, heureusement, il n'est pas encore trop tard. Rentrez chez vous, tuez un pigeon, ouvrez-le en deux et posez-le sur la tête de votre enfant. Faites vite, il est plus que temps !

Il était rentré en catastrophe ; surmontant sa répugnance, il avait suivi ces instructions, sous l'œil effaré et incrédule de sa famille. Le bébé guérit, et survécut, sans aucune séquelle. D'après Marthe, cette femme était extraordinaire, elle faisait de véritables miracles.

Je décidai d'en parler à Marcelle. Peut-être pourrions-nous aller la consulter et lui demander ce qu'elle pouvait faire.

Le lendemain j'allai voir Marthe. Je ne voulais pas donner la véritable raison de ma démarche car, après tout, le secret de Marcelle ne m'appartenait pas. J'inventai que, depuis la mort de Charles, j'avais continuellement des maux de tête qui ne disparaissaient pas, et que j'avais l'intention d'aller voir cette femme, qui peut-être pourrait me soulager. Marthe m'assura que je faisais bien d'y aller. Et elle me donna l'adresse sans difficulté.

Dans la journée, je me rendis chez Marcelle et lui expliquai tout. Elle était seule, Jean était à son travail. Je revois encore l'expression indécise de son visage, à la fois tentée et réticente.

— Mais, interrogeait-elle, pourra-t-elle vraiment faire quelque chose ? Je serai encore plus déçue après, si ça ne marche pas !

— Ça ne coûte rien d'essayer. Parles-en à Jean ce soir, et dites-moi ce que vous aurez décidé.

Je rentrai chez moi, lui laissant un peu d'espoir. J'étais incapable de me l'expliquer clairement, mais je sentais qu'il fallait y aller, que c'était la bonne solution.

Quelques jours plus tard, Jean vint me chercher en voiture avec Marcelle, après son travail :

— Allons-y, me dit-il. Nous nous sommes décidés.

Avec les explications de Marthe, nous avons trouvé

facilement. La maison était située tout au bout d'un sentier, à l'écart du village. De chaque côté de la porte, le long des murs, étaient installés des bancs, sur lesquels des gens attendaient. Comme eux, nous nous sommes assis et nous avons attendu. Marcelle, près de moi, avait un visage crispé. Nous avons écouté les gens : ils parlaient de cette femme, et chacun avait une guérison à raconter, qui concernait quelqu'un qu'ils connaissaient. Elle guérissait toutes sortes de maladies, elle soignait les hommes, les femmes, les enfants. Et ses remèdes étaient souvent naturels, basés sur l'utilisation des plantes.

— En plus, expliquait un homme qui revenait pour la quatrième fois, vous ne devez pas lui dire de quoi vous souffrez. C'est elle qui devine, et elle ne se trompe jamais.

Jean, Marcelle et moi, nous nous regardions, à la fois incrédules et émerveillés. Etait-ce possible, un tel don ? Je voulais bien le croire. Je connaissais depuis longtemps les remèdes de bonne femme. Il y avait bien eu, dans mon enfance, la vieille Pélagie, qui guérissait les « feux Saint-Antoine » avec des prières dont elle avait le secret !

Et puis ce fut notre tour. Nous sommes entrés dans une pièce ordinaire, qui devait être sa cuisine. La femme pouvait avoir mon âge, peut-être un peu moins, sans rien de particulier. Simplement, sur son visage, il y avait un grand air de bonté. Elle nous a regardés, tous les trois, et a demandé à Marcelle :

— C'est vous qui voulez me voir, n'est-ce pas ?

— Oui, a dit Marcelle, impressionnée.

— Asseyez-vous, dit-elle en lui montrant une chaise placée juste au milieu de la pièce.

Marcelle s'assit sans quitter Jean des yeux, un peu inquiète.

— Allons, reprit la femme, n'ayez pas peur ! Je suis là pour vous soigner, rien d'autre ! Penchez la tête en avant, s'il vous plaît.

Elle se plaça derrière la chaise et posa sur la nuque de Marcelle ce qui me parut être une médaille. Puis elle ferma les yeux et sembla se concentrer. Le silence était complet, seulement troublé par le tic-tac d'un gros réveil, sur la cheminée.

— Ah, je vois ce que c'est ! Un bébé qui tarde à venir, n'est-ce pas ?

Sa question n'appelait même pas de réponse. C'était plutôt une constatation. Sidérés, nous la regardions. Elle sourit :

— Ne craignez rien, vous n'êtes pas stérile. Simplement il va falloir aider la nature, parfois capricieuse. Comment vous appelez-vous ? Notez votre nom et votre adresse sur ce petit papier.

Marcelle obéit. Pendant ce temps, la femme continua :

— Voilà ce que vous allez faire : vous allez boire, tous les matins à huit heures, un grand verre de lait. Et vous mettrez sous votre oreiller un grain de blé et un grain d'orge.

— C'est tout ? demanda Marcelle, et sa voix trahissait un doute, une surprise.

La femme sourit de nouveau :

— Oui, c'est tout, du moins en ce qui vous concerne. Le reste, c'est moi qui le ferai.

Jean, un peu timidement, a questionné :

— Que ferez-vous ?

Elle l'a regardé, et gravement, a dit :

— Je prierai. Je prierai, monsieur, pour que vous ayez votre enfant. Tous les soirs, je prie pour mes malades, pour leur guérison. Et, voyez-vous, Ils m'écoutent, et Ils acceptent de m'exaucer, ajouta-t-elle en nous montrant, au mur, des images représentant Jésus, la Vierge, et des saints que je ne reconnus pas.

Elle a donné une médaille à Marcelle :

— Tenez, mon petit. Gardez-la toujours sur vous. Et faites ce que je vous ai dit. Tout ira bien.

Toute rose, Marcelle a remercié. Avant de sortir, Jean demanda :

— Combien vous doit-on, madame ?

Elle a secoué la tête, avec son doux sourire :

— Rien, vous ne me devez rien. Je n'accepte pas d'argent. Parfois, des clients me paient avec des œufs, ou des produits de leur jardin, car je suis veuve. Mais vous, si vous voulez me faire plaisir, venez me présenter votre bébé, lorsqu'il sera né. Je le bénirai.

— C'est promis, dit Marcelle, nous viendrons.

Nous sommes sortis. Marcelle, excitée comme une petite fille, serrait dans sa main la médaille. Jean ne disait rien.

— Elle est formidable, dit Marcelle. Tu ne crois pas, Jean ? Elle a trouvé tout de suite et toute seule.

— Oui, dit Jean, avec un air sceptique. Nous verrons. Qu'en dis-tu, toi, maman ?

J'avais tendance à y croire, moi aussi. Ce que les gens avaient raconté, pendant que nous attendions, ils ne l'avaient pas inventé. Et il était vrai qu'elle avait découvert, sans indication, la raison de notre venue. Alors, pourquoi ne pas lui faire confiance ? Je me disais qu'il y avait là quelque chose que nous ne pouvions pas comprendre, quelque chose qui nous dépassait. Cette femme possédait un don mystérieux, dont elle se servait pour faire le bien, pour venir en aide à son prochain. Elle n'en était que plus admirable.

— Attendons, ajoutai-je simplement, et espérons. L'avenir nous dira si nous avons eu raison d'y croire.

Avait-elle réellement des pouvoirs extraordinaires ? Ou tout était-il basé sur une sorte de suggestion inconsciente ? Je ne saurais le dire. Nous, nous étions des gens simples, et nous y croyions. Mais il ne manquait pas de sceptiques qui, lorsque Marcelle racontait ce qui s'était passé, souriaient ironiquement.

Quelques mois après, elle eut enfin la certitude d'attendre ce bébé tant désiré. Elle exultait, elle rayonnait. Moi aussi, j'étais heureuse. A vrai dire, je n'étais pas surprise. Au fond de moi, je m'y attendais.

Elle eut une grossesse agréable. Au début, elle eut bien quelques nausées, mais ce n'était en rien comparable à mes vomissements, lorsque j'attendais Jean, et ses malaises ne durèrent pas. Au fil des semaines, son ventre s'arrondit, et son visage avait une clarté, une lumière qui le rendaient rayonnant.

Catherine et Robert se réjouissaient avec elle. Ils avaient déjà plusieurs petits-enfants, pourtant, car Marcelle avait des frères plus âgés. Mais, pour eux, Marcelle était leur fille, leur petite dernière, et ils étaient heureux de son bonheur. Catherine venait chez moi avec des pelotes de laine et tricotait des brassières, des chaussons, des petits manteaux, la plupart du temps blancs et bleus.

— Ce sera un garçon, assurait-elle. A la façon dont elle le porte, je le vois. Et je me trompe rarement !

Je souriais et ne répondais pas. Moi, j'aurais bien aimé une petite fille. Mais, quel qu'il fût, cet enfant serait le bienvenu.

Marcelle allait régulièrement aux consultations prénatales, et s'était inscrite à la maternité pour l'accouchement.

— Pourquoi aller en maternité ? avait dit sa mère. Moi, j'ai eu mes quatre enfants chez moi, et je ne m'en portais pas plus mal.

— C'est préférable, disait Marcelle. Dans le coron près de chez moi, une jeune femme est morte lors de l'accouchement, d'une hémorragie que la sage-femme était incapable d'arrêter. En maternité, je serai à l'abri de tels accidents.

L'accouchement était prévu pour le mois d'août. Les dernières semaines, elle devint fébrile et impatiente. Elle prépara une valise, pour la maternité, avec des langes pour le bébé, des serviettes, tout ce qu'il fallait emmener.

En juillet, Robert prit sa retraite. Ils organisèrent une petite réunion de famille, pour fêter cet événement, et insistèrent pour que j'y participe. Je ne le voulais pas, je pensais trop à Charles qui, lui, n'avait pas eu le temps de connaître sa retraite. Mais Jean et Marcelle insistèrent :

— Viens, dit Jean, fais-le au moins pour nous. Je serai plus content si tu es avec nous. Ça ne changera rien, de toute façon, et Catherine et Robert n'y peuvent rien non plus.

Alors je cédai, mais je m'y sentis mal à l'aise, en dépit de mes efforts. Cela m'était douloureux de les voir tous les deux, heureux et satisfaits. Cela leur paraissait normal, de pouvoir enfin se reposer, de goûter une retraite tranquille, ensemble. Ils ne connaissaient pas leur chance. Je ressentais un petit pincement de tristesse, de regret, et, je crois bien, de jalousie aussi. Car la même question sans réponse, toujours, me revenait : pourquoi eux, et pas Charles et moi ?... Je comprenais que je n'accepterais jamais totalement.

Le mois d'août arriva, et nous ne vivions que dans l'attente de la naissance. Tous, nous entourions Marcelle d'attentions, d'amour, de tendresse. Elle nous était deux fois plus précieuse, et deux fois plus aimée. Elle, souriante, épanouie, attendait le moment où elle donnerait la vie. Parfois, elle souriait mystérieusement, puis s'émerveillait :

— Comme il bouge ! Ce sera un bébé remuant !

Elle prenait ma main et la posait sur son ventre. Je sentais un mouvement, le frémissement d'une vie cachée qui nous était déjà chère. Et une profonde joie m'envahissait.

Il naquit le 6 août 1957. C'était un mardi. La journée s'était passée normalement ; en fin d'après-midi, j'étais dans ma cuisine lorsque Pompon aboya, et aussitôt Jean entra, en coup de vent.

— Maman, maman ! cria-t-il, et dans sa voix résonnait une note de triomphe. Ça y est, il est né ! C'est un garçon !

L'émotion me coupa les jambes, et je dus m'asseoir. Jean se précipita sur moi, me serra dans ses bras, avec une exaltation joyeuse :

— Oh, maman ! Comme je suis heureux !

La tête enfouie dans son épaule, en même temps je souriais et je pleurais. Je le regardai :

— Raconte-moi, dis-je d'une voix tremblante. Tout s'est bien passé ? Et Marcelle ?

— Elle a été réveillée à l'aube par les premières douleurs. Je l'ai emmenée aussitôt à la maternité. Il est né cet après-midi, vers quatre heures ! — Il eut un rire tremblé de larmes, ajouta : — Quelle journée j'ai passée ! J'ai dû vieillir de plusieurs années en quelques heures !...

Il prit Pompon, qui sautait autour de lui, le lança en l'air, le rattrapa. Il était heureux comme un gosse.

— Oh, maman ! reprit-il, j'ai un fils, un fils ! C'est merveilleux, n'est-ce pas ? Vite, habille-toi, nous allons le voir. Pendant ce temps, je vais prévenir Catherine et Robert.

Il sortit, comme un tourbillon. Tremblante d'excitation, je préparai mon manteau, mis mes chaussures. Je mis de l'ordre dans ma cuisine, et je me sentais, moi aussi, impatiente et heureuse.

Jean revint alors que j'enfilais mon manteau. Dans mon énervement, je n'arrivais pas à le boutonner correctement. Mon fils se mit à rire :

— Tu n'es pas mieux que moi, maman ! Si tu m'avais vu, toute la journée, occupé à faire les cent pas dans la salle d'attente ! Heureusement que je ne fume pas, sais-tu, parce que j'en aurais consommé, des cigarettes !

Il me regarda, et ses yeux se firent graves :

— C'est la première fois que je suis complètement heureux depuis... depuis la mort de papa...

J'allai vers lui, le serrai dans mes bras, appuyai ma tête sur son épaule :

— Moi aussi, mon grand, dis-je tout bas, je suis heureuse. Je ne regrette qu'une chose : c'est qu'il ne soit pas là pour se réjouir avec nous.

Une question se fit jour dans mon esprit, que j'avais toujours repoussée au fond de ma conscience. Je me décidai à la poser :

— Dis-moi, Jean... Je voudrais te demander... As-tu dit à Marcelle la vérité concernant ton père ? Sait-elle que Charles ?...

Je vis, dans ses yeux, passer un refus farouche :

— Non, dit-il avec force, non, elle ne sait pas. Je ne lui dirai jamais. Ce secret ne regarde que nous. Je ne sais pas si elle comprendrait, elle est si entière ! Moi-même, j'ai eu tant de mal à comprendre ! Et puis elle ne pourrait pas s'empêcher d'en parler à sa mère : elle lui raconte tout. Non, maman, elle ne sait pas, et c'est bien mieux ainsi. Elle me croit, comme tout le monde, le fils de Charles. Et c'est ce que je suis. Je me suis toujours senti son fils, je n'ai jamais eu l'impression qu'il n'était pas mon père...

Les larmes aux yeux, je souris à mon enfant. D'une voix basse et rauque, je chuchotai :

— Merci... Merci pour ce que tu viens de me dire.

Nous nous sommes regardés, et nous nous sommes sentis profondément unis.

La porte s'ouvrit. Catherine et Robert entrèrent.

— Alors, demanda Robert, on y va ? J'ai hâte de connaître mon petit-fils !

Ils étaient émus et contents. Notre joie était commune.

Nous sommes sortis de la maison, tous les quatre impatients d'aller voir ce bébé que nous aimions déjà sans le connaître. J'ai pensé à Charles, mais cette fois-ci sans aucune amertume. Il me semblait qu'il nous voyait et que, là où il était, il souriait.

Dès que j'entrai dans la chambre, la première chose que je vis, ce fut Marcelle, dans son lit, le visage pâle mais le regard brillant d'une radieuse lumière. Et puis, en approchant, je le vis, lui, ce petit bout d'homme à peine éclos et qui, pourtant, tenait déjà une place immense dans nos cœurs. Il était couché dans un petit berceau, tout près de Marcelle, et dormait. Je le regardai intensément, détaillant avec passion son petit visage, ses oreilles parfaites, ses petits poings serrés sur l'oreiller. J'embrassai Marcelle sans un mot, trop émue pour parler. Elle me sourit, murmura :

— Il est beau, n'est-ce pas ?

Catherine et Robert, de chaque côté du berceau, ne se lassaient pas de le regarder, et il y avait dans leurs yeux une douceur, un émerveillement que je partageais.

Jean se pencha, prit délicatement son fils et le

déposa dans mes bras. Je pris contre moi l'enfant de mon enfant. Comme une vague, une pure et profonde émotion m'envahit, et je pleurai. Et mes larmes étaient, cette fois-ci, un hymne à la vie.

8

DEPUIS ce jour, cinq années se sont écoulées. Cet enfant m'a ramenée vers la vie. Grâce à lui, j'ai réappris à aimer, à rire, à jouer. A travers lui, j'ai retrouvé l'enfance de Jean, les premiers sourires, les premiers balbutiements, les premiers pas. Il y a eu le jour où il m'a tendu les bras en m'appelant Mémé, le jour où il est venu vers moi en se dandinant maladroitement sur ses jambes incertaines. Toute ma vie, dorénavant, est basée sur lui. Depuis qu'il est là, elle est beaucoup moins grise. Il en est le petit soleil.

C'est un enfant vif, gai, heureux de vivre, facile à élever, et, en même temps, tendre et sensible. Tout de suite, il a adoré Pompon, et ce fut réciproque. Ils sont de grands amis, des compagnons de jeux inséparables. Ils se roulent par terre ensemble, et le petit rit aux éclats lorsque Pompon, à grands coups de langue, lui lèche le visage.

Jean et Marcelle n'ont pas oublié d'aller présenter leur fils à la femme guérisseur du village voisin, peu après sa naissance. Elle a été heureuse de les voir, a béni l'enfant, et a donné, pour lui, une médaille qu'il porte au cou, avec une fine chaîne.

Moi, de mon côté, je deviens doucement une vieille femme. Je viens d'avoir soixante-deux ans. Mes cheveux sont tout gris, et, lorsque le temps est humide, mes rhumatismes me font souffrir. Cela fait dix ans maintenant que je vis sans Charles, que je vis à moitié. Le temps, peu à peu, a rendu ma peine moins vive, mais elle ne me quitte jamais.

Jean est toujours passionné par son métier. Mais, les puits ferment, l'un après l'autre. Il paraît que le charbon français revient trop cher, l'énergie qui nous vient de l'étranger est meilleur marché. Les mineurs le ressentent comme une injure ; il y a encore, disent-ils, beaucoup de charbon à extraire. Et puis, ajoutent-ils, pourquoi fermer au moment où, avec la modernisation, le travail devient plus facile ?... Jean, avec tristesse, m'explique que les travaux de modernisation, justement, coûtent très cher. Il s'y ajoute l'augmentation du coût du matériel et des charges salariales, ce qui pèse lourdement sur le prix de revient du charbon. Alors, je m'interroge et je m'inquiète : avec les mesures de récession qui sont prévues, y aurait-il de moins en moins de mineurs ?

Pourtant, lorsque je regarde en arrière, et que je compare leur vie à celle de mon père, je peux mesurer les progrès accomplis. Il y a maintenant les congés payés, que mon père n'a jamais connus, les centres de vacances. Nombreux sont ceux, dans le coron, qui ont la télévision, et même une voiture. Leur vie semble moins dure, leur métier moins dangereux. Malgré tout, il y a encore des accidents ; et la silicose, si elle est reconnue comme maladie professionnelle et soignée comme telle, reste la même asphyxie lente, implacable et meurtrière.

Ma vie a été, dès ma naissance, conditionnée par la mine, et je ne peux pas l'imaginer autrement. J'ai toujours vécu au milieu de ces maisons groupées, serrées à l'ombre de l'immense chevalement qui les domine. C'est là que je suis née, c'est là mon pays, c'est là que je mourrai. J'ai toujours vécu, aussi, au milieu des mineurs, et j'ai aimé ce peuple rude, courageux, sincère, pour qui la solidarité, l'amitié ne sont pas de simples mots mais des valeurs réelles, profondes.

C'est au milieu d'eux que je finirai ma vie, dans la petite maison où j'ai été heureuse avec Charles. J'aime leur présence autour de moi. J'ai aussi l'affection de mes enfants, qui m'est très douce, l'amour de mon grand fils, de Marcelle et de mon petit-fils. Il va déjà à l'école ; à son tour, il apprendra à lire, à écrire. Il aura sa propre existence, son propre combat à mener. Mais, pour le moment, c'est encore un enfant insouciant, et j'espère qu'il le restera le plus longtemps possible.

Je suis reconnaissante à la vie de me permettre de voir vivre le fils de mon fils. Une tendre complicité nous unit. Souvent, il vient sur mes genoux, se blottit contre moi, et me réclame une histoire. Alors je lui raconte les histoires qui ont enchanté mon enfance, et il m'écoute avec gravité, presque religieusement. Je serre son petit corps chaud contre moi, et je suis heureuse.

Mes dernières années s'écouleront ainsi, douces, paisibles. Et quand le moment sera venu d'aller rejoindre mon cher Charles qui m'a tant aimée, je partirai, sereine, sans aucun regret. Il me tendra les bras, et nous ne ferons plus qu'un, à jamais.

TABLE

Première partie. (1900-1914). *Leur nuit sans étoiles* 13

Deuxième partie. (1914-1926). *La mort, l'amour, la vie* 79

Troisième partie. (1926-1945). *Le cœur déchiré* 205

Quatrième partie. (1945-1962). *Le chemin à finir* 305

Achevé d'imprimer en août 1998
sur les presses de l'Imprimerie Bussière
à Saint-Amand (Cher)

POCKET - 12, avenue d'Italie - 75627 Paris Cedex 13
Tél. : 01-44-16-05-00

— N° d'imp. 1836. —
Dépôt légal : septembre 1998.

Imprimé en France